D0727190

NOTRE-DAME DE PARIS

1482

Tome 2

VICTOR HUGO

Notre-Dame de Paris

1482

Tome 2

VICTOR HUGO
(1802-1885)

Le 26 février 1802, à Besançon, naît Victor Hugo. Son père est devenu général au cours des guerres de la Révolution et de l'Empire. Enfant, il souffre de la mésentente de ses parents. Dès son adolescence, il affirme des ambitions littéraires, et participe à des concours poétiques. Après des études brillantes, il épouse, en 1822, Adèle Foucher, son amie d'enfance, grâce à la pension accordée par le roi à la suite de la parution de son premier recueil poètique — et premier succès public — *Odes*. La nuit de son mariage, Eugène, son frère qui lui aussi aimait Adèle, devient fou.

Naissent Léopoldine (1824), Charles (1826); Francis-Victor (1828). En 1829, avec *Les Orientales*, il est déjà reconnu comme le chef de file du mouvement romantique. Les milieux officiels l'estiment. Ce révolutionnaire en littérature, qui a reçu la Légion d'honneur, est conservateur en politique. *Hernani*, en 1830, premier drame romantique joué à la Comédie française, *Notre-Dame de Paris*, l'année suivante, confirment sa gloire littéraire.

Sa femme, amoureuse du critique Sainte-Beuve, ami de la famille, se détache de lui, avant de lui revenir. Il a rencontré l'actrice Juliette Drouet. Entre son épouse et l'actrice qui ont fait vœu de se consacrer à leur grand homme, sa vie privée devient digne d'un vaudeville. Il reçoit ses maîtresses dans son bureau relié par une porte secrète à son appartement.

Ruy Blas est créé en 1838. En 1842, le mariage et la noyade tragique de sa fille Léopoldine est une première épreuve. Lui qui a composé de si beaux poèmes sur l'enfance inspirés de sa vie familiale verra, dans sa vieillesse, mourir aussi ses deux fils. Quand à sa fille Adèle, elle sera internée en 1872, devenue folle à la suite d'une histoire d'amour, comme son oncle Eugène.

Ce chef de file du romantisme, cet ami d'Alexandre Dumas, de Théophile Gautier ne se contente pas d'écrire. Il participe activement à la vie politique. En, 1845, cet Académicien élu à 38 ans, devient pair de France et réclame, lors d'une intervention, le retour, en France, de la famille Bonaparte. Mais le coup d'État du 2 décembre 1851 le fait entrer dans l'opposition ouverte au régime. Il doit s'enfuir en Belgique. Il y rédige *Les Châtiments* (1853) avant de s'installer à Jersey puis à Guernesey, avec sa famille, et Juliette Drouet.

Hugo se passionne alors pour le spiritisme, écrit (*Les Contemplations, Chanson des rues et des Bois, les Misérables, les Travailleurs de la mer, la Légende des siècles*, que Juliette recopie...) et refuse avec hauteur les amnisties proposées par Napoléon III, qu'il a surnommé, dans ses pamphlets, Napoléon le petit.

Il s'est laissé pousser une barbe blanche de patriarche et s'habille comme un ouvrier. *Les Misérables* font, en 1862, un triomphe à Paris. Après l'effondrement de l'Empire, Hugo revient à Paris, le 5 septembre 1870, et reçoit un accueil triomphal.

Élu au Sénat en 1876, mais ayant renoncé à jouer un rôle politique de premier plan, il cultive l'art d'être grand-père (des deuils successifs l'ont laissé seul avec ses deux petits-enfants), recevant les grands du monde entier qui viennent le visiter. Ses 80 ans sont l'occasion d'une immense manifestation. Des millions d'hommes se reconnaissent dans son œuvre universelle. Premier dramaturge de son siècle, il en est aussi l'un des plus grands romanciers, un poète de génie et un illustrateur de talent. Et bien que couvert de gloire et d'honneurs, il est devenu le protecteur des humbles.

Le 11 mai 1883, Juliette s'éteint (sa femme est morte à Bruxelles en 1868). Il lui survit deux ans. Le 22 mai 1885, une congestion pulmonaire l'emporte. Des obsèques nationales sont décrétées. Le 1er juin, deux millions de personnes suivent le cercueil de ce grand républicain, de l'Arc de Triomphe au Panthéon, où ses cendres sont déposées.

Il y a quelques années qu'en visitant, ou, pour mieux dire, en furetant Notre-Dame, l'auteur de ce livre trouva, dans un recoin obscur de l'une des tours ce mot gravé à la main sur le mur :

'ANAGKH

Ces majuscules grecques, noires de vétusté et assez profondément entaillées dans la pierre, je ne sais quels signes propres à la calligraphie gothique empreints dans leurs formes et dans leurs attitudes, comme pour révéler que c'était une main du moyen âge qui les avait écrites là surtout le sens lugubre et fatal qu'elles renferment, frappèrent vivement l'auteur.

Il se demanda, il chercha à deviner quelle pouvait être l'âme en peine qui n'avait pas voulu quitter ce monde sans laisser ce stigmate de crime ou de malheur au front de la vieille église.

Depuis, on a badigeonné ou gratté (je ne sais plus lequel) le mur, et l'inscription a disparu. Car c'est ainsi qu'on agit depuis tantôt deux cents ans avec les merveilleuses églises du moyen âge. Les mutilations leur viennent de toutes parts, du dedans comme du dehors. Le prêtre les badigeonne, l'architecte les gratte, puis le peuple survient, qui les démolit.

Ainsi, hormis le fragile souvenir que lui consacre ici l'auteur de ce livre, il ne reste plus rien aujourd'hui du mot mystérieux gravé dans la sombre tour de Notre-Dame, rien de la destinée inconnue qu'il résumait si mélancoliquement. L'homme qui a écrit ce mot sur ce mur s'est effacé, il a plusieurs siècles, du milieu des générations, le mot s'est à son tour effacé du mur de l'église, l'église elle-même s'effacera bientôt peut-être de la terre.

C'est sur ce mot qu'on a fait ce livre.

Mars 1831.

LIVRE SEPTIÈME

I

DU DANGER DE CONFIER
SON SECRET À UNE CHÈVRE

Plusieurs semaines s'étaient écoulées.

On était aux premiers jours de mars. Le soleil, que Dubartas, ce classique ancêtre de la périphrase, n'avait pas encore nommé *le grand-duc des chandelles,* n'en était pas moins joyeux et rayonnant pour cela. C'était une de ces journées de printemps qui ont tant de douceur et de beauté que tout Paris, répandu dans les places et les promenades, les fête comme des dimanches. Dans ces jours de clarté, de chaleur et de sérénité, il y a une certaine heure surtout où il faut admirer le portail de Notre-Dame. C'est le moment où le soleil, déjà incliné vers le couchant, regarde presque en face la cathédrale. Ses rayons, de plus en plus horizontaux, se retirent lentement du pavé de la place, et remontent le long de la façade à pic dont ils font saillir les mille rondes-bosses sur leur ombre, tandis que la grande rose centrale flamboie comme un œil de cyclope enflammé des réverbérations de la forge.

On était à cette heure-là.

Vis-à-vis la haute cathédrale rougie par le couchant, sur le balcon de pierre pratiqué au-dessus du porche d'une riche maison gothique qui faisait l'angle de la place et de la rue du Parvis, quelques belles jeunes filles riaient et devisaient avec toute sorte de grâce et de folie. A la longueur du voile qui tombait, du sommet de leur coiffe pointue enroulée de perles, jusqu'à leurs talons, à la finesse de la chemisette brodée qui couvrait leurs épaules en laissant voir, selon la mode engageante d'alors, la naissance de leurs belles gorges de vierges, à l'opulence de leurs jupes de dessous, plus précieuses encore que leur surtout (recherche merveilleuse !), à la gaze, à la soie, au velours dont tout cela était étoffé, et surtout à la blancheur de leurs mains qui les attestait oisives et paresseuses, il était aisé de deviner de nobles et riches héritières. C'était en effet damoiselle Fleur-de-Lys de Gondelaurier et ses compagnes, Diane de Christeuil, Amelotte de Montmichel, Colombe de Gaillefontaine, et la petite de Champchevrier ; toutes filles de bonne maison, réunies en ce moment chez la dame veuve de Gondelaurier, à cause de monseigneur de Beaujeu et de madame sa femme, qui devaient venir au mois d'avril à Paris, et y choisir des accompagneresses d'honneur pour madame la Dauphine Marguerite, lorsqu'on l'irait recevoir en Picardie des mains des flamands. Or, tous les hobereaux de trente lieues à la ronde briguaient cette faveur pour leurs filles, et bon nombre d'entre eux les avaient déjà amenées ou envoyées à Paris. Celles-ci avaient été confiées par leurs parents à la garde discrète et vénérable de madame Aloïse de Gondelaurier, veuve d'un ancien maître des arbalétriers du roi, retirée avec sa fille unique, en sa maison de la place du parvis Notre-Dame, à Paris.

Le balcon où étaient ces jeunes filles s'ouvrait sur une chambre richement tapissée d'un cuir de Flandre de couleur fauve imprimé à rinceaux d'or. Les solives qui rayaient parallèlement le plafond amusaient l'œil par mille bizarres sculptures peintes et dorées. Sur des bahuts ciselés, de splendides émaux chatoyaient çà et là ; une hure de sanglier en faïence couronnait un dressoir magnifique dont les deux degrés annonçaient que la maîtresse du logis était femme ou veuve d'un chevalier banneret. Au fond, à côté d'une haute cheminée armoriée et blasonnée du haut en bas, était assise, dans un riche fauteuil de velours rouge, la dame de Gondelaurier, dont les cinquante-cinq ans n'étaient pas moins écrits sur son vêtement que sur son visage. A côté d'elle se tenait debout un jeune homme d'assez fière mine, quoique un peu vaine et bravache, un de ces beaux garçons dont toutes les femmes tombent d'accord, bien que les hommes graves et physionomistes en haussent les épaules. Ce jeune cavalier portait le brillant habit de capitaine des archers de l'ordonnance du roi, lequel ressemble beaucoup trop au costume de Jupiter, qu'on a déjà pu admirer au premier livre de cette histoire, pour que nous en fatiguions le lecteur d'une seconde description.

Les damoiselles étaient assises, partie dans la chambre, partie sur le balcon, les unes sur des carreaux de velours d'Utrecht à cornières d'or, les autres sur des escabeaux de bois de chêne sculptés à fleurs et à figures. Chacune d'elles tenait sur ses genoux un plan d'une grande tapisserie à l'aiguille, a laquelle elles travaillaient en commun, et dont un bon bout traînait sur la natte qui recouvrait le plancher.

Elles causaient entre elles avec cette voix chuchotante et ces demi-rires étouffés d'un conciliabule de jeunes filles au milieu desquelles il y a un jeune homme. Le jeune homme, dont la présence suffisait pour mettre en jeu tous ces amours-propres féminins, paraissait, lui, s'en soucier médiocrement; et tandis que c'était parmi les belles filles à qui attirerait son attention, il paraissait surtout occupé à fourbir avec son gant de peau de daim l'ardillon de son ceinturon. De temps en temps la vieille dame lui adressait la parole tout bas, et il lui répondait de son mieux avec une sorte de politesse gauche et contrainte. Aux sourires, aux petits signes d'intelligence de madame Aloïse, aux clins d'yeux qu'elle détachait vers sa fille Fleur-de-Lys, en parlant bas au capitaine, il était facile de voir qu'il s'agissait de quelque fiançaille consommée, de quelque mariage prochain sans doute entre le jeune homme et Fleur-de-Lys. Et à la froideur embarrassée de l'officier, il était facile de voir que, de son côté du moins, il ne s'agissait plus d'amour. Toute sa mine exprimait une pensée de gêne et d'ennui que nos sous-lieutenants de garnison traduiraient admirablement aujourd'hui par : Quelle chienne de corvée !

La bonne dame, fort entêtée de sa fille, comme une pauvre mère qu'elle était, ne s'apercevait pas du peu d'enthousiasme de l'officier, et s'évertuait à lui faire remarquer tout bas les perfections infinies avec lesquelles Fleur-de-Lys piquait son aiguille ou dévidait son écheveau.

— Tenez, petit cousin, lui disait-elle en le tirant par la manche pour lui parler à l'oreille. Regardez-la donc ! la voilà qui se baisse.

— En effet, répondait le jeune homme ; et il retombait dans son silence distrait et glacial.

Un moment après, il fallait se pencher de nouveau, et dame Aloïse lui disait :

— Avez-vous jamais vu figure plus avenante et plus égayée que votre accordée ? Est-on plus blanche et plus blonde ? ne sont-ce pas là des mains accomplies ? et ce cou-là, ne prend-il pas, à ravir, toutes les façons d'un cygne ? Que je vous envie par moments ! et que vous êtes heureux d'être homme, vilain libertin que vous êtes ! N'est-ce pas que ma Fleur-de-Lys est belle par adoration et que vous en êtes éperdu ?

— Sans doute, répondait-il tout en pensant à autre chose.

— Mais parlez-lui donc, dit tout à coup madame Aloïse en le poussant par l'épaule. Dites-lui donc quelque chose. Vous êtes devenu bien timide.

Nous pouvons affirmer à nos lecteurs que la timidité n'était ni la vertu ni le défaut du capitaine. Il essaya pourtant de faire ce qu'on lui demandait.

— Belle cousine, dit-il en s'approchant de Fleur-de-Lys, quel est le sujet de cet ouvrage de tapisserie que vous façonnez ?

— Beau cousin, répondit Fleur-de-Lys avec un accent de dépit, je vous l'ai déjà dit trois fois. C'est la grotte de Neptunus.

Il était évident que Fleur-de-Lys voyait beaucoup plus clair que sa mère aux manières froides et distraites du capitaine. Il sentit la nécessité de faire quelque conversation.

— Et pour qui toute cette neptunerie ? demanda-t-il.

— Pour l'abbaye Saint-Antoine des Champs, dit Fleur-de-Lys sans lever les yeux.

Le capitaine prit un coin de la tapisserie :

— Qu'est-ce que c'est, ma belle cousine, que ce gros gendarme qui souffle à pleines joues dans une trompette ?

— C'est Trito, répondit-elle.

Il y avait toujours une intonation un peu boudeuse dans les brèves paroles de Fleur-de-Lys. Le jeune homme comprit qu'il était indispensable de lui dire quelque chose à l'oreille, une fadaise, une galanterie, n'importe quoi. Il se pencha donc, mais il ne put rien trouver dans son imagination de plus tendre et de plus intime que ceci : — Pourquoi votre mère porte-t-elle toujours une cotte hardie armoriée comme nos grand'mères du temps de Charles VII? Dites-lui donc, belle cousine, que ce n'est plus l'élégance d'à présent, et que son gond et son laurier brodés en blason sur sa robe lui donnent l'air d'un manteau de cheminée qui marche. En vérité, on ne s'assied plus ainsi sur sa bannière, je vous jure.

Fleur-de-Lys leva sur lui ses beaux yeux pleins de reproche : — Est-ce là tout ce que vous me jurez? dit-elle à voix basse.

Cependant la bonne dame Aloïse, ravie de les voir ainsi penchés et chuchotant, disait en jouant avec les fermoirs de son livre d'heures : — Touchant tableau d'amour!

Le capitaine, de plus en plus gêné, se rabattit sur la tapisserie : — C'est vraiment un charmant travail! s'écria-t-il.

A ce propos, Colombe de Gaillefontaine, une autre belle blonde à peau blanche, bien colletée de damas bleu, hasarda timidement une parole qu'elle adressa à Fleur-de-Lys, dans l'espoir que le beau capitaine y répondrait :

— Ma chère Gondelaurier, avez-vous vu les tapisseries de l'hôtel de La Roche-Guyon?

— N'est-ce pas l'hôtel où est enclos le jardin de la Lingère du Louvre? demanda en riant Diane de Christeuil, qui avait de belles dents et par conséquent riait à tout propos.

— Et où il y a cette grosse vieille tour de l'ancienne muraille de Paris, ajouta Amelotte de Montmichel, jolie brune bouclée et fraîche, qui avait l'habitude de soupirer comme l'autre riait, sans savoir pourquoi.

— Ma chère Colombe, reprit dame Aloïse, voulez-vous pas parler de l'hôtel qui était à monsieur de Bacqueville, sous le roi Charles VI? il y a en effet de bien superbes tapisseries de haute lice.

— Charles VI! le roi Charles VI! grommela le jeune capitaine en retroussant sa moustache. Mon Dieu! que la bonne dame a souvenir de vieilles choses!

Madame de Gondelaurier poursuivait : — Belles tapisseries, en vérité. Un travail si estimé qu'il passe pour singulier!

En ce moment, Bérangère de Champchevrier. svelte petite

fille de sept ans, qui regardait dans la place par les trèfles du balcon, s'écria : — Oh! voyez, belle marraine Fleur-de-Lys, la jolie danseuse qui danse là sur le pavé, et qui tambourine au milieu des bourgeois manants!

En effet, on entendait le frissonnement sonore d'un tambour de basque.

— Quelque égyptienne de Bohême, dit Fleur-de-Lys en se détournant nonchalamment vers la place.

— Voyons! voyons! crièrent ses vives compagnes; et elles coururent toutes au bord du balcon, tandis que Fleur-de-Lys, rêveuse de la froideur de son fiancé, les suivait lentement et que celui-ci, soulagé par cet incident qui coupait court à une conversation embarrassée, s'en revenait au fond de l'appartement de l'air satisfait d'un soldat relevé de service. C'était pourtant un charmant et gentil service que celui de la belle Fleur-de-Lys, et il lui avait paru tel autrefois; mais le capitaine s'était blasé peu a peu; la perspective d'un mariage prochain le refroidissait davantage de jour en jour. D'ailleurs, il était d'humeur inconstante, et, faut-il le dire? de goût un peu vulgaire. Quoique de fort noble naissance, il avait contracté sous le harnois plus d'une habitude de soudard. La taverne lui plaisait, et ce qui s'ensuit. Il n'était à l'aise que parmi les gros mots, les galanteries militaire, les faciles beautés et les faciles succès. Il avait pourtant reçu de sa famille quelque éducation et quelques manières; mais il avait trop jeune couru le pays, trop jeune tenu garnison, et tous les jours le vernis du gentilhomme s'effaçait au dur frottement de Son baudrier de gendarme. Tout en la visitant encore de temps en temps, par un reste de respect humain, il se sentait doublement gêne chez Fleur-de-Lys; d'abord, parce qu'à force de disperser son amour dans toutes sortes de lieux il en avait fort peu réservé pour elle; ensuite, parce qu'au milieu de tant de belles dames roides, épinglées et décentes, il tremblait sans cesse que sa bouche habituée aux jurons ne prît tout d'un coup le mors aux dents et ne s'échappât en propos de taverne. Qu'on se figure le bel effet!

Du reste, tout cela se mêlait chez lui à de grandes prétentions d'élégance, de toilette et de belle mine. Qu'on arrange ces choses comme on pourra. Je ne suis qu'historien.

Il se tenait donc depuis quelques moments, pensant ou ne

pensant pas, appuyé en silence au chambranle sculpté de la cheminée, quand Fleur-de-Lys, se tournant soudain, lui adressa la parole. Après tout, la pauvre jeune fille ne le boudait qu'à son cœur défendant.

— Beau cousin, ne nous avez-vous pas parlé d'une petite bohémienne que vous avez sauvée, il y a deux mois, en faisant le contre-guet la nuit, des mains d'une douzaine de voleurs ?

— Je crois que oui, belle cousine, dit le capitaine.

— Eh bien, reprit-elle, c'est peut-être cette bohémienne qui danse là dans le parvis. Venez voir si vous la reconnaissez, beau cousin Phœbus.

Il perçait un secret désir de réconciliation dans cette douce invitation qu'elle lui adressait de venir près d'elle, et dans ce soin de l'appeler par son nom. Le capitaine Phœbus de Châteaupers (car c'est lui que le lecteur a sous les yeux depuis le commencement de ce chapitre) s'approcha à pas lents du balcon. — Tenez, lui dit Fleur-de-Lys en posant tendrement sa main sur le bras de Phœbus, regardez cette petite qui danse là dans ce rond. Est-ce votre bohémienne ?

Phœbus regarda, et dit :

— Oui, je la reconnais à sa chèvre.

— Oh ! la jolie petite chèvre en effet ! dit Amelotte en joignant les mains d'admiration.

— Est-ce que ses cornes sont en or de vrai ? demanda Bérangère.

Sans bouger de son fauteuil, dame Aloïse prit la parole : — N'est-ce pas une de ces bohémiennes qui sont arrivées l'an passé par la Porte Gibard ?

— Madame ma mère, dit doucement Fleur-de-Lys, cette porte s'appelle aujourd'hui Porte d'Enfer.

Mademoiselle de Gondelaurier savait à quel point le capitaine était choqué des façons de parler surannées de sa mère. En effet, il commençait à ricaner en disant entre ses dents : — Porte Gibard ! Porte Gibard ! C'est pour faire passer le roi Charles VI !

— Marraine, s'écria Bérangère dont les yeux sans cesse en mouvement s'étaient levés tout à coup vers le sommet des tours de Notre-Dame, qu'est-ce que c'est que cet homme noir qui est là-haut ?

Toutes les jeunes filles levèrent les yeux. Un homme en

effet était accoudé sur la balustrade culminante de la tour septentrionale, donnant sur la Grève. C'était un prêtre. On distinguait nettement son costume, et son visage appuyé sur ses deux mains. Du reste, il ne bougeait non plus qu'une statue. Son œil fixe plongeait dans la place.

C'était quelque chose de l'immobilité d'un milan qui vient de découvrir un nid de moineaux et qui le regarde.

— C'est monsieur l'archidiacre de losas, dit Fleur-de-Lys.

— Vous avez de bons yeux si vous le reconnaissez d'ici ! observa la Gaillefontaine.

— Comme il regarde la petite danseuse ! reprit Diane de Christeuil.

— Gare à l'égyptienne ! dit Fleur-de-Lys, car il n'aime pas l'Égypte.

— C'est bien dommage que cet homme la regarde ainsi, ajouta Amelotte de Montmichel, car elle danse à éblouir.

— Beau cousin Phœbus, dit tout à coup Fleur-de-Lys, puisque vous connaissez cette petite bohémienne, faites lui donc signe de monter. Cela nous amusera.

— Oh oui ! s'écrièrent toutes les jeunes filles en battant des mains.

— Mais c'est une folie, répondit Phœbus. Elle m'a sans doute oublié, et je ne sais seulement pas son nom. Cependant, puisque vous le souhaitez, mesdemoiselles, je vais essayer. Et se penchant à la balustrade du balcon, il se mit a crier : — Petite !

La danseuse ne tambourinait pas en ce moment. Elle tourna la tête vers le point d'ou lui venait cet appel, son regard brillant se fixa sur Phœbus, et elle s'arrêta tout court.

— Petite ! répéta le capitaine ; et il lui fit signe du doigt de venir.

La jeune fille le regarda encore, puis elle rougit comme si une flamme lui était montée dans les joues, et, prenant son tambourin sous son bras, elle se dirigea, à travers les spectateurs ébahis, vers la porte de la maison ou Phœbus l'appelait, à pas lents, chancelante, et avec le regard troublé d'un oiseau qui cède à la fascination d'un serpent.

Un moment après, la portière de tapisserie se souleva, et la bohémienne parut sur le seuil de la chambre, rouge, interdite, essoufflée, ses grands yeux baissés, et n'osant faire un pas de plus.

Bérangère battit des mains.

Cependant la danseuse restait immobile sur le seuil de la porte. Son apparition avait produit sur ce groupe de jeunes filles un effet singulier. Il est certain qu'un vague et indistinct désir de plaire au bel officier les animait toutes à la fois, que le splendide uniforme était le point de mire de toutes leurs coquetteries, et que, depuis qu'il était présent, il y avait entre elles une certaine rivalité secrète, sourde, qu'elles s'avouaient à peine à elles-mêmes, et qui n'en éclatait pas moins à chaque instant dans leurs gestes et leurs propos. Néanmoins, comme elles étaient toutes à peu prés dans la même mesure de beauté, elles luttaient à armes égales, et chacune pouvait espérer la victoire. L'arrivée de la bohémienne rompit brusquement cet équilibre. Elle était d'une beauté si rare qu'au moment où elle parut à l'entrée de l'appartement il sembla qu'elle y répandait une sorte de lumière qui lui était propre. Dans cette chambre resserrée, sous ce sombre encadrement de tentures et de boiseries, elle est incomparablement plus belle et plus rayonnante que dans la place publique. C'était comme un flambeau qu'on venait d'apporter du grand jour dans l'ombre. Les nobles damoiselles en furent malgré elles éblouies. Chacune se sentit en quelque sorte blessée dans sa beauté. Aussi leur front de bataille, qu'on nous passe l'expression, changea-t-il sur-le-champ, sans qu'elles se disent un seul mot. Mais elles s'entendaient à merveille. Les instincts de femmes se comprennent et se répondent plus vite que les intelligences d'hommes. Il venait de leur arriver une ennemie : toutes le sentaient, toutes se ralliaient. Il suffit d'une goutte de vin pour rougir tout un verre d'eau ; pour teindre d'une certaine humeur toute une assemblée de jolies femmes, il suffit de la survenue d'une femme plus jolie, — surtout lorsqu'il n'y a qu'un homme.

Aussi l'accueil fait à la bohémienne fut-il merveilleusement glacial. Elles la considérèrent du haut en bas, puis s'entre-regardèrent, et tout fut dit. Elles s'étaient comprises. Cependant la jeune fille attendait qu'on lui parlât, tellement émue qu'elle n'osait lever les paupières.

Le capitaine rompit le silence le premier. — Sur ma parole, dit-il avec son ton d'intrépide fatuité, voilà une charmante créature ! Qu'en pensez-vous, belle cousine ?

Cette observation, qu'un admirateur plus délicat eût du moins faite à voix basse, n'était pas de nature à dissiper les jalousies féminines qui se tenaient en observation devant la bohémienne.

Fleur-de-Lys répondit au capitaine avec une doucereuse affectation de dédain : — Pas mal.

Les autres chuchotaient.

Enfin, madame Aloïse, qui n'était pas la moins jalouse, parce qu'elle l'était pour sa fille, adressa la parole à la danseuse : — Approchez, petite.

— Approchez, petite ! répéta avec une dignité comique Bérangère, qui lui fût venue à la hanche.

L'égyptienne s'avança vers la noble dame.

— Belle enfant, dit Phœbus avec emphase en faisant de son côté quelques pas vers elle, je ne sais si j'ai le suprême bonheur d'être reconnu de vous...

Elle l'interrompit en levant sur lui un sourire et un regard pleins d'une douceur infinie :

— Oh ! oui, dit-elle.

— Elle a bonne mémoire, observa Fleur-de-Lys.

— Or çà, reprit Phœbus, vous vous êtes bien prestement échappée l'autre soir. Est-ce que je vous fais peur ?

— Oh ! non, dit la bohémienne.

Il y avait, dans l'accent dont cet *oh ! non* fut prononcé à la suite de cet *oh* ! oui, quelque chose d'ineffable dont Fleur-de-Lys fut blessée.

— Vous m'avez laissé en votre lieu, ma belle, poursuivit le capitaine dont la langue se déliait en parlant à une fille des rues, un assez rechigné drôle, borgne et bossu, le sonneur de cloches de l'évêque, à ce que je crois. On m'a dit qu'il était bâtard d'un archidiacre et diable de naissance. Il a un plaisant nom, il s'appelle Quatre-Temps, Pâques-Fleuries, Mardi-Gras, je ne sais plus ! Un nom de fête carillonnée, enfin ! Il se permettait donc de vous enlever, comme si vous étiez faite pour des bedeaux ! cela est fort. Que diable vous voulait-il donc, ce chathuant ? Hein, dites !

— Je ne sais, répondit-elle.

— Conçoit-on l'insolence ! un sonneur de cloches enlever une fille, comme un vicomte ! un manant braconner sur le gibier des gentilshommes ! Voilà qui est rare. Au demeurant, il l'a payé cher. Maître Pierrat Torterue est le plus rude palefrenier qui ait jamais étrillé un maraud, et je vous dirai, si cela peut vous être agréable, que le cuir de votre sonneur lui a galamment passé par les mains.

— Pauvre homme ! dit la bohémienne chez qui ces paroles ravivaient le souvenir de la scène du pilori.

Le capitaine éclata de rire. — Corne-de-bœuf ! voilà de la pitié aussi bien placée qu'une plume au cul d'un porc ! Je veux être ventru comme un pape, si...

Il s'arrêta tout court. — Pardon, mesdames ! je crois que j'allais lâcher quelque sottise.

— Fi, monsieur ! dit la Gaillefontaine.

— Il parle sa langue à cette créature ! ajouta à demi-voix Fleur-de-Lys, dont le dépit croissait de moment en moment. Ce dépit ne diminua point quand elle vit le capitaine, enchanté de la bohémienne et surtout de lui-même, pirouetter sur le talon en répétant avec une grosse galanterie naïve et soldatesque : — Une belle fille, sur mon âme !

— Assez sauvagement vêtue, dit Diane de Christeuil, avec son rire de belles dents.

Cette réflexion fut un trait de lumière pour les autres. Elle leur fit voir le côté attaquable de l'égyptienne. Ne pouvant mordre sur sa beauté, elles se jetèrent sur son costume.

— Mais cela est vrai, dit la Montmichel, où as-tu pris de courir ainsi par les rues sans guimpe ni gorgerette ?

— Voilà une jupe courte à faire trembler, ajouta la Gaillefontaine.

— Ma chère, poursuivit assez aigrement Fleur-de-Lys, vous vous ferez ramasser par les sergents de la douzaine pour votre ceinture dorée.

— Petite, petite, reprit la Christeuil avec un sourire implacable, si tu mettais honnêtement une manche sur ton bras, il serait moins brûlé par le soleil.

C'était vraiment un spectacle digne d'un spectateur plus intelligent que Phœbus, de voir comme ces belles filles, avec leurs langues envenimées et irritées, serpentaient, glissaient et se tordaient autour de la danseuse des rues. Elles étaient cruelles et gracieuses. Elles fouillaient, elles furetaient malignement de la parole dans sa pauvre et folle toilette de paillettes et d'oripeaux. C'étaient des rires, des ironies, des humiliations sans fin. Les sarcasmes pleuvaient sur l'égyptienne, et la bienveillance hautaine, et les regards méchants.

On eût cru voir de ces jeunes dames romaines qui s'amusaient à enfoncer des épingles d'or dans le sein d'une belle esclave. On eût dit d'élégantes levrettes chasseresses tournant, les narines ouvertes, les yeux ardents, autour d'une pauvre biche des bois que le regard du maître leur interdit de dévorer.

Qu'était-ce, après tout, devant ces filles de grande maison, qu'une misérable danseuse de place publique ! Elles ne semblaient tenir aucun compte de sa présence, et parlaient d'elle, devant elle, à elle-même, à haute voix, comme de quelque chose d'assez malpropre, d'assez abject et d'assez joli.

La bohémienne n'était pas insensible à ces piqûres d'épingle. De temps en temps une pourpre de honte, un éclair de colère enflammait ses yeux ou ses joues ; une parole dédaigneuse semblait hésiter sur ses lèvres ; elle faisait avec mépris cette petite grimace que le lecteur lui connaît ; mais elle se taisait. Immobile, elle attachait sur Phœbus un regard résigné, triste et doux. Il y avait aussi du bonheur et de la tendresse dans ce regard. On eût dit qu'elle se contenait, de peur d'être chassée.

Phœbus, lui, riait, et prenait le parti de la bohémienne avec un mélange d'impertinence et de pitié.

— Laissez-les dire, petite ! répétait-il en faisant sonner ses éperons d'or, sans doute, votre toilette est un peu extravagante et farouche ; mais, charmante fille comme vous êtes, qu'est-ce que cela fait ?

— Mon Dieu ! s'écria la blonde Gaillefontaine, en redressant son cou de cygne avec un sourire amer, je vois que messieurs les archers de l'ordonnance du roi prennent aisément feu aux beaux yeux égyptiens.

— Pourquoi non ? dit Phœbus.

A cette réponse, nonchalamment jetée par le capitaine comme une pierre perdue qu'on ne regarde même pas tomber, Colombe se prit à rire, et Diane, et Amelotte, et Fleur-de-Lys, à qui il vint en même temps une larme dans les yeux.

La bohémienne, qui avait baissé à terre son regard aux paroles de Colombe de Gaillefontaine, le releva rayonnant de joie et de fierté, et le fixa de nouveau sur Phœbus. Elle était bien belle en ce moment.

La vieille dame, qui observait cette scène, se sentait offensée et ne comprenait pas.

— Sainte Vierge ! cria-t-elle tout à coup, qu'ai-je donc là qui me remue dans les jambes ? Ahi ! la vilaine bête !

C'était la chèvre qui venait d'arriver à la recherche de sa maîtresse, et qui, en se précipitant vers elle, avait commencé par embarrasser ses cornes dans le monceau d'étoffe que les vêtements de la noble dame entassaient sur ses pieds quand elle était assise.

Ce fut une diversion. La bohémienne, sans dire une parole, la dégagea.

— Oh ! voilà la petite chevrette qui a des pattes d'or ! s'écria Bérangère en sautant de joie.

La bohémienne s'accroupit à genoux, et appuya contre sa joue la tête caressante de la chèvre. On eût dit qu'elle lui demandait pardon de l'avoir quittée ainsi.

Cependant Diane s'était penchée à l'oreille de Colombe.

— Eh ! mon Dieu ! comment n'y ai-je pas songé plus tôt ? C'est la bohémienne à la chèvre. On la dit sorcière, et que sa chèvre fait des momeries très miraculeuses.

— Eh bien, dit Colombe, il faut que la chèvre nous divertisse à son tour, et nous fasse un miracle.

Diane et Colombe s'adressèrent vivement à l'égyptienne :
— Petite, fais donc faire un miracle à ta chèvre.

— Je ne sais ce que vous voulez dire, répondit la danseuse.

— Un miracle, une magie, une sorcellerie enfin.

— Je ne sais. Et elle se remit à caresser la jolie bête en répétant : — Djali ! Djali !

En ce moment Fleur-de-Lys remarqua un sachet de cuir brodé suspendu au cou de la chèvre. — Qu'est-ce que cela ? demanda-t-elle à l'égyptienne.

L'égyptienne leva ses grands yeux vers elle, et lui répondit gravement : — C'est mon secret.

— Je voudrais bien savoir ce que c'est que ton secret, pensa Fleur-de-Lys.

Cependant la bonne dame s'était levée avec humeur. — Or çà, la bohémienne, si toi ni ta chèvre n'avez rien à nous danser, que faites-vous céans ?

La bohémienne, sans répondre, se dirigea lentement vers la porte. Mais plus elle en approchait, plus son pas se ralentissait. Un invincible aimant semblait la retenir. Tout à coup elle tourna ses yeux humides de larmes sur Phœbus, et s'arrêta.

— Vrai Dieu! s'écria le capitaine, on ne s'en va pas ainsi. Revenez, et dansez-nous quelque chose. A propos, belle d'amour, comment vous appelez-vous?

— La Esmeralda, dit la danseuse sans le quitter du regard.

A ce nom étrange, un fou rire éclata parmi les jeunes filles.

— Voilà, dit Diane, un terrible nom pour une demoiselle!

— Vous voyez bien, reprit Amelotte, que c'est une charmeresse.

— Ma chère, s'écria solennellement dame Aloïse, vos parents ne vous ont pas pêché ce nom-là dans le bénitier du baptême.

Cependant, depuis quelques minutes, sans qu'on fît attention à elle, Bérangère avait attiré la chèvre dans un coin de la chambre avec un massepain. En un instant, elles avaient été toutes deux bonnes amies. La curieuse enfant avait détaché le sachet suspendu au cou de la chèvre, l'avait ouvert, et avait vidé sur la natte ce qu'il contenait. C'était un alphabet dont chaque lettre était inscrite séparément sur une petite tablette de buis. A peine ces joujoux furent-ils étalés sur la natte que l'enfant vit avec surprise la chèvre, dont c'était là sans doute un des *miracles,* tirer certaines lettres avec sa patte d'or et les disposer, en les poussant doucement, dans un ordre particulier. Au bout d'un instant, cela fit un mot que la chèvre semblait exercée à écrire, tant elle hésita peu à le former, et Bérangère s'écria tout à coup en joignant les mains avec admiration:

— Marraine Fleur-de-Lys, voyez donc ce que la chèvre vient de faire!

Fleur-de-Lys accourut et tressaillit. Les lettres disposées sur le plancher formaient ce mot:

PHŒBUS.

— C'est la chèvre qui a écrit cela? demanda-t-elle d'une voix altérée.

— Oui, marraine, répondit Bérangère.

Il était impossible d'en douter; l'enfant ne savait pas écrire.

— Voilà le secret! pensa Fleur-de-Lys.

Cependant, au cri de l'enfant, tout le monde était accouru, et la mère, et les jeunes filles, et la bohémienne, et l'officier.

La bohémienne vit la sottise que venait de faire la chèvre. Elle devint rouge, puis pâle, et se mit à trembler comme une coupable devant le capitaine, qui la regardait avec un sourire de satisfaction et d'étonnement.

— *Phœbus*! chuchotaient les jeunes filles stupéfaites, c'est le nom du capitaine!

— Vous avez une merveilleuse mémoire! dit Fleur-de-Lys à la bohémienne pétrifiée. Puis éclatant en sanglots:

— Oh! balbutia-t-elle douloureusement en se cachant le visage de ses deux belles mains, c'est une magicienne! Et elle entendait une voix plus amère encore lui dire au fond du cœur: C'est une rivale!

Elle tomba évanouie.

— Ma fille! ma fille! cria la mère effrayée. Va-t'en, bohémienne de l'enfer!

La Esmeralda ramassa en un clin d'œil les malencontreuses lettres, fit signe à Djali, et sortit par une porte, tandis qu'on emportait Fleur-de-Lys par l'autre.

Le capitaine Phœbus, resté seul, hésita un moment entre les deux portes; puis il suivit la bohémienne.

II

QU'UN PRÊTRE
ET UN PHILOSOPHE SONT DEUX

Le prêtre que les jeunes filles avaient remarqué au haut de la tour septentrionale penché sur la place et si attentif à la danse de la bohémienne, c'était en effet l'archidiacre Claude Frollo.

Nos lecteurs n'ont pas oublié la cellule mystérieuse que l'archidiacre s'était réservée dans cette tour. (Je ne sais, pour le dire en passant, si ce n'est pas la même dont on peut voir encore aujourd'hui l'intérieur par une petite lucarne carrée, ouverte au levant à hauteur d'homme, sur la plate-forme d'où s'élancent les tours: un bouge, à présent nu, vide et délabré, dont les murs mal plâtrés sont *ornés* çà et là, à l'heure qu'il est, de quelques méchantes gravures jaunes représentant des façades de cathédrales. Je présume que ce trou est habité concurremment par les chauves-souris et les araignées, et que par conséquent il s'y fait aux mouches une double guerre d'extermination.)

Tous les jours, une heure avant le coucher du soleil, l'archidiacre montait l'escalier de la tour, et s'enfermait dans cette cellule, où il passait quelquefois des nuits entières. Ce jour-là, au moment où, parvenu devant la porte basse du réduit, il mettait dans la serrure la petite clef compliquée qu'il portait toujours sur lui dans l'escarcelle pendue à son côté, un bruit de tambourin et de castagnettes était arrivé à son oreille. Ce bruit venait de la place du Parvis. La cellule, nous l'avons déjà dit, n'avait qu'une lucarne donnant sur la croupe de l'église. Claude Frollo avait repris précipitamment la clef, et un instant après il était sur le sommet de la tour, dans l'attitude sombre et recueillie où les damoiselles l'avaient aperçu.

Il était là, grave, immobile, absorbé dans un regard et dans une pensée. Tout Paris était sous ses pieds, avec les mille flèches de ses édifices et son circulaire horizon de molles collines, avec son fleuve qui serpente sous ses ponts et son peuple qui ondule dans ses rues, avec le nuage de ses fumées, avec la chaîne montueuse de ses toits qui presse Notre-Dame de ses mailles redoublées. Mais dans toute cette ville, l'archidiacre ne regardait qu'un point du pavé : la place du Parvis ; dans toute cette foule, qu'une figure : la bohémienne.

Il eût été difficile de dire de quelle nature était ce regard, et d'où venait la flamme qui en jaillissait. C'était un regard fixe, et pourtant plein de trouble et de tumulte. Et à l'immobilité profonde de tout son corps, à peine agité par intervalles d'un frisson machinal, comme un arbre au vent, à la roideur de ses coudes plus marbre que la rampe où ils s'appuyaient, à voir le sourire pétrifié qui contractait son visage, on eût dit qu'il n'y avait plus dans Claude Frollo que les yeux de vivant.

La bohémienne dansait. Elle faisait tourner son tambourin à la pointe de son doigt, et le jetait en l'air en dansant des sarabandes provençales ; agile, légère, joyeuse et ne sentant pas le poids du regard redoutable qui tombait à plomb sur sa tête.

La foule fourmillait autour d'elle ; de temps en temps, un homme accoutré d'une casaque jaune et rouge faisait faire le cercle, puis revenait s'asseoir sur une chaise à quelques pas de la danseuse, et prenait la tête de la chèvre sur ses genoux. Cet homme semblait être le compagnon de la bohémienne. Claude Frollo, du point élevé où il était placé, ne pouvait distinguer ses traits.

Du moment où l'archidiacre eut aperçu cet inconnu, son attention sembla se partager entre la danseuse et lui, et son visage devint de plus en plus sombre. Tout à coup il se redressa, et un tremblement parcourut tout son corps : — Qu'est-ce que c'est que cet homme ? dit-il entre ses dents, je l'avais toujours vue seule !

Alors il se replongea sous la voûte tortueuse de l'escalier en spirale, et redescendit. En passant devant la porte de la sonnerie qui était entr'ouverte, il vit une chose qui le frappa, il vit Quasimodo qui, penché à une ouverture de ces auvents d'ardoises qui ressemblent à d'énormes jalousies, regardait aussi lui, dans la place. Il était en proie à une contemplation si profonde qu'il ne prit pas garde au passage de son père adoptif. Son œil sauvage avait une expression singulière. C'était un regard charmé et doux. — Voilà qui est étrange ! murmura Claude. Est-ce que c'est l'égyptienne qu'il regarde ainsi ? — Il continua de descendre. Au bout de quelques minutes, le soucieux archidiacre sortit dans la place par la porte qui est au bas de la tour.

— Qu'est donc devenue la bohémienne ? dit-il en se mêlant au groupe de spectateurs que le tambourin avait amassés.

— Je ne sais, répondit un de ses voisins, elle vient de disparaître. Je crois qu'elle est allée faire quelque fandangue dans la maison en face, où ils l'ont appelée.

A la place de l'égyptienne, sur ce même tapis dont les arabesques s'effaçaient le moment d'auparavant sous le dessin capricieux de sa danse, l'archidiacre ne vit plus que l'homme rouge et jaune, qui, pour gagner à son tour quelques testons, se promenait autour du cercle, les coudes sur les hanches, la tête renversée, la face rouge, le cou tendu, avec une chaise entre les dents. Sur cette chaise, il avait attaché un chat qu'une voisine avait prêté et qui jurait fort effrayé

— Notre-Dame ! s'écria l'archidiacre au moment où le saltimbanque, suant à grosses gouttes, passa devant lui avec sa pyramide de chaise et de chat, que fait là maître Pierre Gringoire ?

La voix sévère de l'archidiacre frappa le pauvre diable d'une telle commotion qu'il perdit l'équilibre avec tout son édifice, et que la chaise et le chat tombèrent pêle-mêle sur la tête des assistants, au milieu d'une huée inextinguible.

Il est probable que maître Pierre Gringoire (car c'était bien lui) aurait eu un fâcheux compte à solder avec la voisine au chat, et toutes les faces contuses et égratignées qui l'entouraient, s'il ne se fût hâté de profiter du tumulte pour se réfugier dans l'église, où Claude Frollo lui avait fait signe de le suivre.

La cathédrale était déjà obscure et déserte. Les contrenefs étaient pleines de ténèbres, et les lampes des chapelles commençaient à s'étoiler, tant les voûtes devenaient noires. Seulement la grande rose de la façade, dont les mille couleurs étaient trempées d'un rayon de soleil horizontal, reluisait dans l'ombre comme un fouillis de diamants et répercutait à l'autre bout de la nef son spectre éblouissant.

Quand ils eurent fait quelques pas, dom Claude s'adossa à un pilier et regarda Gringoire fixement. Ce regard n'était pas celui que Gringoire craignait, honteux qu'il était d'avoir été surpris par une personne grave et docte dans ce costume de baladin. Le coup d'œil du prêtre n'avait rien de moqueur et d'ironique ; il était sérieux, tranquille et perçant. L'archidiacre rompit le silence le premier.

— Venez çà, maître Pierre. Vous m'allez expliquer bien des choses. Et d'abord, d'où vient qu'on ne vous a pas vu depuis tantôt deux mois et qu'on vous retrouve dans les carrefours, en bel équipage, vraiment ! mi-parti de jaune et de rouge comme une pomme de Caudebec ?

— Messire, dit piteusement Gringoire, c'est en effet un prodigieux accoutrement, et vous m'en voyez plus penaud qu'un chat coiffé d'une calebasse. C'est bien mal fait, je le sens, d'exposer messieurs les sergents du guet à bâtonner sous cette casaque l'humérus d'un philosophe pythagoricien. Mais que voulez-vous, mon révérend maître ? la faute en est à mon ancien justaucorps qui m'a lâchement abandonné au commencement de l'hiver, sous prétexte qu'il tombait en loques et qu'il avait besoin de s'aller reposer dans la hotte du chiffonnier. Que faire ? la civilisation n'en est pas encore arrivée au point que l'on puisse aller tout nu,comme le voulait l'ancien Diogénès. Ajoutez qu'il ventait un vent trés froid,et ce n'est pas au mois de janvier qu'on peut essayer avec succès de faire faire ce nouveau pas à l'humanité. Cette casaque s'est présentée. Je l'ai prise, et j'ai hissé là ma vieille souquenille noire, laquelle, pour un hermétique comme moi, était fort peu hermétiquement close. Me voilà donc en habit d'histrion, comme saint Genest. Que voulez-vous ? c'est une éclipse. Apollo a bien gardé les gorrines chez Admétès.

— Vous faites là un beau métier ! reprit l'archidiacre.

— Je conviens, mon maître, qu'il vaut mieux philosopher et poétiser, souffler la flamme dans le fourneau ou la recevoir du ciel, que de porter des chats sur le pavois. Aussi quand vous m'avez apostrophé ai-je été aussi sot qu'un âne devant un tourne-broche. Mais que voulez-vous, messire ? il faut vivre tous les jours, et les plus beaux vers alexandrins ne valent pas sous la dent un morceau de fromage de Brie. Or, j'ai fait pour madame Marguerite de Flandre ce fameux épithalame que vous savez, et la ville ne me le paie pas, sous prétexte qu'il n'était pas excellent, comme si l'on pouvait donner pour quatre écus une tragédie de Sophoclès. J'allais donc mourir de faim. Heureusement je me suis trouvé un peu fort du côté de la mâchoire, et je lui ai dit à cette mâchoire : — Fais des tours de force et d'équilibre, nourris-toi toi-même. *Ale te ipsam.* Un tas de gueux, qui sont devenus mes bons amis, m'ont appris vingt sortes de tours herculéens, et maintenant je donne tous les soirs à mes dents le pain qu'elles ont gagné dans la journée à la sueur de mon front. Après tout, *concedo,* je concède que c'est un triste emploi de mes facultés intellectuelles, et que l'homme n'est pas fait pour passer sa vie à tambouriner et à mordre des chaises. Mais, révérend maître, il ne suffit pas, de passer sa vie, il faut la gagner.

Dom Claude écoutait en silence. Tout à coup son œil enfoncé prit une telle expression sagace et pénétrante que Gringoire se sentit pour ainsi dire fouillé jusqu'au fond de l'âme par ce regard.

— Fort bien, maître Pierre, mais d'où vient que vous êtes maintenant en compagnie de cette danseuse d'Égypte ?

— Ma foi ! dit Gringoire, c'est qu'elle est ma femme et que je suis son mari.

L'œil ténébreux du prêtre s'enflamma.

— Aurais-tu fait cela, misérable ? cria-t-il en saisissant avec fureur le bras de Gringoire ; aurais-tu été assez abandonné de Dieu pour porter la main sur cette fille ?

— Sur ma part de paradis, monseigneur, répondit Gringoire tremblant de tous ses membres, je vous jure que je ne l'ai jamais touchée, si c'est là ce qui vous inquiète.

— Et que parles-tu donc de mari et de femme ? dit le prêtre.

Gringoire se hâta de lui conter le plus succinctement possible tout ce que le lecteur sait déjà, son aventure de la Cour des Miracles et son mariage au pot cassé. Il paraît du reste que ce mariage n'avait eu encore aucun résultat, et que chaque soir la bohémienne lui escamotait sa nuit de noces comme le premier jour. — C'est un déboire, dit-il en terminant, mais cela tient à ce que j'ai eu le malheur d'épouser une vierge.

— Que voulez-vous dire ? demanda l'archidiacre, qui s'était apaisé par degrés à ce récit.

— C'est assez difficile à expliquer, répondit le poète. C'est une superstition. Ma femme est, à ce que m'a dit un vieux peigre qu'on appelle chez nous le duc d'Égypte, un enfant trouvé, ou perdu, ce qui est la même chose. Elle porte au cou une amulette qui, assure-t-on, lui fera un jour rencontrer ses parents, mais qui perdrait sa vertu si la jeune fille perdait la sienne. Il suit de là que nous demeurons tous deux très vertueux.

— Donc, reprit Claude dont le front s'éclaircissait de plus en plus, vous croyez, maître Pierre, que cette créature n'a été approchée d'aucun homme ?

— Que voulez-vous, dom Claude, qu'un homme fasse à une superstition ? Elle a cela dans la tête. J'estime que c'est à coup sûr une rareté que cette pruderie de nonne qui se conserve farouche au milieu de ces filles bohèmes si facilement apprivoisées. Mais elle a pour se protéger trois choses : le duc d'Égypte qui l'a prise sous sa sauvegarde, comptant peut-être la vendre à quelque damp abbé ; toute sa tribu qui la tient en vénération singulière, comme une Notre-Dame ; et un certain poignard mignon que la luronne porte toujours sur elle dans quelque coin, malgré les ordonnances du prévôt, et qu'on lui fait sortir aux mains en lui pressant la taille. C'est une fière guêpe, allez !

L'archidiacre serra Gringoire de questions.

La Esmeralda était, au jugement de Gringoire, une créature inoffensive et charmante, jolie, à cela près d'une moue qui lui était particulière ; une fille naïve et passionnée, ignorante de tout, et enthousiaste de tout ; ne sachant pas encore la différence d'une femme à un homme, même en rêve ; faite comme cela ; folle surtout de danse, de bruit, de grand air ; une espèce de femme abeille, ayant des ailes invisibles aux pieds, et vivant dans un tourbillon. Elle devait cette nature à la vie errante qu'elle avait toujours menée. Gringoire était parvenu à savoir que, tout enfant, elle avait parcouru l'Espagne et la Catalogne, jusqu'en Sicile ; il croyait même qu'elle avait été emmenée, par la caravane de zingari dont elle faisait partie, dans le royaume d'Alger, pays situé en Achaïe, laquelle Achaïe touche d'un côté à la petite Albanie et à la Grèce, de l'autre à la mère des Siciles, qui est le chemin de Constantinople. Les bohèmes, disait Gringoire, étaient vassaux du roi d'Alger, en sa qualité de chef de la nation des Maures blancs. Ce qui était certain, c'est que la Esmeralda était venue en France très jeune encore par la Hongrie. De tous ces pays, la jeune fille avait rapporté des lambeaux de jargons bizarres, des chants et des idées étrangères, qui faisaient de son langage quelque chose d'aussi bigarré que son costume moitié parisien, moitié africain. Du reste, le peuple des quartiers qu'elle fréquentait l'aimait pour sa gaieté, pour sa gentillesse, pour ses vives allures, pour ses danses et pour ses chansons. Dans toute la ville, elle ne se croyait haïe que de deux personnes, dont elle parlait souvent avec effroi : la sachette de la Tour-Roland, une vilaine recluse qui avait on ne sait quelle rancune aux égyptiennes, et qui maudissait la pauvre danseuse chaque fois qu'elle passait devant sa lucarne ; et un prêtre qui ne la rencontrait jamais sans lui jeter des regards et des paroles qui lui faisaient peur. Cette dernière circonstance troubla fort l'archidiacre, sans que Gringoire fît grande attention à ce trouble ; tant il avait suffit de deux mois pour faire oublier à l'insouciant poète les détails singuliers de cette soirée où il avait fait la rencontre de l'égyptienne, et la présence de l'archidiacre dans tout cela. Au demeurant, la petite danseuse ne craignait rien ; elle ne disait pas la bonne aventure, ce qui la mettait à l'abri de ces procès de magie si fréquemment intentés aux bohémiennes. Et puis, Gringoire lui tenait lieu de frère, sinon de mari. Après tout, le philosophe supportait très patiemment cette espèce de mariage platonique. C'était toujours un gîte et du pain. Chaque matin, il partait de la truanderie, le plus souvent avec l'égyptienne, il l'aidait à faire dans les carrefours sa récolte de targes et de petits-blancs ; chaque soir il rentrait avec elle sous le même toit, la laissait se verrouiller dans sa logette, et s'endormait du sommeil du juste. Existence fort douce, à tout prendre, disait-il, et fort propice à la rêverie. Et puis, en son âme et conscience, le philosophe n'était pas très sûr d'être éperdument amoureux de la bohémienne. Il aimait presque autant la chèvre. C'était une charmante bête, douce, intelligente, spirituelle, une chèvre savante. Rien de plus commun au Moyen Âge que ces animaux savants dont on s'émerveillait fort et qui menaient fréquemment leurs instructeurs au fagot. Pourtant les sorcelleries de la chèvre aux pattes dorées étaient de bien innocentes malices. Gringoire les expliqua à l'archidiacre que ces détails paraissaient vivement intéresser. Il suffisait, dans la plupart des cas, de présenter le tambourin à la chèvre de telle ou telle façon pour obtenir d'elle la momerie qu'on souhaitait. Elle avait été dressée à cela par la bohémienne, qui avait à ces finesses un talent si rare qu'il lui avait suffi de deux mois pour enseigner à la chèvre à écrire avec des lettres mobiles le mot *Phœbus*.

— *Phœbus* ! dit le prêtre ; pourquoi *Phœbus* ?

— Je ne sais, répondit Gringoire. C'est peut-être un mot qu'elle croit doué de quelque vertu magique et secrète. Elle le répète souvent à demi-voix quand elle se croit seule.

— Êtes-vous sûr, reprit Claude avec son regard pénétrant, que ce n'est qu'un mot et que ce n'est pas un nom ?

— Nom de qui ? dit le poète.

— Que sais-je ? dit le prêtre.

— Voilà ce que j'imagine, messire. Ces bohèmes sont un peu guèbres et adorent le soleil. De là Phœbus.

— Cela ne me semble pas si clair qu'à vous, maître Pierre.

— Au demeurant, cela ne m'importe. Qu'elle marmotte

son Phœbus à son aise. Ce qui est sûr, c'est que Djali m'aime déjà presque autant qu'elle.

— Qu'est-ce que cette Djali ?

— C'est la chèvre.

L'archidiacre posa son menton sur sa main, et parut un moment rêveur. Tout à coup il se retourna brusquement vers Gringoire.

— Et tu me jures que tu ne lui as pas touché ?

— A qui ? dit Gringoire, à la chèvre ?

— Non, à cette femme.

— A ma femme ! Je vous jure que non.

— Et tu es souvent seul avec elle ?

— Tous les soirs, une bonne heure.

Dom Claude fronça le sourcil.

— Oh ! oh ! *solus cum sola non cogitabuntur orare Pater noster.*

— Sur mon âme, je pourrais dire le *Pater* et l'*Ave Maria* et le *Credo in Deum patrem omnipotentem*, sans qu'elle fît plus d'attention à moi qu'une poule à une église.

— Jure-moi par le ventre de ta mère, répéta l'archidiacre avec violence, que tu n'as pas touché à cette créature du bout du doigt.

— Je le jurerais aussi par la tête de mon père, car les deux choses ont plus d'un rapport. Mais, mon révérend maître, permettez-moi à mon tour une question.

— Parlez, monsieur.

— Qu'est-ce que cela vous fait ?

La pâle figure de l'archidiacre devint rouge comme la joue d'une jeune fille. Il resta un moment sans répondre, puis avec un embarras visible :

— Écoutez, maître Pierre Gringoire. Vous n'êtes pas encore damné, que je sache. Je m'intéresse à vous et vous veux du bien. Or le moindre contact avec cette égyptienne du démon vous ferait vassal de Satanas. Vous savez que c'est toujours le corps qui perd l'âme. Malheur à vous si vous approchez cette femme ! Voilà tout.

— J'ai essayé une fois, dit Gringoire en se grattant l'oreille. C'était le premier jour, mais je me suis piqué.

— Vous avez eu cette effronterie, maître Pierre ?

Et le front du prêtre se rembrunit.

— Une autre fois, continua le poète en souriant, j'ai

regardé avant de me coucher par le trou de sa serrure, et j'ai bien vu la plus délicieuse dame en chemise qui ait jamais fait crier la sangle d'un lit sous son pied nu.

— Va-t'en au diable ! cria le prêtre avec un regard terrible, et, poussant par les épaules Gringoire émerveillé, il s'enfonça à grands pas sous les plus sombres arcades de la cathédrale.

III

LES CLOCHES

Depuis la matinée du pilori, les voisins de Notre-Dame avaient cru remarquer que l'ardeur carillonneuse de Quasimodo s'était fort refroidie. Auparavant c'étaient des sonneries à tout propos, de longues aubades qui duraient de prime à complies, des volées de beffroi pour une grand'messe, de riches gammes promenées sur les clochettes pour un mariage, pour un baptême, et s'entremêlant dans l'air comme une broderie de toutes sortes de sons charmants. La vieille église, toute vibrante et toute sonore, était dans une perpétuelle joie de cloches. On y sentait sans cesse la présence d'un esprit de bruit et de caprice qui chantait par toutes ces bouches de cuivre. Maintenant cet esprit semblait avoir disparu ; la cathédrale paraissait morne et gardait volontiers le silence. Les fêtes et les enterrements avaient leur simple sonnerie, sèche et nue, ce que le rituel exigeait, rien de plus. Du double bruit que fait une église, l'orgue au dedans, la cloche au dehors, il ne restait que l'orgue. On eut dit qu'il n'y avait plus de musicien dans les clochers. Quasimodo y était toujours pourtant. Que s'était-il donc passé en lui ? Était-ce que la honte et le désespoir du pilori duraient encore au fond de son cœur, que les coups de fouet du tourmenteur se répercutaient sans fin dans son âme, et que la tristesse d'un pareil traitement avait tout éteint chez lui, jusqu'à sa passion pour les cloches ? ou bien, était-ce que Marie avait une rivale dans le cœur du sonneur de Notre-

Dame, et que la grosse cloche et ses quatorze sœurs étaient négligées pour quelque chose de plus aimable et de plus beau ?

Il arriva que, dans cette gracieuse année 1482, l'Annonciation tomba un mardi 25 mars. Ce jour-là, l'air était si pur et si léger que Quasimodo se sentit revenir quelque amour de ses cloches. Il monta donc dans la tour septentrionale, tandis qu'en bas le bedeau ouvrait toutes larges les portes de l'église, lesquelles étaient alors d'énormes panneaux de fort bois couverts de cuir, bordés de clous de fer doré et encadrés de sculptures « fort artificiellement élabourées ».

Parvenu dans la haute cage de la sonnerie, Quasimodo considéra quelque temps avec un triste hochement de tête les six campaniles, comme s'il gémissait de quelque chose d'étranger qui s'était interposé dans son cœur entre elles et lui. Mais quand il les eut mises en branle, quand il sentit cette grappe de cloches remuer sous sa main, quand il vit, car il ne l'entendait pas, l'octave palpitante monter et descendre sur cette échelle sonore comme un oiseau qui saute de branche en branche, quand le diable musique, ce démon qui secoue un trousseau étincelant de strettes, de trilles et d'arpèges, se fut emparé du pauvre sourd, alors il redevint heureux, il oublia tout, et son cœur qui se dilatait fit épanouir son visage.

Il allait et venait, il frappait des mains, il courait d'une corde à l'autre, il animait les six chanteurs de la voix et du geste, comme un chef d'orchestre qui éperonne des virtuoses intelligents.

— Va, disait-il, va, Gabrielle. Verse tout ton bruit dans la place. C'est aujourd'hui fête. — Thibauld, pas de paresse. Tu te ralentis. Va, va donc ! est-ce que tu t'es rouillé, fainéant ? — C'est bien ! Vite ! vite ! qu'on ne voie pas le battant. Rends-les tous sourds comme moi. C'est cela, Thibauld, bravement ! — Guillaume ! Guillaume ! tu es le plus gros, et Pasquier est le plus petit, et Pasquier va le mieux. Gageons que ceux qui entendent l'entendent mieux que toi. — Bien ! bien ! ma Gabrielle, fort ! plus fort ! — Hé ! que faites-vous donc là-haut tous deux, les Moineaux ? je ne vous vois pas faire le plus petit bruit. — Qu'est-ce que c'est que ces becs de cuivre-là qui ont l'air de bâiller quand il faut chanter ? Çà, qu'on travaille ! C'est l'Annonciation. Il y a un beau soleil. Il faut un beau carillon. — Pauvre Guillaume ! te voilà tout essoufflé, mon gros !

Il était tout occupé d'aiguillonner ses cloches, qui sautaient toutes les six à qui mieux mieux et secouaient leurs croupes luisantes comme un bruyant attelage de mules espagnoles piqué çà et là par des apostrophes du sagal.

Tout à coup, en laissant tomber son regard entre les larges écailles ardoisées qui recouvrent à une certaine hauteur le mur à pic du clocher, il vit dans la place une jeune fille bizarrement accoutrée, qui s'arrêtait, qui développait à terre un tapis où une petite chèvre venait se poser, et un groupe de spectateurs qui s'arrondissait à l'entour. Cette vue changea subitement le cours de ses idées, et figea son enthousiasme musical comme un souffle d'air fige une résine en fusion. Il s'arrêta, tourna le dos au carillon, et s'accroupit derrière l'auvent d'ardoise, en fixant sur la danseuse ce regard rêveur, tendre et doux, qui avait déjà une fois étonné l'archidiacre. Cependant les cloches oubliées s'éteignirent brusquement toutes à la fois, au grand désappointement des amateurs de sonnerie, lesquels, écoutaient de bonne foi le carillon de dessus le Pont-au-Change, et s'en allèrent stupéfaits comme un chien à qui l'on a montré un os et à qui l'on donne une pierre.

IV

ANAGKH

Il advint que par une belle matinée de ce même mois de mars, je crois que c'était le samedi 29, jour de saint Eustache, notre jeune ami l'écolier Jehan Frollo du Moulin s'aperçut en s'habillant que ses grègues qui contenaient sa bourse ne rendaient aucun son métallique. — Pauvre bourse ! dit-il en la tirant de son gousset, quoi ! pas le moindre petit parisis ! comme les dés, les pots de bière et Vénus t'ont cruellement éventrée ! comme te voilà vide, ridée et flasque ! Tu ressembles à la gorge d'une furie ! Je vous le demande, messer Cicero et messer Seneca, dont je vois les exemplaires tout racornis épars sur le carreau, que me sert de savoir, mieux qu'un général des monnaies ou qu'un juif du Pont-aux-Changeurs, qu'un écu d'or à la couronne vaut trente-cinq unzains de vingt-cinq sous huit deniers parisis chaque, et qu'un écu au croissant vaut trente-six unzains de vingt-six sous et six deniers tournois pièce si je n'ai pas un misérable liard noir à risquer sur le double-six ! Oh ! consul Cicero ! ce n'est pas là une calamité dont on se tire avec des périphrases, des *quemadmodum* et des *verum enim vero* !

Il s'habilla tristement. Une pensée lui était venue tout en ficelant ses bottines, mais il la repoussa d'abord ; cependant elle revint, et il mit son gilet à l'envers, signe évident d'un violent combat intérieur. Enfin il jeu rudement son bonnet à terre et s'écria : — Tant pis ! il en sera ce qu'il pourra. Je vais aller chez mon frère. J'attraperai un sermon, mais j'attraperai un écu.

Alors il endossa précipitamment sa casaque à mahoîtres fourrées, ramassa son bonnet et sortit en désespéré.

Il descendit la rue de la Harpe vers la Cité. En passant devant la rue de la Huchette, l'odeur de ces admirables broches qui tournaient incessamment vint chatouiller son appareil olfactif, et il donna un regard d'amour à la cyclopéenne rôtisserie qui arracha un jour au cordelier Calatagirone cette pathétique exclamation : *Veramente, queste rotisserie sono cosa stupenda* ! Mais Jehan n'avait pas de quoi déjeuner, et il s'enfonça avec un profond soupir sous le porche du Petit-Châtelet, énorme double-trèfle de tours massives qui gardait l'entrée de la Cité.

Il ne prit pas même le temps de jeter une pierre en passant, comme c'était l'usage, à la misérable statue de ce Périnet Leclerc qui avait livré le Paris de Charles VI aux Anglais, crime que son effigie, la face écrasée de pierres et souillée de boue, a expié pendant trois siècles au coin des rues de la Harpe et de Bussy, comme à un pilori éternel.

Le Petit-Pont traversé, la rue Neuve-Sainte-Geneviève enjambée, Jehan de Molendino se trouva devant Notre-Dame. Alors son indécision le reprit, et il se promena quelques instants autour de la statue de M. Legris, en se répétant avec angoisse : Le sermon est sûr, l'écu est douteux !

Il arrêta un bedeau qui sortait du cloître. — Où est monsieur l'archidiacre de Josas ?

— Je crois qu'il est dans sa cachette de la tour, dit le bedeau, et je ne vous conseille pas de l'y déranger, à moins que vous ne veniez de la part de quelqu'un comme le pape ou monsieur le roi.

Jehan frappa dans ses mains. — Bédiable ! voilà une magnifique occasion de voir la fameuse logette aux sorcelleries !

Déterminé par cette réflexion, il s'enfonça résolument sous la petite porte noire, et se mit à monter la vis de Saint-Gilles qui mène aux étages supérieurs de la tour. — Je vais voir ! se disait-il chemin faisant. Par les corbignolles de la Sainte Vierge ! ce doit être chose curieuse que cette cellule que mon révérend frère cache comme son pudendum ! On dit qu'il y allume des cuisines d'enfer, et qu'il y fait cuire à gros feu la pierre philosophale. Bédieu ! je me soucie de la pierre philosophale comme d'un caillou, et j'aimerais mieux trouver sur son fourneau une omelette d'œufs de Pâques au lard que la plus grosse pierre philosophale du monde !

Parvenu sur la galerie des colonnettes, il souffla un moment, et jura contre l'interminable escalier par je ne sais combien de millions de charretées de diables, puis il reprit son ascension par l'étroite porte de la tour septentrionale aujourd'hui interdite au public. Quelques moments après avoir dépassé la cage des cloches, il rencontra un petit palier pratiqué dans un renfoncement latéral et sous la voûte une basse porte ogive dont une meurtrière, percée en face dans la paroi circulaire de l'escalier, lui permit d'observer l'énorme serrure et la puissante armature de fer. Les personnes qui seraient curieuses aujourd'hui de visiter cette porte la reconnaîtront à cette inscription, gravée en lettres blanches dans la muraille noire : J'ADORE CORALIE, 1823. SIGNÉ UGENE. *Signé* est dans le texte.

— Ouf ! dit l'écolier ; c'est sans doute ici.

La clef était dans la serrure. La porte était tout contre. Il la poussa mollement, et passa sa tête par l'entr'ouverture.

Le lecteur n'est pas sans avoir feuilleté l'œuvre admirable de Rembrandt, ce Shakespeare de la peinture. Parmi tant de merveilleuses gravures, il y a en particulier une eau-forte qui représente, à ce qu'on suppose, le docteur Faust, et qu'il est impossible de contempler sans éblouissement. C'est une sombre cellule. Au milieu est une table chargée d'objets hideux, têtes de mort, sphères, alambics, compas, parchemins hiéroglyphiques. Le docteur est devant cette table, vêtu de sa grosse houppelande et coiffé jusqu'aux sourcils de son bonnet fourré. On ne le voit qu'à mi-corps. Il est à demi levé de son immense fauteuil, ses poings crispés s'appuient sur la table, et il considère avec curiosité et terreur un grand cercle lumineux, formé de lettres magiques, qui brille sur le mur du fond comme le spectre solaire dans la chambre noire. Ce soleil cabalistique semble trembler à l'œil et remplit la blafarde cellule de son rayonnement mystérieux. C'est horrible et c'est beau.

Quelque chose d'assez semblable à la cellule de Faust s'offrit à la vue de Jehan quand il eut hasardé sa tête par la porte entre-bâillée. C'était de même un réduit sombre et à peine éclairé. Il y avait aussi un grand fauteuil et une grande table, des compas, des alambics, des squelettes d'animaux pendus au plafond, une sphère roulant sur le pavé, des hippocéphales pêle-mêle avec des bocaux où tremblaient des feuilles d'or, des têtes de mort posées sur des vélins bigarrés de figures et de caractères, de gros manuscrits empilés tout ouverts sans pitié pour les angles cassants du parchemin, enfin, toutes les ordures de la science, et partout, sur ce fouillis, de la poussière et des toiles d'araignée ; mais il n'y avait point de cercle de lettres lumineuses, point de docteur en extase contemplant la flamboyante vision comme l'aigle regarde son soleil.

Pourtant la cellule n'était point déserte. Un homme était assis dans le fauteuil et courbé sur la table. Jehan, auquel il tournait le dos, ne pouvait voir que ses épaules et le derrière de son crâne ; mais il n'eut pas de peine à reconnaître cette tête chauve à laquelle la nature avait fait une tonsure éternelle, comme si elle avait voulu marquer par un symbole extérieur l'irrésistible vocation cléricale de l'archidiacre.

Jehan reconnut donc son frère. Mais la porte s'était ouverte si doucement que rien n'avait averti dom Claude de sa présence. Le curieux écolier en profita pour examiner quelques instants à loisir la cellule. Un large fourneau, qu'il n'avait pas remarqué au premier abord, était à gauche du fauteuil, au-dessous de la lucarne. Le rayon de jour qui pénétrait par cette ouverture traversait une ronde toile d'araignée qui inscrivait avec goût sa rosace délicate dans l'ogive de la lucarne, et au centre de laquelle l'insecte architecte se tenait immobile comme le moyeu de cette roue de dentelle. Sur le fourneau étaient accumulées en désordre toutes sortes de vases, des fioles de grès, des cornues de verre, des matras de charbon. Jehan observa en soupirant qu'il n'y avait pas un poêlon. — Elle est fraîche, la batterie de cuisine ! pensa-t-il.

Du reste, il n'y avait pas de feu dans le fourneau, et il paraissait même qu'on n'en avait pas allumé depuis longtemps. Un masque de verre, que Jehan remarqua parmi les ustensiles d'alchimie, et qui servait sans doute à préserver le visage de l'archidiacre lorsqu'il élaborait quelque substance redoutable, était dans un coin, couvert de poussière, et comme oublié. A côté gisait un soufflet non moins poudreux, et dont la feuille supérieure portait cette légende incrustée en lettres de cuivre : SPIRA, SPERA.

D'autres légendes étaient écrites, selon la mode des hermétiques, en grand nombre sur les murs ; les unes tracées à l'encre, les autres gravées avec une pointe de métal. Du reste, lettres gothiques, lettres hébraïques, lettres grecques et lettres romaines pêle-mêle, les inscriptions débordant au hasard, celles-ci sur celles-là, les plus fraîches effaçant les plus anciennes, et toutes s'enchevêtrant les unes dans les autres comme les branches d'une broussaille, comme les piques d'une mêlée. C'était, en effet, une assez confuse mêlée de toutes les philosophies, de toutes les rêveries, de toutes les sagesses humaines. Il y en avait une çà et là qui brillait sur les autres comme un drapeau parmi les fers de lance. C'était, la plupart du temps, une brève devise latine ou grecque, comme les formulait si bien le Moyen Age : *Unde ? inde ? — Homo homini monstrum. — Astra, castra, nomen, numen.* — Méga bi——blíov, méla kakón *Sapere aude. — Flat ubi vult,* — etc. ; quelquefois un mot dénué de tout sens apparent : œA halkofalía ce qui cachait peut-être une allusion amère au régime du cloître ; quelquefois une simple maxime de discipline cléricale formulée en un hexamètre réglementaire : *Cælestem dominum, terrestrem dicito domnum.* Il y avait aussi *passim* des grimoires hébraïques, auxquels Jehan, déjà fort peu grec, ne comprenait rien, et le tout était traversé à tout propos par des étoiles, des figures d'hommes ou d'animaux et des triangles qui s'intersectaient, ce qui ne contribuait pas peu à faire ressembler la muraille barbouillée de la cellule à une feuille de papier sur laquelle un singe aurait promené une plume chargée d'encre.

L'ensemble de la logette, du reste, présentait un aspect général d'abandon et de délabrement ; et le mauvais état des ustensiles laissait supposer que le maître était déjà depuis assez longtemps distrait de ses travaux par d'autres préoccupations.

Ce maître cependant, penché sur un vaste manuscrit orné de peintures bizarres, paraissait tourmenté par une idée qui venait sans cesse se mêler à ses méditations.

C'est du moins ce que Jehan jugea en l'entendant s'écrier, avec les intermittences pensives d'un songe creux qui rêve tout haut :

— Oui, Manou le dit, et Zoroastre l'enseignait, le soleil naît du feu, la lune du soleil. Le feu est l'âme du grand tout. Ses atomes élémentaires s'épanchent et ruissellent incessamment sur le monde par courants infinis. Aux points où ces courants s'entrecoupent dans le ciel, ils produisent la lumière ; à leurs points d'intersection dans la terre, ils produisent l'or. — La lumière, l'or, même chose. Du feu à l'état concret. — La différence du visible au palpable, du fluide au solide pour la même substance, de la vapeur d'eau à la glace, rien de plus. — Ce ne sont point là des rêves, — c'est la loi générale de la nature. — Mais comment faire pour soutirer dans la science le secret de cette loi générale ? Quoi ! cette lumière qui inonde ma main, c'est de l'or ! ces mêmes atomes dilatés selon une certaine loi, il ne s'agit que de les condenser selon une certaine autre loi ! — Comment faire ? — Quelques-uns ont imaginé d'enfouir un rayon du soleil. — Averroës, — oui, c'est Averroës, — Averroës en a enterré un sous le premier pilier de gauche du sanctuaire du koran, dans la grande mahomerie de Cordoue ; mais on ne pourra ouvrir le caveau pour voir si l'opération a réussi que dans huit mille ans.

— Diable ! dit Jehan à part lui, voilà qui est longtemps attendre un écu !

— ... D'autres ont pensé, continua l'archidiacre rêveur, qu'il valait mieux opérer sur un rayon de Sirius. Mais il est bien malaisé d'avoir ce rayon pur, à cause de la présence simultanée des autres étoiles qui viennent s'y mêler. Flamel estime qu'il est plus simple d'opérer sur le feu terrestre. — Flamel! quel nom de prédestiné, *Flamma!* — Oui, le feu. Voilà tout. — Le diamant est dans le charbon, l'or est dans le feu. — Mais comment l'en tirer? — Magistri affirme qu'il y a certains noms de femme d'un charme si doux et si mystérieux qu'il suffit de les prononcer pendant l'opération... — Lisons ce qu'en dit Manou : « Où les femmes sont honorées, les divinités sont réjouies ; ou elles sont meprisées, il est inutile de prier Dieu. — La bouche d'une femme est constamment pure ; c'est une eau courante, c'est un rayon de soleil. — Le nom d'une femme doit être agréable, doux, imaginaire ; finir par des voyelles longues, et ressembler à des mots de bénédiction. »

— ... Oui, le sage a raison ; en effet, la Maria, la Sophia, la Esmeral... — Damnation! toujours cette pensée!

Et il ferma le livre avec violence.

Il passa la main sur son front, comme pour chasser l'idée qui l'obsédait. Puis il prit sur la table un clou et un petit marteau dont le manche était curieusement peint de lettres cabalistiques.

— Depuis quelque temps, dit-il avec un sourire amer, j'échoue dans toutes mes expériences! L'idée fixe me possède, et me flétrit le cerveau comme un trèfle de feu. Je n'ai seulement pu retrouver le secret de Cassiodore, dont la lampe brûlait sans mèche et sans huile. Chose simple pourtant!

— Peste! dit Jehan dans sa barbe.

— ... Il suffit donc, continua le prêtre, d'une seule misérable pensée pour rendre un homme faible et fou! Oh! que Claude Pernelle rirait de moi, elle qui n'a pu détourner un moment Nicolas Flamel de la poursuite du grand œuvre! Quoi! je tiens dans ma main le marteau magique de Zéchiélé! à chaque coup que le redouble rabbin, du fond de sa cellule, frappait sur ce clou avec ce marteau, celui de ses ennemis qu'il avait condamné, eût-il été à deux mille lieues, s'enfonçait d'une coudée dans la terre qui le dévorait. Le roi de France lui-même, pour avoir un soir heurté inconsidérément à la porte du thaumaturge, entra dans son pavé de Paris jusqu'aux genoux. — Ceci s'est passé il n'y a pas trois siècles.

— Eh bien ! j'ai le marteau et le clou, et ce ne sont pas outils plus formidables dans mes mains qu'un hutin aux mains d'un taillandier. — Pourtant il ne s'agit que de retrouver le mot magique que prononçait Zéchiélé, en frappant sur son clou.

— Bagatelle ! pensa Jehan.

— Voyons, essayons, reprit vivement l'archidiacre. Si je réussis, je verrai l'étincelle bleue jaillir de la tête du clou. — Emen-hétan ! Emen-hétan ! — Ce n'est pas cela. — Sigéani ! Sigéani ! — Que ce clou ouvre la tombe à quiconque porte le nom de Phœbus !... — Malédiction ! toujours, encore, éternellement la même idée !

Et il jeta le marteau avec colère. Puis il s'affaissa tellement sur le fauteuil et sur la table, que Jehan le perdit de vue derrière l'énorme dossier. Pendant quelques minutes, il ne vit plus que son poing convulsif crispé sur un livre. Tout à coup dom Claude se leva, prit un compas, et grava en silence sur la muraille en lettres capitales ce mot grec :

’ANAGKH

— Mon frère est fou, dit Jehan en lui-même ; il eût été bien plus simple d'écrire *Fatum*. Tout le monde n'est pas obligé de savoir le grec.

L'archidiacre vint se rasseoir dans son fauteuil, et posa sa tête sur ses deux mains, comme fait un malade dont le front est lourd et brûlant.

L'écolier observait son frère avec surprise. Il ne savait pas, lui qui mettait son cœur en plein air, lui qui n'observait de loi au monde que la bonne loi de nature, lui qui laissait s'écouler ses passions par ses penchants, et chez qui le lac des grandes émotions était toujours à sec, tant il y pratiquait largement chaque matin de nouvelles rigoles, il ne savait pas avec quelle furie cette mer des passions humaines fermente et bouillonne lorsqu'on lui refuse toute issue, comme elle s'amasse, comme elle s'enfle, comme elle déborde, comme elle creuse le cœur, comme elle éclate en sanglots intérieurs et en sourdes convulsions, jusqu'à ce qu'elle ait déchiré ses digues et crevé son lit. L'enveloppe austère et glaciale de Claude Frollo, cette froide surface de vertu escarpée et inaccessible, avait toujours trompe Jehan. Le joyeux écolier n'avait jamais songé à ce qu'il y a de lave bouillante, furieuse et profonde sous le front de neige de l'Etna.

Nous ne savons s'il se rendit compte subitement de ces idées, mais, tout évaporé qu'il était, il comprit qu'il avait vu ce qu'il n'aurait pas dû voir, qu'il venait de surprendre l'âme de son frère aîné dans une de ses plus secrètes attitudes, et qu'il ne fallait pas que Claude s'en aperçût.Voyant que l'archidiacre était retombé dans son immobilité première, il retira sa tête très doucement, et fit quelque bruit de pas derrière la porte, comme quelqu'un qui arrive et qui avertit de son arrivée.

— Entrez ! cria l'archidiacre de l'intérieur de la cellule, je vous attendais. J'ai laissé exprès la clef à la porte. Entrez, maître Jacques.

L'écolier entra hardiment. L'archidiacre, qu'une pareille visite gênait fort en pareil lieu, tressaillit sur son fauteuil. — Quoi ! c'est vous, Jehan ?

— C'est toujours un J, dit l'écolier avec sa face rouge, effrontée et joyeuse.

Le visage de dom Claude avait repris son expression sévère.

— Que venez-vous faire ici ?

— Mon frère, répondit l'écolier en s'efforçant d'atteindre à une mine décente, piteuse et modeste, et en tournant son bicoquet dans ses mains avec un air d'innocence, je venais vous demander...

— Quoi ?

— Un peu de morale dont j'ai grand besoin. Jehan n'osa ajouter tout haut : — Et un peu d'argent dont j'ai plus grand besoin encore. Ce dernier membre de sa phrase resta inédit.

— Monsieur, dit l'archidiacre d'un ton froid, je suis très mécontent de vous.

— Hélas ! soupira l'écolier.

Dom Claude fit décrire un quart de cercle à son fauteuil, et regarda Jehan fixement. — Je suis bien aise de vous voir.

C'était un exorde redoublé. Jehan se prépara à un rude choc.

— Jehan, on m'apporte tous les jours des doléances de vous. Qu'est-ce que c'est que cette batterie où vous avez contus de bastonnade un petit vicomte Albert de Ramonchamp ?...

— Oh ! dit Jehan, grand'chose ! un méchant page qui s'amusait à escailbotter les écoliers en faisant courir son cheval dans les boues !

— Qu'est-ce que c'est, reprit l'archidiacre, que ce Mahiet Fargel, dont vous avez déchiré la robe ? *Tunican dechiraverunt,* dit la plainte.

— Ah bah ! une mauvaise cappette de Montaigu ! voilà-t-il pas !

— La plainte dit *tunicam* et non *cappettam.* Savez-vous le latin ?

Jehan ne répondit pas.

— Oui ! poursuivit le prêtre en secouant la tête, voilà où en sont les études et les lettres maintenant. La langue latine est à peine entendue, la syriaque inconnue, la grecque tellement odieuse que ce n'est pas ignorance aux plus savants de sauter un mot grec sans le lire, et qu'on dit : *Græcum est, non legitur.*

L'écolier releva résolument les yeux. — Monsieur mon frère, vous plaît-il que je vous explique en bon parler français ce mot grec qui est écrit là sur le mur ?

— Quel mot ?

— 'ANAGKH

Une légère rougeur vint s'épanouir sur les jaunes pommettes de l'archidiacre, comme la bouffée de fumée qui annonce au-dehors les secrètes commotions d'un volcan. L'écolier le remarqua à peine.

— Eh, Jehan, balbutia le frère ainé avec effort, qu'est-ce que ce mot veut dire ?

— Fatalité.

Dom Claude redevint pâle, et l'écolier poursuivit avec insouciance :

— Et ce mot qui est au-dessous, gravé par la même main, Anagneía, signifie *impureté.* Vous voyez qu'on sait son grec.

L'archidiacre demeurait silencieux. Cette leçon de grec l'avait rendu rêveur. Le petit Jehan, qui avait toutes les finesses d'un enfant gâté, jugea le moment favorable pour hasarder sa requête. Il prit donc une voix extrêmement douce, et commença :

— Mon bon frère, est-ce que vous m'avez en haine à ce point de me faire farouche mine pour quelques méchantes gifles et pugnalades distribuées en bonne guerre à je ne sais quels garçons et marmousets, *quibusdam mormosetis* ? — Vous voyez, bon frère Claude, qu'on sait son latin.

Mais toute cette caressante hypocrisie n'eut point sur le sévère grand frère son effet accoutumé. Cerbère ne mordit pas au gâteau de miel. Le front de l'archidiacre ne se dérida pas d'un pli.

— Où voulez-vous en venir ? dit-il d'un ton sec.

— Eh bien, au fait ! voici ! répondit bravement Jehan. J'ai besoin d'argent.

A cette déclaration effrontée, la physionomie de l'archidiacre prit tout à fait l'expression pédagogique et paternelle.

— Vous savez, monsieur Jehan, que notre fief de Tire-chappe ne rapporte, en mettant en bloc le cens et les rentes des vingt et une maisons, que trente-neuf livres onze sous six deniers parisis. C'est moitié plus que du temps des frères Paclet, mais ce n'est pas beaucoup.

— J'ai besoin d'argent, dit stoïquement Jehan.

— Vous savez que l'official a décidé que nos vingt et une maisons mouvaient en plein fief de l'évêché, et que nous ne pourrions racheter cet hommage qu'en payant au révérend évêque deux marcs d'argent doré du prix de six livres parisis. Or, ces deux marcs, je n'ai encore pu les amasser. Vous le savez.

— Je sais que j'ai besoin d'argent, répéta Jehan pour la troisième fois.

— Et qu'en voulez-vous faire ?

Cette question fit briller une lueur d'espoir aux yeux de Jehan. Il reprit sa mine chatte et doucereuse.

— Tenez, cher frère Claude, je ne m'adresserais pas à vous en mauvaise intention. Il ne s'agit pas de faire le beau dans les tavernes avec vos unzains et de me promener dans les rues de Paris en caparaçon de brocart d'or, avec mon laquais, *cum meo laquasio*. Non, mon frère, c'est pour une bonne œuvre.

— Quelle bonne œuvre ? demanda Claude un peu surpris.

— Il y a deux de mes amis qui voudraient acheter une layette à l'enfant d'une pauvre veuve haudriette. C'est une charité. Cela coûtera trois florins, et je voudrais mettre le mien.

— Comment s'appellent vos deux amis ?

— Pierre l'Assommeur et Baptiste Croque-Oison.

— Hum ! dit l'archidiacre, voilà des noms qui vont à une bonne œuvre comme une bombarde sur un maître-autel.

Il est certain que Jehan avait très mal choisi ses deux noms d'amis. Il le sentit trop tard.

— Et puis, poursuivit le sagace Claude, qu'est-ce que c'est qu'une layette qui doit coûter trois florins ? et cela pour l'enfant d'une haudriette ? Depuis quand les veuves haudriettes ont-elles des marmots au maillot ?

Jehan rompit la glace encore une fois. — Eh bien, oui ! j'ai besoin d'argent pour aller voir ce soir Isabeau la Thierrye au Val-d'Amour !

— Misérable impur ! s'écria le prêtre.

— œAnagneía, dit Jehan.

Cette citation, que l'écolier empruntait, peut-être avec malice, à la muraille de la cellule, fit sur le prêtre un effet singulier. Il se mordit les lèvres, et sa colère s'éteignit dans la rougeur.

— Allez-vous-en, dit-il alors à Jehan. J'attends quelqu'un.

L'écolier tenta encore un effort. — Frère Claude, donnez-moi au moins un petit parisis pour manger.

— Où en êtes-vous des décrétales de Gratien ? demanda dom Claude.

— J'ai perdu mes cahiers.

— Où en êtes-vous des humanités latines ?

— On m'a volé mon exemplaire d'Horatius.

— Où en êtes-vous d'Aristoteles ?

— Ma foi ! frère, quel est donc ce père de l'église qui dit que les erreurs des hérétiques ont de tout temps eu pour repaire les broussailles de la metaphysique d'Aristoteles ? Foin d'Aristoteles ! je ne veux pas déchirer ma religion à sa métaphysique.

— Jeune homme, reprit l'archidiacre, il y avait à la dernière entrée du roi un gentilhomme appelé Philippe de Comines, qui portait brodée sur la housse de son cheval sa devise, que je vous conseille de méditer : *Qui non laborat non manducet.*

L'écolier resta un moment silencieux, le doigt à l'oreille, l'œil fixé à terre, et la mine fâchée. Tout à coup il se retourna vers Claude avec la vive prestesse d'un hoche-queue.

— Ainsi, bon frère, vous me refusez un sou parisis pour acheter une croûte chez un talmellier ?

— *Qui non laborat non manducet.*

A cette réponse de l'inflexible archidiacre, Jehan cacha sa tête dans ses mains, comme une femme qui sanglote, et s'écria avec une expression de désespoir : Otototototoï !

— Qu'est-ce que cela veut dire, monsieur ? demanda Claude surpris de cette incartade.

— Eh bien quoi ! dit l'écolier, et il relevait sur Claude des yeux effrontés dans lesquels il venait d'enfoncer ses poings pour leur donner la rougeur des larmes, c'est du grec ! c'est un anapeste d'Eschyle qui exprime parfaitement la douleur.

Et ici, il partit d'un éclat de rire si bouffon et si violent qu'il en fit sourire l'archidiacre. C'était la faute de Claude en effet ; pourquoi avait-il tant gâté cet enfant ?

— Oh ! bon frère Claude, reprit Jehan enhardi par ce sourire, voyez mes brodequins percés. Y a-t-il cothurne plus tragique au monde que des bottines dont la semelle tire la langue ?

L'archidiacre était promptement revenu à sa sévérité première. — Je vous enverrai des bottines neuves. Mais point d'argent.

— Rien qu'un pauvre petit parisis, frère, poursuivit le suppliant Jehan. J'apprendrai Gratien par cœur, je croirai bien en Dieu, je serai un véritable Pythagoras de science et de vertu. Mais un petit parisis, par grâce ! Voulez-vous que la famine me morde avec sa gueule qui est là, béante, devant moi, plus noire, plus puante, plus profonde qu'un tartare ou que le nez d'un moine ?

Dom Claude hocha son chef ridé. — *Qui non laborat...*

Jehan ne le laissa pas achever.

— Eh bien, cria-t-il, au diable ! Vive la joie ! Je m'enta-vernerai, je me battrai, je casserai les pots et j'irai voir les filles !

Et sur ce, il jeta son bonnet au mur et fit claquer ses doigts comme des castagnettes.

L'archidiacre le regarda d'un air sombre.

— Jehan, vous n'avez point d'âme.

— En ce cas, selon Epicurius, je manque d'un je ne sais quoi fait de quelque chose qui n'a pas de nom.

— Jehan, il faut songer sérieusement à vous corriger.

— Ah çà, cria l'écolier en regardant tour à tour son frère et les alambics du fourneau, tout est donc cornu ici, les idées et les bouteilles !

— Jehan, vous êtes sur une pente bien glissante. Savez-vous où vous allez ?

— Au cabaret, dit Jehan.

— Le cabaret mène au pilori.

— C'est une lanterne comme une autre, et c'est peut-être avec celle-là que Diogénès eût trouvé son homme.

— Le pilori mène à la potence.

— La potence est une balance qui a un homme à un bout et toute la terre à l'autre. Il est beau d'être l'homme.

— La potence mène à l'enfer.

— C'est un gros feu.

— Jehan, Jehan, la fin sera mauvaise.

— Le commencement aura été bon.

En ce moment le bruit d'un pas se fit entendre dans l'escalier.

— Silence ! dit l'archidiacre en mettant un doigt sur sa bouche, voici maître Jacques. Écoutez, Jehan, ajouta-t-il à voix basse, gardez-vous de parler jamais de ce que vous aurez vu et entendu ici. Cachez-vous vite sous ce fourneau, et ne soufflez pas.

L'écolier se blottit sous le fourneau. Là, il lui vint une idée féconde.

— A propos, frère Claude, un florin pour que je ne souffle pas.

— Silence ! je vous le promets.

— Il faut me le donner.

— Prends donc ! dit l'archidiacre en lui jetant avec colère son escarcelle. Jehan se renfonça sous le fourneau, et la porte s'ouvrit.

V

LES DEUX HOMMES VÊTUS DE NOIR

Le personnage qui entra avait une robe noire et la mine sombre. Ce qui frappa au premier coup d'œil notre ami Jehan (qui, comme on s'en doute bien, s'était arrangé dans son coin de manière à pouvoir tout voir et tout entendre selon son bon plaisir), c'était la parfaite tristesse du vêtement et du visage de ce nouveau venu. Il y avait pourtant quelque douceur répandue sur cette figure, mais une douceur de chat ou de juge une douceur doucereuse. Il était fort gris, ridé, touchait aux soixante ans, clignait des yeux, avait le sourcil blanc, la lèvre pendante et de grosses mains. Quand Jehan vit que ce n'était que cela, c'est-à-dire sans doute un médecin ou un magistrat, et que cet homme avait le nez très loin de la bouche, signe de bêtise, il se rencoigna dans son trou, désespéré d'avoir à passer un temps indéfini en si gênante posture et en si mauvaise compagnie.

L'archidiacre cependant ne s'était pas même levé pour ce personnage. Il lui avait fait signe de s'asseoir sur un escabeau voisin de la porte, et, après quelques moments d'un silence qui semblait continuer une méditation antérieure, il lui avait dit avec quelque protection : — Bonjour, maître Jacques.

— Salut, maître ! avait répondu l'homme noir.

Il y avait dans les deux manières dont fut prononcé d'une part ce *maître Jacques,* de l'autre ce *maître* par excellence, la différence du monseigneur au monsieur, du *domine* au *domne.* C'était évidemment l'abord du docteur et du disciple.

— Eh bien, reprit l'archidiacre après un nouveau silence que maître Jacques se garda bien de troubler, réussissez-vous ?

— Hélas, mon maître, dit l'autre avec un sourire triste, je souffle toujours. De la cendre tant que j'en veux. Mais pas une étincelle d'or.

Dom Claude fit un geste d'impatience. — Je ne vous parle pas de cela, maître Jacques Charmolue, mais du procès de votre magicien. N'est-ce pas Marc Cenaine que vous le nommez, le sommelier de la Cour des comptes ?

Avoue-t-il sa magie ? La question vous a-t-elle réussi ?

— Hélas non, répondit maître Jacques, toujours avec son sourire triste. Nous n'avons pas cette consolation. Cet homme est un caillou. Nous le ferons bouillir au Marché-aux-Pourceaux, avant qu'il ait rien dit. Cependant nous n'épargnons rien pour arriver à la vérité. Il est déjà tout disloqué. Nous y mettons toutes les herbes de la Saint-Jean, comme dit le vieux comique Plautus,

Advorsum stimulos, laminas, crucesque, compedesque,
Nervos, catenas, carceres, numellas, pedicas, boias.

Rien n'y fait. Cet homme est terrible, J'y perds mon latin.

— Vous n'avez rien trouvé de nouveau dans sa maison ?

— Si fait, dit maître Jacques en fouillant dans son escarcelle, ce parchemin. Il y a des mots dessus que nous ne comprenons pas. Monsieur l'avocat criminel Philippe Lheulier sait pourtant un peu d'hébreu qu'il a appris dans l'affaire des juifs de la rue Kantersten à Bruxelles.

En parlant ainsi, maître Jacques déroulait un parchemin. — Donnez, dit l'archidiacre. Et jetant les yeux sur cette pancarte : — Pure magie, maître Jacques ! s'écria-t-il. *Emenhétan !* c'est le cri des stryges quand elles arrivent au sabbat. *Per ipsum, et cum ipso, et in ipso !* c'est le commandement qui recadenasse le diable en enfer. *Hax, pax, max !* ceci est de la médecine. Une formule contre la morsure des chiens enragés. Maître Jacques ! vous êtes procureur du roi en cour d'église, ce parchemin est abominable.

— Nous remettrons l'homme à la question. Voici encore, ajouta maître Jacques en fouillant de nouveau dans sa sacoche, ce que nous avons trouvé chez Marc Cenaine.

C'était un vase de la famille de ceux qui couvraient le fourneau de dom Claude. — Ah ! dit l'archidiacre, un creuset d'alchimie.

— Je vous avouerai, reprit maître Jacques avec son sourire timide et gauche, que je l'ai essayé sur le fourneau, mais je n'ai pas mieux réussi qu'avec le mien.

L'archidiacre se mit à examiner le vase. — Qu'a-t-il gravé sur son creuset ? *Och ! och !* le mot qui chasse les puces ! Ce Marc Cenaine est ignorant ! Je le crois bien, que vous ne ferez pas d'or avec ceci ! c'est bon à mettre dans votre alcôve l'été, et voilà tout !

— Puisque nous en sommes aux erreurs, dit le procureur du roi, je viens d'étudier le portail d'en bas avant de monter ; votre révérence est-elle bien sûre que l'ouverture de l'ouvrage de physique y est figurée du côté de l'Hôtel-Dieu, et que, dans les sept figures nues qui sont aux pieds de Notre-Dame, celle qui a des ailes aux talons est Mercurius ?

— Oui, répondit le prêtre. C'est Augustin Nypho qui l'écrit, ce docteur italien qui avait un démon barbu lequel lui apprenait toute chose. Au reste, nous allons descendre, et je vous expliquerai cela sur le texte.

— Merci, mon maître, dit Charmolue en s'inclinant jusqu'à terre. — A propos, j'oubliais ! quand vous plaît-il que je fasse appréhender la petite magicienne ?

— Quelle magicienne ?

— Cette bohémienne que vous savez bien, qui vient tous les jours baller sur le parvis malgré la défense de l'official ! Elle a une chèvre possédée qui a des cornes du diable, qui lit, qui écrit, qui sait la mathématique comme Picatrix, et qui suffirait à faire pendre toute la Bohême. Le procès est tout prêt. Il sera bientôt fait, allez ! Une jolie créature, sur mon âme, que cette danseuse ! les plus beaux yeux noirs ! deux escarboucles d'Égypte. Quand commençons-nous ?

L'archidiacre était excessivement pâle.

— Je vous dirai cela, balbutia-t-il d'une voix à peine articulée. Puis il reprit avec effort : — Occupez-vous de Marc Cenaine.

— Soyez tranquille, dit en souriant Charmolue. Je vais le faire reboucler sur le lit de cuir en rentrant. Mais c'est un diable d'homme. Il fatigue Pierrat Torteure lui-même, qui a les mains plus grosses que moi. Comme dit ce bon Plautus,

Nudus vinctus, centum pondo, es quando pendes per pedes.

La question au treuil ! c'est ce que nous avons de mieux. Il y passera.

Dom Claude semblait plongé dans une sombre distraction. Il se tourna vers Charmolue.

— Maître Pierrat... maître Jacques, veux-je dire, occupez-vous de Marc Cenaine !

— Oui, oui, dom Claude. Pauvre homme ! il aura souffert comme Mummol. Quelle idée aussi, d'aller au sabbat ! un sommelier de la Cour des comptes, qui devrait connaître le texte de Charlemagne, *Stryga vel masca !*

— Quant à la petite, — Smelarda, comme ils l'appellent, — j'attendrai vos ordres. — Ah ! en passant sous le portail, vous m'expliquerez aussi ce que veut dire le jardinier de plate peinture qu'on voit en entrant dans l'église. N'est-ce pas le Semeur ? — Hé ! maître, à quoi pensez-vous donc ?

Dom Claude, abîmé en lui-même, ne l'écoutait plus. Charmolue, en suivant la direction de son regard, vit qu'il s'était fixé machinalement à la grande toile d'araignée qui tapissait la lucarne. En ce moment, une mouche étourdie qui cherchait le soleil de mars vint se jeter à travers ce filet et s'y englua. A l'ébranlement de sa toile, l'énorme araignée fit un mouvement brusque hors de sa cellule centrale, puis d'un bond elle se précipita sur la mouche, qu'elle plia en deux avec ses antennes de devant, tandis que sa trompe hideuse lui fouillait la tête. — Pauvre mouche ! dit le procureur du roi en cour d'église, et il leva la main pour la sauver. L'archidiacre, comme réveillé en sursaut, lui retint le bras avec une violence convulsive.

— Maître Jacques, cria-t-il, laissez faire la fatalité !

Le procureur se retourna effaré. Il lui semblait qu'une pince de fer lui avait pris le bras. L'œil du prêtre était fixe, hagard, flamboyant, et restait attaché au petit groupe horrible de la mouche et de l'araignée.

— Oh ! oui, continua le prêtre avec une voix qu'on eût dit venir de ses entrailles, voilà un symbole de tout. Elle vole, elle est joyeuse, elle vient de naître ; elle cherche le printemps, le grand air, la liberté ; oh ! oui, mais qu'elle se heurte à la rosace fatale, l'araignée en sort, l'araignée hideuse ! Pauvre danseuse ! pauvre mouche prédestinée ! Maître Jacques, laissez faire ! c'est la fatalité ! — Hélas ! Claude, tu es l'araignée. Claude, tu es la mouche aussi ! — Tu volais à la science, à la lumière, au soleil, tu n'avais souci que d'arriver au grand air, au grand jour de la vérité éternelle ; mais, en te précipitant vers la lucarne éblouissante qui donne sur l'autre monde, sur le monde de la clarté, de l'intelligence et de la science, mouche aveugle, docteur insensé, tu n'as pas vu cette subtile toile d'araignée tendue par le destin entre la lumière et toi, tu t'y es jeté à corps perdu, misérable fou, et maintenant tu te débats, la tête brisée et les ailes arrachées, entre les antennes de fer de la fatalité ! — Maître Jacques ! maître Jacques ! laissez faire l'araignée.

— Je vous assure, dit Charmolue qui le regardait sans comprendre, que je n'y toucherai pas. Mais lâchez-moi le bras, maître, de grâce ! vous avez une main de tenaille.

L'archidiacre ne l'entendait pas. — Oh ! insensé ! reprit-il sans quitter la lucarne des yeux. Et quand tu l'aurais pu rompre, cette toile redoutable, avec tes ailes de moucheron, tu crois que tu aurais pu atteindre à la lumière ! Hélas ! cette vitre qui est plus loin, cet obstacle transparent, cette muraille de cristal plus dur que l'airain qui sépare toutes les philosophies de la vérité, comment l'aurais-tu franchie ? O vanité de la science ! que de sages viennent de bien loin en voletant s'y briser le front ! que de systèmes pêle-mêle se heurtent en bourdonnant à cette vitre éternelle !

Il se tut. Ces dernières idées, qui l'avaient insensiblement ramené de lui-même à la science, paraissaient l'avoir calmé. Jacques Charmolue le fit tout à fait revenir au sentiment de la réalité, en lui adressant cette question : — Or çà, mon maître, quand viendrez-vous m'aider à faire de l'or ? Il me tarde de réussir.

L'archidiacre hocha la tête avec un sourire amer.

— Maître Jacques, lisez Michel Psellus, *Dialogus de energia et operatione daemonum.* Ce que nous faisons n'est pas tout à fait innocent.

— Plus bas, maître ! je m'en doute, dit Charmolue. Mais il faut bien faire un peu d'hermétique quand on n'est que procureur du roi en cour d'église, à trente écus tournois par an. Seulement parlons bas.

En ce moment un bruit de mâchoire et de mastication qui partait de dessous le fourneau vint frapper l'oreille inquiète de Charmolue.

— Qu'est cela ? demanda-t-il.

C'était l'écolier qui, fort gêné et fort ennuyé dans sa cachette, était parvenu à y découvrir une vieille croûte et un triangle de fromage moisi, et s'était mis à manger le tout sans façon, en guise de consolation et de déjeuner. Comme il avait grand'faim, il faisait grand bruit, et il accentuait fortement chaque bouchée, ce qui avait donné l'éveil et l'alarme au procureur.

— C'est un mien chat, dit vivement l'archidiacre, qui se régale là-dessous de quelque souris.

Cette explication satisfit Charmolue.

— En effet, maître, répondit-il avec un sourire respectueux, tous les grands philosophes ont eu leur bête familière. Vous savez ce que dit Servius : *Nullus enim locus sine genio est.*

Cependant dom Claude, qui craignait quelque nouvelle algarade de Jehan, rappela à son digne disciple qu'ils avaient quelques figures du portail à étudier ensemble, et tous deux sortirent de la cellule, au grand *ouf!* de l'écolier, qui commençait à craindre sérieusement que son genou ne prît l'empreinte de son menton.

VI

EFFET QUE PEUVENT PRODUIRE
SEPT JURONS EN PLEIN AIR

Te Deum laudamus! s'écria maître Jehan en sortant de son trou, voilà les deux chats-huants partis. Och! och! Hax! pax! max! les puces! les chiens enragés! le diable! j'en ai assez de leur conversation! La tête me bourdonne comme un clocher. Du fromage moisi par-dessus le marché! Sus! descendons, prenons l'escarcelle du grand frère, et convertissons toutes ces monnaies en bouteilles!

Il jeta un coup d'œil de tendresse et d'admiration dans l'intérieur de la précieuse escarcelle, rajusta sa toilette, frotta ses bottines, épousseta ses pauvres manches-mahoîtres toutes grises de cendre, siffla un air, pirouetta une gambade, examina s'il ne restait pas quelque chose à prendre dans la cellule, grappilla çà et là sur le fourneau quelque amulette de verroterie bonne à donner en guise de bijou à Isabeau la Thierrye, enfin ouvrit la porte, que son frère avait laissée ouverte par une dernière indulgence, et qu'il laissa ouverte à son tour par une dernière malice, et descendit l'escalier circulaire en sautillant comme un oiseau.

Au milieu des ténèbres de la vis il coudoya quelque chose qui se rangea en grognant, il présuma que c'était Quasimodo, et cela lui parut si drôle qu'il descendit le reste de l'escalier en se tenant les côtes de rire. En débouchant sur la place, il riait encore.

Il frappa du pied quand il se retrouva à terre.

— Oh! dit-il, bon et honorable pavé de Paris! maudit escalier à essouffler les anges de l'échelle Jacob! A quoi pensais-je de m'aller fourrer dans cette vrille de pierre qui perce le ciel, le tout pour manger du fromage barbu, et pour voir les clochers de Paris par une lucarne!

Il fit quelques pas, et aperçut les deux chats-huants, c'est-à-dire dom Claude et maître Jacques Charmolue, en contemplation devant une sculpture du portail. Il s'approcha d'eux sur la pointe des pieds, et entendit l'archidiacre qui disait tout bas à Charmolue :

— C'est Guillaume de Paris qui a fait graver un Job sur cette pierre couleur lapis-lazuli, dorée par les bords. Job figure sur la pierre philosophale, qui doit être éprouvée et martyrisée aussi pour devenir parfaite, comme dit Raymond Lulle : *Sub conservatione formae specificae salva anima.*

— Cela m'est bien égal, dit Jehan, c'est moi qui ai la bourse.

En ce moment il entendit une voix forte et sonore articuler derrière lui une série formidable de jurons. — Sang-Dieu! ventre-Dieu! bédieu! corps de Dieu! nombril de Belzébuth! nom d'un pape! corne et tonnerre!

— Sur mon âme, s'écria Jehan, ce ne peut être que mon ami le capitaine Phœbus!

Ce nom de Phœbus arriva aux oreilles de l'archidiacre au moment où il expliquait au procureur du roi le dragon qui cache sa queue dans un bain d'où sort de la fumée et une tête de roi. Dom Claude tressaillit, s'interrompit, à la grande stupeur de Charmolue, se retourna, et vit son frère Jehan qui abordait un grand officier à la porte du logis Gondelaurier.

C'était en effet Monsieur le capitaine Phœbus de Châteaupers. Il était adossé à l'angle de la maison de sa fiancée, et il jurait comme un païen.

— Ma foi, capitaine Phœbus, dit Jehan en lui prenant la main, vous sacrez avec une verve admirable.

— Corne et tonnerre! répondit le capitaine.

— Corne et tonnerre vous-même, répliqua l'écolier. Or çà, gentil capitaine, d'où vous vient ce débordement de belles paroles ?

— Pardon, bon camarade Jehan, s'écria Phœbus en lui secouant la main, cheval lancé ne s'arrête pas court. Or, je jurais au grand galop. Je viens de chez ces bégueules, et quand j'en sors, j'ai toujours la gorge pleine de jurements ; il faut que je les crache, ou j'étoufferais, ventre et tonnerre !

— Voulez-vous venir boire ? demanda l'écolier.

Cette proposition calma le capitaine.

— Je veux bien, mais je n'ai pas d'argent.

— J'en ai, moi !

— Bah ! voyons ?

Jehan étala l'escarcelle aux yeux du capitaine, avec majesté et simplicité. Cependant l'archidiacre, qui avait laissé là Charmolue ébahi, était venu jusqu'à eux et s'était arrêté à quelques pas, les observant tous deux sans qu'ils prissent garde à lui, tant la contemplation de l'escarcelle les absorbait.

Phœbus s'écria : — Une bourse dans votre poche, Jehan, c'est la lune dans un seau d'eau. On l'y voit, mais elle n'y est pas. Il n'y en a que l'ombre. Pardieu ! gageons que ce sont des cailloux !

Jehan répondit froidement : — Voilà les cailloux dont je cailloute mon gousset.

Et, sans ajouter une parole, il vida l'escarcelle sur une borne voisine, de l'air d'un romain sauvant la patrie.

— Vrai Dieu ! grommela Phœbus, des targes, des grands-blancs, des petits-blancs, des mailles d'un tournois les deux, des deniers parisis. de vrais liards-à-l'aigle ! C'est éblouissant !

Jehan demeurait digne et impassible. Quelques liards avaient roulé dans la boue ; le capitaine. dans son enthousiasme, se baissa pour les ramasser. Jehan le retint : — Fi, capitaine Phœbus de Châteaupers !

Phœbus compta la monnaie et se tournant avec solennité vers Jehan : — Savez-vous, Jehan, qu'il y a vingt-trois sous parisis ! Qui avez-vous donc dévalisé cette nuit, rue Coupe-Gueule ?

Jehan rejeta en arrière sa tête blonde et bouclée, et dit en fermant à demi des yeux dédaigneux : — On a un frère archidiacre et imbécile.

— Corne de Dieu! s'écria Phœbus, le digne homme!

— Allons boire, dit Jehan.

— Où irons-nous? dit Phœbus. A *la Pomme d'Ève*?

— Non, capitaine. Allons à *la Vieille Science*. Une vieille qui scie une anse. C'est un rébus. J'aime cela.

— Foin des rébus, Jehan! le vin est meilleur à *la Pomme d'Ève*. Et puis, à côté de la porte il y a une vigne au soleil qui m'égaie quand je bois.

— Eh bien! va pour Ève et sa pomme, dit l'écolier; et prenant le bras de Phœbus : — A propos. mon cher capitaine, vous avez dit tout à l'heure la rue Coupe-Gueule. C'est fort mal parler. On n'est plus si barbare à présent. On dit la rue Coupe-Gorge.

Les deux amis se mirent en route vers *la Pomme d'Ève*. Il est inutile de dire qu'ils avaient d'abord ramassé l'argent et que l'archidiacre les suivait.

L'archidiacre les suivait, sombre et hagard. Était-ce là le Phœbus dont le nom maudit, depuis son entrevue avec Gringoire, se mêlait à toutes ses pensées? il ne le savait, mais, enfin, c'était un Phœbus, et ce nom magique suffisait pour que l'archidiacre suivît à pas de loup les deux insouciants compagnons, écoutant leurs paroles et observant leurs moindres gestes avec une anxiété attentive. Du reste, rien de plus facile que d'entendre tout ce qu'ils disaient, tant ils parlaient haut, fort peu gênés de mettre les passants de moitié dans leurs confidences. Ils parlaient duels, filles, cruches, folies.

Au détour d'une rue, le bruit d'un tambour de basque leur vint d'un carrefour voisin. Dom Claude entendit l'officier qui disait à l'écolier :

— Tonnerre! doublons le pas.

— Pourquoi, Phœbus?

— J'ai peur que la bohémienne ne me voie.

— Quelle bohémienne?

— La petite qui a une chèvre.

— La Smeralda?

— Justement, Jehan. J'oublie toujours son diable de nom. Dépêchons, elle me reconnaîtrait. Je ne veux pas que cette fille m'accoste dans la rue.

— Est-ce que vous la connaissez, Phœbus?

Ici l'archidiacre vit Phœbus ricaner, se pencher à l'oreille de Jehan, et lui dire quelques mots tout bas. Puis Phœbus éclata de rire et secoua la tête d'un air triomphant.

— En vérité ? dit Jehan.

— Sur mon âme ! dit Phœbus.

— Ce soir ?

— Ce soir.

— Êtes-vous sûr qu'elle viendra ?

— Mais êtes-vous fou, Jehan ? est-ce qu'on doute de ces choses-là ?

— Capitaine Phœbus, vous êtes un heureux gendarme !

L'archidiacre entendit toute cette conversation. Ses dents claquèrent. Un frisson, visible aux yeux, parcourut tout son corps. Il s'arrêta un moment, s'appuya à une borne comme un homme ivre, puis il reprit la piste des deux joyeux drôles.

Au moment où il les rejoignit, ils avaient changé de conversation. Il les entendit chanter à tue-tête le vieux refrain :

> Les enfants des Petits-Carreaux
> Se font pendre comme des veaux.

VII

LE MOINE-BOURRU

L'illustre cabaret de *la Pomme d'Ève* était situé dans l'Université, au coin de la rue de la Rondelle et de la rue du Bâtonnier. C'était une salle au rez-de-chaussée, assez vaste et fort basse, avec une voûte dont la retombée centrale s'appuyait sur un gros pilier de bois peint en jaune ; des tables partout, de luisants blocs d'étain accrochés au mur, toujours force buveurs, des filles à foison, un vitrage sur la rue, une vigne à la porte, et au-dessus de cette porte une criarde planche de tôle, enluminée d'une pomme et d'une femme, rouillée par la pluie et tournant au vent sur une broche de fer. Cette façon de girouette qui regardait le pavé était l'enseigne.

La nuit tombait. Le carrefour était noir. Le cabaret plein de chandelles flamboyait de loin comme une forge dans l'ombre. On entendait le bruit des verres, des ripailles, des jurements, des querelles qui s'échappait par les carreaux cassés. A travers la brume que la chaleur de la salle répandait sur la devanture vitrée, on voyait fourmiller cent figures confuses, et de temps en temps un éclat de rire sonore s'en détachait. Les passants qui allaient à leurs affaires longeaient sans y jeter les yeux cette vitre tumultueuse. Seulement, par intervalles, quelque petit garçon en guenilles se haussait sur la pointe des pieds jusqu'à l'appui de la devanture et jetait dans le cabaret la vieille huée goguenarde dont on poursuivait alors les ivrognes : — Aux Houls, saouls, saouls, saouls !

Un homme cependant se promenait imperturbablement devant la bruyante taverne, y regardant sans cesse, et ne s'en écartant pas plus qu'un piquier de sa guérite. Il avait un manteau jusqu'au nez. Ce manteau, il venait de l'acheter au fripier qui avoisinait *la Pomme d'Ève,* sans doute pour se garantir du froid des soirées de mars, peut-être pour cacher son costume. De temps en temps il s'arrêtait devant le vitrage trouble à mailles de plomb, il écoutait, regardait, et frappait du pied.

Enfin la porte du cabaret s'ouvrit. C'est ce qu'il paraissait attendre. Deux buveurs en sortirent. Le rayon de lumière qui s'échappa de la porte empourpra un moment leurs joviales figures. L'homme au manteau s'alla mettre en observation sous un porche de l'autre coté de la rue.

— Corne et tonnerre ! dit l'un des deux buveurs. Sept heures vont toquer. C'est l'heure de mon rendez-vous.

— Je vous dis, reprenait son compagnon avec une langue épaisse, que je ne demeure pas rue des Mauvaises-Paroles, *indignus qui inter mala verba habitat.* J'ai logis rue Jean-Pain-Mollet, *in vico Johannis-Pain-Mollet. — Vous* êtes plus cornu qu'un unicorne, si vous dites le contraire. — Chacun sait que qui monte une fois sur un ours n'a jamais peur, mais vous avez le nez tourné à la friandise, comme Saint-Jacques de l'Hôpital.

— Jehan, mon ami, vous êtes ivre, disait l'autre.

L'autre répondit en chancelant : — Cela vous plaît à dire, Phœbus, mais il est prouvé que Platon avait le profil d'un chien de chasse.

Le lecteur a sans doute déjà reconnu nos deux braves amis, le capitaine et l'écolier. Il paraît que l'homme qui les guettait dans l'ombre les avait reconnus aussi, car il suivait à pas lents tous les zigzags que l'écolier faisait faire au capitaine, lequel, buveur plus aguerri, avait conservé tout son sang-froid. En les écoutant attentivement, l'homme au manteau put saisir dans son entier l'intéressante conversation que voici :

— Corbacque ! tâchez donc de marcher droit, monsieur le bachelier. Vous savez qu'il faut que je vous quitte. Voilà sept heures. J'ai rendez-vous avec une femme.

— Laissez-moi donc, vous ! Je vois des étoiles et des lances de feu. Vous êtes comme le château de Dampmartin qui crève de rire.

— Par les verrues de ma grand'mère, Jehan, c'est déraisonner avec trop d'acharnement. — A propos, Jehan, est-ce qu'il ne vous reste plus d'argent ?

— Monsieur le recteur, il n'y a pas de faute, la petite boucherie, *parva boucheria*.

— Jehan, mon ami Jehan ! vous savez que j'ai donné rendez-vous à cette petite au bout du Pont Saint-Michel, que je ne puis la mener que chez la Falourdel, la vilotière du pont, et qu'il faudra payer la chambre. La vieille ribaude à moustaches blanches ne me fera pas crédit. Jehan ! de grâce ! est-ce que nous avons bu toute l'escarcelle du curé ? est-ce qu'il ne vous reste plus un parisis ?

— La conscience d'avoir bien dépensé les autres heures est un juste et savoureux condiment de table.

— Ventre et boyaux ! trêve aux billevesées ! Dites-moi, Jehan du diable, vous reste-t-il quelque monnaie ? Donnez, bédieu ! ou je vais vous fouiller, fussiez-vous lépreux comme Job et galeux comme César !

— Monsieur, la rue Galiache est une rue qui a un bout rue de la Verrerie, et l'autre rue de la Tixeranderie.

— Eh bien oui, mon bon ami Jehan, mon pauvre camarade, la rue Galiache, c'est bien, c'est très bien. Mais, au nom du ciel, revenez à vous. Il ne me faut qu'un sou parisis, et c'est pour sept heures.

— Silence à la ronde, et attention au refrain :

> Quand les rats mangeront les cats,
> Le roi sera seigneur d'Arras ;

Quand la mer, qui est grande et lée,
Sera à la Saint-Jean gelée,
On verra, par-dessus glace
Sortir ceux d'Arras de leur place.

— Eh bien, écolier de l'Antéchrist, puisses-tu être étran-
glé avec les tripes de ta mère ! s'écria Phoebus, et il poussa
rudement l'écolier ivre, lequel glissa contre le mur et tomba
mollement sur le pavé de Philippe Auguste. Par un reste de
cette pitié fraternelle qui n'abandonne jamais le cœur d'un
buveur, Phœbus roula Jehan avec le pied sur un de ces oreil-
lers du pauvre que la providence tient prêts au coin de toutes
les bornes de Paris, et que les riches flétrissent dédaigneuse-
ment du nom de *tas d'ordures*. Le capitaine arrangea la tête
de Jehan sur un plan icliné de trognons de choux, et à l'instant même l'écolier se mit à ronfler avec une basse-taille
magnifique. Cependant toute rancune n'était pas éteinte au
cœur du capitaine. — Tant pis si la charrette du diable te
ramasse en passant ! dit-il au pauvre clerc endormi, et il
s'éloigna.

L'homme au manteau, qui n'avait cessé de le suivre,
s'arrêta un moment devant l'écolier gisant, comme si une
indécision l'agitait ; puis, poussant un profond soupir, il
s'éloigna aussi à la suite du capitaine.

Nous laisserons, comme eux, Jehan dormir sous le regard
bienveillant de la belle étoile, et nous les suivrons aussi, s'il
plaît au lecteur.

En débouchant dans la rue Saint-André-des-Arcs, le capitaine Phœbus s'aperçut que quelqu'un le suivait. Il vit, en
détournant par hasard les yeux, une espèce d'ombre qui ram-
pait derrière lui le long des murs. Il s'arrêta, elle s'arrêta. Il
se remit en marche, l'ombre se remit en marche. Cela ne
l'inquiéta que fort médiocrement. — Ah bah ! se dit-il en
lui-même, je n'ai pas le sou.

Devant la façade du collège d'Autun il fit halte. C'est à ce
collège qu'il avait ébauché ce qu'il appelait ses études, et,
par une habitude d'écolier taquin qui lui était restée, il ne
passait jamais devant la façade sans faire subir à la statue du
cardinal Pierre Bertrand, sculptée à droite du portail,
l'espèce d'affront dont se plaint si amèrement Priape dans la
satire d'Horace *Olim truncus eram ficulnus*. Il y avait mis
tant d'acharnement que l'inscription *Eduensis episcopus* en

était presque effacée. Il s'arrêta donc devant la statue comme à son ordinaire. La rue était tout à fait déserte. Au moment où il renouait nonchalamment ses aiguillettes, le nez au vent, il vit l'ombre qui s'approchait de lui à pas lents, si lents qu'il eut tout le temps d'observer que cette ombre avait un manteau et un chapeau. Arrivée prés de lui, elle s'arrêta et demeura plus immobile que la statue du cardinal Bertrand. Cependant elle attachait sur Phœbus deux yeux fixes pleins de cette lumière vague qui sort la nuit de la prunelle d'un chat.

Le capitaine était brave et se serait fort peu soucié d'un larron l'estoc au poing. Mais cette statue qui marchait, cet homme pétrifié le glacèrent. Il courait alors par le monde je ne sais quelles histoires du moine-bourru, rôdeur nocturne des rues de Paris, qui lui revinrent confusément en mémoire.

Il resta quelques minutes stupéfait, et rompit enfin le silence, en s'efforçant de rire.

— Monsieur, si vous êtes un voleur, comme je l'espère, vous me faites l'effet d'un héron qui s'attaque à une coquille de noix. Je suis un fils de famille ruiné, mon cher. Adressez-vous à côté. Il y a dans la chapelle de ce collège du bois de la vraie croix, qui est dans de l'argenterie.

La main de l'ombre sortit de dessous son manteau et s'abattit sur le bras de Phœbus avec la pesanteur d'une serre d'aigle. En même temps l'ombre parla : — Capitaine Phœbus de Châteaupers !

— Comment diable ! dit Phœbus, vous savez mon nom !

— Je ne sais pas seulement votre nom, reprit l'homme au manteau avec sa voix de sépulcre. Vous avez un rendez-vous ce soir.

— Oui, répondit Phœbus stupéfait.

— A sept heures.

— Dans un quart d'heure.

— Chez la Falourdel.

— Précisément.

— La vilotière du Pont Saint-Michel.

— De saint Michel archange, comme dit la patenôtre.

— Impie ! grommela le spectre. — Avec une femme ?

— *Confiteor.*

— Qui s'appelle...

— La Smeralda, dit Phœbus allégrement. Toute son insouciance lui était revenue par degrés.

A ce nom, la serre de l'ombre secoua avec fureur le bras de Phœbus.

— Capitaine Phœbus de Châteaupers, tu mens !

Qui eût pu voir en ce moment le visage enflammé du capitaine, le bond qu'il fit en arrière, si violent qu'il se dégagea de la tenaille qui l'avait saisi, la fière mine dont il jeta sa main à la garde de son épée, et devant cette colère la morne immobilité de l'homme au manteau, qui eût vu cela eût été effrayé. C'était quelque chose du combat de don Juan et de la statue.

— Christ et Satan ! cria le capitaine. Voilà une parole qui s'attaque rarement à l'oreille d'un Châteaupers ! tu n'oserais pas la répéter.

— Tu mens ! dit l'ombre froidement.

Le capitaine grinça des dents. Moine-bourru, fantôme, superstitions, il avait tout oublié en ce moment. Il ne voyait plus qu'un homme et qu'une insulte.

— Ah ! voilà qui va bien ! balbutia-t-il d'une voix étouffée de rage. Il tira son épée, puis bégayant, car la colère fait trembler comme la peur : — Ici ! tout de suite ! sus ! les épées ! les épées ! du sang sur ces pavés !

Cependant l'autre ne bougeait. Quand il vit son adversaire en garde et prêt à se fendre : — Capitaine Phœbus, dit-il, et son accent vibrait avec amertume, vous oubliez votre rendez-vous.

Les emportements des hommes comme Phœbus sont des soupes au lait dont une goutte d'eau froide affaisse l'ébullition. Cette simple parole fit baisser l'épée qui étincelait à la main du capitaine.

— Capitaine, poursuivit l'homme, demain, après-demain, dans un mois, dans dix ans, vous me retrouverez prêt à vous couper la gorge ; mais allez d'abord à votre rendez-vous.

— En effet, dit Phœbus, comme s'il cherchait à capituler avec lui-même, ce sont deux choses charmantes à rencontrer en un rendez-vous qu'une épée et qu'une fille ; mais je ne vois pas pourquoi je manquerais l'une pour l'autre, quand je puis avoir les deux.

Il remit l'épée au fourreau.

— Allez à votre rendez-vous, reprit l'inconnu.

— Monsieur, répondit Phœbus avec quelque embarras, grand merci de votre courtoisie. Au fait il sera toujours temps demain de nous découper à taillades et boutonnières le pourpoint du père Adam. Je vous sais gré de me permettre de passer encore un quart d'heure agréable. J'espérais bien vous coucher dans le ruisseau et arriver encore à temps pour la belle, d'autant mieux qu'il est de bon air de faire attendre un peu les femmes en pareil cas. Mais vous m'avez l'air d'un gaillard, et il est plus sûr de remettre la partie à demain. Je vais donc à mon rendez-vous. C'est pour sept heures, comme vous savez. — Ici Phœbus se gratta l'oreille. — Ah! corne-Dieu! j'oubliais! je n'ai pas un sou pour acquitter le truage du galetas, et la vieille matrulle voudra être payée d'avance. Elle se défie de moi.

— Voici de quoi payer.

Phœbus sentit la main froide de l'inconnu glisser dans la sienne une large pièce de monnaie. Il ne put s'empêcher de prendre cet argent et de serrer cette main.

— Vrai Dieu! s'écria-t-il, vous êtes un bon enfant!

— Une condition, dit l'homme. Prouvez-moi que j'ai eu tort et que vous disiez vrai. Cachez-moi dans quelque coin d'où je puisse voir si cette femme est vraiment celle dont vous avez dit le nom.

— Oh! répondit Phœbus, cela m'est bien égal. Nous prendrons la chambre à Sainte-Marthe. Vous pourrez voir à votre aise du chenil qui est à côté.

— Venez donc, reprit l'ombre.

— A votre service, dit le capitaine. Je ne sais si vous n'êtes pas messer Diabolus en propre personne. Mais soyons bons amis ce soir. Demain je vous paierai toutes mes dettes, de la bourse et de l'épée.

Ils se remirent à marcher rapidement. Au bout de quelques minutes, le bruit de la rivière leur annonça qu'ils étaient sur le Pont Saint-Michel, alors chargé de maisons. — Je vais d'abord vous introduire, dit Phœbus à son compagnon; j'irai ensuite chercher la belle qui doit m'attendre près du Petit-Châtelet.

Le compagnon ne répondit rien. Depuis qu'ils marchaient côte à côte, il n'avait dit mot. Phœbus s'arrêta devant une porte basse et heurta rudement. Une lumière parut aux fentes de la porte. — Qui est là? cria une voix édentée. — Corps-Dieu! tête-Dieu! ventre-Dieu! répondit le capitaine. La porte s'ouvrit sur-le-champ, et laissa voir aux arrivants une vieille femme et une vieille lampe qui tremblaient toutes deux.

La vieille était pliée en deux, vêtue de guenilles, branlante du chef, percée à petits yeux, coiffée d'un torchon, ridée partout, aux mains, à la face, au cou ; ses lèvres rentraient sous ses gencives, et elle avait tout autour de la bouche des pinceaux de poils blancs qui lui donnaient la mine embabouinée d'un chat. L'intérieur du bouge n'était pas moins délabré qu'elle. C'étaient des murs de craie, des solives noires au plafond, une cheminée démantelée, des toiles d'araignée à tous les coins, au milieu un troupeau chancelant de tables et d'escabelles boiteuses, un enfant sale dans les cendres, et dans le fond un escalier ou plutôt une échelle de bois qui aboutissait à une trappe au plafond. En pénétrant dans ce repaire, le mystérieux compagnon de Phœbus haussa son manteau jusqu'à ses yeux. Cependant le capitaine, tout en jurant comme un sarrasin, se hâta de *faire dans* un *écu reluire le soleil,* comme dit notre admirable Régnier. — La chambre à Sainte-Marthe, dit-il.

La vieille le traita de monseigneur, et serra l'écu dans un tiroir. C'était la pièce que l'homme au manteau noir avait donnée à Phœbus. Pendant qu'elle tournait le dos, le petit garçon chevelu et déguenillé qui jouait dans les cendres s'approcha adroitement du tiroir, y prit l'écu, et mit à la, place une feuille sèche qu'il avait arrachée d'un fagot.

La vieille fit signe aux deux gentilshommes, comme elle les nommait, de la suivre, et monta l'échelle devant eux. Parvenue à l'étage supérieur, elle posa sa lampe sur un coffre, et Phœbus, en habitué de la maison, ouvrit une porte qui donnait sur un bouge obscur. — Entrez là, mon cher, dit-il à son compagnon. L'homme au manteau obéit sans répondre une parole. La porte retomba sur lui. Il entendit Phœbus la refermer au verrou, et un moment après redescendre l'escalier avec la vieille. La lumière avait disparu.

VIII

UTILITÉ DES FENÊTRES
QUI DONNENT SUR LA RIVIÈRE

Claude Frollo (car nous présumons que le lecteur, plus intelligent que Phœbus, n'a vu dans toute cette aventure d'autre moine-bourru que l'archidiacre), Claude Frollo tâtonna quelques instants dans le réduit ténébreux où le capitaine l'avait verrouillé. C'était un de ces recoins comme les architectes en réservent quelquefois au point de jonction du toit et du mur d'appui. La coupe verticale de ce chenil, comme l'avait si bien nommé Phœbus, eût donné un triangle. Du reste il n'y avait ni fenêtre ni lucarne, et le plan incliné du toit empêchait qu'on s'y tînt debout. Claude s'accroupit donc dans la poussière et dans les plâtras qui s'écrasaient sous lui. Sa tête était brûlante. En furetant autour de lui avec ses mains il trouva à terre un morceau de vitre cassée qu'il appuya sur son front et dont la fraîcheur le soulagea un peu.

Que se passait-il en ce moment dans l'âme obscure de l'archidiacre? lui et Dieu seul l'ont pu savoir.

Selon quel ordre fatal disposait-il dans sa pensée la Esmeralda, Phœbus, Jacques Charmolue, son jeune frère si aimé abandonné par lui dans la boue, sa soutane d'archidiacre, sa réputation peut-être, traînée chez la Falourdel, toutes ces images, toutes ces aventures? Je ne pourrais le dire. Mais il est certain que ces idées formaient dans son esprit un groupe horrible.

Il attendait depuis un quart d'heure; il lui semblait avoir vieilli d'un siècle. Tout à coup il entendit craquer les ais de l'escalier de bois. Quelqu'un montait. La trappe se rouvrit, une lumière reparut. Il y avait à la porte vermoulue de son bouge une fente assez large. Il y colla son visage. De cette façon il pouvait voir tout ce qui se passait dans la chambre voisine. La vieille à face de chat sortit d'abord de la trappe, sa lampe à la main, puis Phœbus retroussant sa moustache, puis une troisième personne, cette belle et gracieuse figure, la Esmeralda. Le prêtre la vit sortir de terre comme une éblouissante apparition. Claude trembla, un nuage se répandit sur ses yeux, ses artères battirent avec force, tout bruissait et tournait autour de lui. Il ne vit et n'entendit plus rien.

Quand il revint à lui, Phœbus et la Esmeralda étaient seuls, assis sur le coffre de bois à côté de la lampe qui faisait saillir aux yeux de l'archidiacre ces deux jeunes figures, et un misérable grabat au fond du galetas.

A côté du grabat il y avait une fenêtre dont le vitrail, défoncé comme une toile d'araignée sur laquelle la pluie a tombé, laissait voir à travers ses mailles rompues un coin du ciel et la lune couchée au loin sur un édredon de molles nuées.

La jeune fille était rouge, interdite, palpitante. Ses longs cils baissés ombrageaient ses joues de pourpre. L'officier, sur lequel elle n'osait lever les yeux, rayonnait. Machinalement, et avec un geste charmant de gaucherie, elle traçait du bout du doigt sur le banc des lignes incohérentes, et elle regardait son doigt. On ne voyait pas son pied, la petite chèvre était accroupie dessus.

Le capitaine était mis fort galamment ; il avait au col et aux poignets des touffes de doreloterie : grande élégance d'alors.

Dom Claude ne parvint pas sans peine à entendre ce qu'ils se disaient, à travers le bourdonnement de son sang qui bouillait dans ses tempes.

(Chose assez banale qu'une causerie d'amoureux. C'est un *je vous aime* perpétuel. Phrase musicale fort nue et fort insipide pour les indifférents qui écoutent, quand elle n'est pas ornée de quelque *fioriture*. Mais Claude n'écoutait pas en indifférent.)

— Oh ! disait la jeune fille sans lever les yeux, ne me méprisez pas, monseigneur Phœbus. Je sens que ce que je fais est mal.

— Vous mépriser, belle enfant ! répondait l'officier d'un air de galanterie supérieure et distinguée, vous mépriser, tête-Dieu ! et pourquoi ?

— Pour vous avoir suivi.

— Sur ce propos, ma belle, nous ne nous entendons pas. Je ne devrais pas vous mépriser, mais vous haïr.

La jeune fille le regarda avec effroi : — Me haïr ! qu'ai-je donc fait ?

— Pour vous être tant fait prier.

— Hélas ! dit-elle... c'est que je manque à un vœu... Je ne retrouverai pas mes parents... l'amulette perdra sa vertu. — Mais qu'importe ? qu'ai-je besoin de père et de mère à présent ?

En parlant ainsi, elle fixait sur le capitaine ses grands yeux noirs humides de joie et de tendresse.

— Du diable si je vous comprends ! s'écria Phœbus.

La Esmeralda resta un moment silencieuse, puis une larme sortit de ses yeux, un soupir de ses lèvres, et elle dit :

— Oh ! monseigneur, je vous aime.

Il y avait autour de la jeune fille un tel parfum de chasteté, un tel charme de vertu que Phœbus ne se sentait pas complètement à l'aise auprès d'elle.

Cependant cette parole l'enhardit. — Vous m'aimez ! dit-il avec transport, et il jeta son bras autour de la taille de l'égyptienne. Il n'attendait que cette occasion.

Le prêtre le vit, et essaya du bout du doigt la pointe d'un poignard qu'il tenait caché dans sa poitrine.

— Phœbus, poursuivit la bohémienne en détachant doucement de sa ceinture les mains tenaces du capitaine, vous êtes bon, vous êtes généreux, vous êtes beau. Vous m'avez sauvée, moi qui ne suis qu'une pauvre enfant perdue en Bohême. Il y a longtemps que je rêve d'un officier qui me sauve la vie. C'était de vous que je rêvais avant de vous connaître, mon Phœbus. Mon rêve avait une belle livrée comme vous, une grande mine, une épée. Vous vous appelez Phœbus, c'est un beau nom.

J'aime votre nom, j'aime votre épée. Tirez donc votre épée, Phœbus, que je la voie.

— Enfant ! dit le capitaine, et il dégaina sa rapière en souriant. L'égyptienne regarda la poignée, la lame, examina avec une curiosité adorable le chiffre de la garde, et baisa l'épée en lui disant : — Vous êtes l'épée d'un brave. J'aime mon capitaine.

Phœbus profita encore de l'occasion pour déposer sur son beau cou ployé un baiser qui fit redresser la jeune fille écarlate comme une cerise. Le prêtre en grinça des dents dans ses ténèbres.

— Phœbus, reprit l'égyptienne, laissez-moi vous parler. Marchez donc un peu, que je vous voie tout grand et que j'entende sonner vos éperons. Comme vous êtes beau !

Le capitaine se leva pour lui complaire, en la grondant avec un sourire de satisfaction : — Mais êtes-vous enfant ! — A propos, charmante, m'avez-vous vu en hoqueton de cérémonie ?

— Hélas ! non, répondit-elle.

— C'est cela qui est beau !

Phœbus vint se rasseoir près d'elle, mais beaucoup plus près qu'auparavant.

— Écoutez, ma chère...

L'égyptienne lui donna quelques petits coups de sa jolie main sur la bouche avec un enfantillage plein de folie, de grâce et de gaieté. — Non, non, je ne vous écouterai pas. M'aimez-vous ? Je veux que vous me disiez si vous m'aimez.

— Si je t'aime, ange de ma vie ! s'écria le capitaine en s'agenouillant à demi. Mon corps, mon sang, mon âme, tout est à toi, tout est pour toi. Je t'aime, et n'ai jamais aimé que toi.

Le capitaine avait tant de fois répété cette phrase, en mainte conjoncture pareille, qu'il la débita tout d'une haleine sans faire une seule faute de mémoire. A cette déclaration passionnée, l'égyptienne leva au sale plafond qui tenait lieu de ciel un regard plein d'un bonheur angélique. — Oh ! murmura-t-elle, voilà le moment où l'on devrait mourir ! Phœbus trouva « le moment » bon pour lui dérober un nouveau baiser qui alla torturer dans son coin le misérable archidiacre.

— Mourir ! s'écria l'amoureux capitaine. Qu'est-ce que vous dites donc là, bel ange ? C'est le cas de vivre, ou Jupiter n'est qu'un polisson ! Mourir au commencement d'une si douce chose ! corne-de-bœuf, quelle plaisanterie ! — Ce n'est pas cela. — Écoutez, ma chère Similar... Esmenarda... Pardon, mais vous avez un nom si prodigieusement sarrazin que je ne puis m'en dépêtrer. C'est une broussaille qui m'arrête tout court.

— Mon Dieu, dit la pauvre fille, moi qui croyais ce nom joli pour sa singularité ! Mais puisqu'il vous déplaît, je voudrais m'appeler Goton.

— Ah ! ne pleurons pas pour si peu, ma gracieuse ! c'est un nom auquel il faut s'accoutumer, voilà tout. Une fois que je le saurai par cœur, cela ira tout seul. — Écoutez donc, ma chère Similar, je vous adore à la passion. Je vous aime vraiment que c'est miraculeux. Je sais une petite qui en crève de rage...

La jalouse fille l'interrompit : — Qui donc ?

— Qu'est-ce que cela nous fait ? dit Phœbus. M'aimez-vous ?

— Oh !... dit-elle.

— Eh bien ! c'est tout. Vous verrez comme je vous aime aussi. Je veux que le grand diable Neptunus m'enfourche si je ne vous rends pas la plus heureuse créature du monde. Nous aurons une jolie petite logette quelque part. Je ferai parader mes archers sous vos fenêtres. Ils sont tous à cheval et font la nargue à ceux du capitaine Mignon. Il y a des voulgiers, des cranequiniers et des couleuvriniers à main. Je vous conduirai aux grandes monstres des parisiens à la grange de Rully. C'est très magnifique. Quatre-vingt mille têtes armées ; trente mille harnois blancs, jaques ou brigandines ; les soixante-sept bannières des métiers ; les étendards du parlement, de la chambre des comptes, du trésor des généraux, des aides des monnaies ; un arroi du diable enfin ! Je vous mènerai voir les lions de l'Hôtel du Roi qui sont des bêtes fauves. Toutes les femmes aiment cela.

Depuis quelques instants la jeune fille, absorbée dans ses charmantes pensées, rêvait au son de sa voix sans écouter le sens de ses paroles.

— Oh ! vous serez heureuse ! continua le capitaine, et en même temps il déboucla doucement la ceinture de l'égyptienne.

— Que faites-vous donc ? dit-elle vivement. Cette *voie de fait* l'avait arrachée à sa rêverie.

— Rien, répondit Phœbus. Je disais seulement qu'il faudrait quitter toute cette toilette de folie et de coin de rue quand vous serez avec moi.

— Quand je serai avec toi, mon Phœbus ! dit la jeune fille tendrement.

Elle redevint pensive et silencieuse.

Le capitaine, enhardi par sa douceur, lui prit la taille sans qu'elle résistât, puis se mit à délacer à petit bruit le corsage de la pauvre enfant, et dérangea si fort sa gorgerette que le prêtre haletant vit sortir de la gaze la belle épaule nue de la bohémienne, ronde et brune, comme la lune qui se lève dans la brume à l'horizon.

La jeune fille laissait faire Phœbus. Elle ne paraissait pas s'en apercevoir. L'œil du hardi capitaine étincelait.

Tout à coup elle se tourna vers lui : — Phœbus, dit-elle avec une expression d'amour infinie, instruis-moi dans ta religion.

— Ma religion ! s'écria le capitaine éclatant de rire. Moi, vous instruire dans ma religion ! Corne et tonnerre ! qu'est-ce que vous voulez faire de ma religion ?

— C'est pour nous marier, répondit-elle.

La figure du capitaine prit une expression mélangée de surprise, de dédain, d'insouciance et de passion libertine. — Ah bah ! dit-il, est-ce qu'on se marie ?

La bohémienne devint pâle et laissa tristement retomber sa tête sur sa poitrine.

— Belle amoureuse, reprit tendrement Phœbus, qu'est-ce que c'est que ces folies-là ? Grand'chose que le mariage ! est-on moins bien aimant pour n'avoir pas craché du latin dans la boutique d'un prêtre ?

En parlant ainsi de sa voix la plus douce, il s'approchait extrêmement près de l'égyptienne, ses mains caressantes avaient repris leur poste autour de cette taille si fine et si souple, son œil s'allumait de plus en plus, et tout annonçait que monsieur Phœbus touchait évidemment à l'un de ces moments où Jupiter lui-même fait tant de sottises que le bon Homère est obligé d'appeler un nuage à son secours.

Dom Claude cependant voyait tout. La porte était faite de douves de poinçon toutes pourries, qui laissaient entre elles de larges passages à son regard d'oiseau de proie. Ce prêtre à peau brune et à larges épaules, jusque-là condamné à l'austère virginité du cloître, frissonnait et bouillait devant cette scène d'amour, de nuit et de volupté. La jeune et belle fille livrée en désordre à cet ardent jeune homme lui faisait couler du plomb fondu dans les veines. Il se passait en lui des mouvements extraordinaires. Son œil plongeait avec une jalousie lascive sous toutes ces épingles défaites. Qui eût pu voir en ce moment la figure du malheureux collée aux barreaux vermoulus eût cru voir une face de tigre regardant du fond d'une cage quelque chacal qui dévore une gazelle. Sa prunelle éclatait comme une chandelle et travers les fentes de la porte.

Tout à coup, Phœbus enleva d'un geste rapide la gorgerette de l'égyptienne. La pauvre enfant, qui était restée pâle et rêveuse, se réveilla comme en sursaut. Elle s'éloigna brusquement de l'entreprenant officier, et jetant un regard sur sa gorge et ses épaules nues, rouge et confuse et muette de honte, elle croisa ses deux bras sur son sein pour le cacher. Sans la flamme qui embrasait ses joues, à la voir ainsi silencieuse et immobile, on eût dit une statue de la pudeur. Ses yeux restaient baissés.

Cependant le geste du capitaine avait mis à découvert l'amulette mystérieuse qu'elle portait au cou. — Qu'est-ce que cela ? dit-il en saisissant ce prétexte pour se rapprocher de la belle créature qu'il venait d'effaroucher.

— N'y touchez pas ! répondit-elle vivement, c'est ma gardienne. C'est elle qui me fera retrouver ma famille si j'en reste digne. Oh ! laissez-moi, monsieur le capitaine ! Ma mère ! ma pauvre mère ! ma mère ! où es-tu ? à mon secours ! Grâce, monsieur Phœbus ! rendez-moi ma gorgerette !

Phœbus recula et dit d'un ton froid : — Oh ! mademoiselle ! que je vois bien que vous ne m'aimez pas !

— Je ne t'aime pas ! s'écria la pauvre malheureuse enfant, et en même temps elle se pendit au capitaine qu'elle fit asseoir près d'elle. Je ne t'aime pas, mon Phœbus ! Qu'est-ce que tu dis là, méchant, pour me déchirer le cœur ? Oh ! va ! prends-moi, prends tout ! fais ce que tu voudras de moi. Je suis à toi. Que m'importe l'amulette ! que m'importe ma mère ! c'est toi qui es ma mère, puisque je t'aime ! Phœbus, mon Phœbus bien-aimé, me vois-tu ? c'est moi, regarde-moi. C'est cette petite que tu veux bien ne pas repousser, qui vient, qui vient elle-même te chercher. Mon âme, ma vie, mon corps, ma personne, tout cela est une chose qui est à vous, mon capitaine. Eh bien, non ! ne nous marions pas, cela t'ennuie. Et puis, qu'est-ce que je suis, moi ? une misérable fille du ruisseau, tandis que toi, mon Phœbus, tu es gentilhomme. Belle chose vraiment ! une danseuse épouser un officier ! j'étais folle. Non, Phœbus, non, je serai ta maîtresse, ton amusement, ton plaisir, quand tu voudras, une fille qui sera à toi, je ne suis faite que pour cela, souillée, méprisée, déshonorée, mais qu'importe ! aimée. Je serai la plus fière et la plus joyeuse des femmes. Et quand je serai vieille ou laide, Phœbus, quand je ne serai plus bonne pour vous aimer, monseigneur, vous me souffrirez encore pour vous servir. D'autres vous broderont des écharpes. C'est moi la servante, qui en aurai soin. Vous me laisserez fourbir vos éperons, brosser votre hoqueton, épousseter vos bottes de cheval. N'est-ce pas mon Phoebus, que vous aurez cette pitié ? En attendant, prends-moi ! tiens, Phœbus, tout cela t'appartient, aime-moi seulement ! Nous autres égyptiennes, il ne nous faut que cela, de l'air et de l'amour.

En parlant ainsi, elle jetait ses bras autour du cou de l'officier, elle le regardait du bas en haut suppliante et avec un beau sourire tout en pleurs, sa gorge délicate se frottait au pourpoint de drap et aux rudes broderies. Elle tordait sur ses genoux son beau corps demi-nu. Le capitaine, enivré, colla ses lèvres ardentes à ces belles épaules africaines. La jeune fille, les yeux perdus au plafond, renversée en arrière, frémissait toute palpitante sous ce baiser.

Tout à coup, au-dessus de la tête de Phœbus, elle vit une autre tête, une figure livide, verte, convulsive, avec un regard de damné. Prés de cette figure il y avait une main qui tenait un poignard. C'était la figure et la main du prêtre. Il avait brisé la porte et il était là. Phœbus ne pouvait le voir. La jeune fille resta immobile, glacée, muette sous l'épouvantable apparition, comme une colombe qui lèverait la tête au moment où l'orfraie regarde dans son nid avec ses yeux ronds.

Elle ne put même pousser un cri. Elle vit le poignard s'abaisser sur Phœbus et se relever fumant. — Malédiction ! dit le capitaine, et il tomba.

Elle s'évanouit.

Au moment où ses yeux se fermaient, où tout sentiment se dispersait en elle, elle crut sentir s'imprimer sur ses lèvres un attouchement de feu, un baiser plus brûlant que le fer rouge du bourreau.

Quand elle reprit ses sens, elle était entourée de soldats du guet, on emportait le capitaine baigné dans son sang, le prêtre avait disparu, la fenêtre du fond de la chambre, qui donnait sur la rivière, était toute grande ouverte, on ramassait un manteau qu'on supposait appartenir à l'officier, et elle entendait dire autour d'elle : — C'est une sorcière qui a poignardé un capitaine.

LIVRE HUITIÈME

I

Gringoire et toute la Cour des Miracles étaient dans une mortelle inquiétude. On ne savait depuis un grand mois ce qu'était devenue la Esmeralda, ce qui contristait fort le duc d'Égypte et ses amis les truands, ni ce qu'était devenue sa chèvre, ce qui redoublait la douleur de Gringoire. Un soir, l'égyptienne avait disparu, et depuis lors n'avait plus donné signe de vie. Toutes recherches avaient été inutiles. Quelques sabouleux taquins disaient à Gringoire l'avoir rencontrée ce soir-là aux environs du Pont Saint-Michel s'en allant avec un officier ; mais ce mari à la mode de Bohême était un philosophe incrédule, et d'ailleurs il savait mieux que personne à quel point sa femme était vierge. Il avait pu juger quelle pudeur inexpugnable résultait des deux vertus combinées de l'amulette et de l'égyptienne, et il avait mathématiquement calculé la résistance de cette chasteté à la seconde puissance. Il était donc tranquille de ce côté.

Aussi ne pouvait-il s'expliquer cette disparition. C'était un chagrin profond. Il en eût maigri, si la chose eût été possible. Il en avait tout oublié, jusqu'à ses goûts littéraires, jusqu'à son grand ouvrage *De figuris regularibus et irregularibus,* qu'il comptait faire imprimer au premier argent qu'il aurait. (Car il radotait d'imprimerie, depuis qu'il avait

vu le *Didascalon* de Hugues de Saint-Victor imprimé avec
les célèbres caractères de Vindelin de Spire.)

Un jour qu'il passait tristement devant la Tournelle criminelle, il aperçut quelque foule à l'une des portes du Palais
de Justice.

— Qu'est cela? demanda-t-il à un jeune homme qui en
sortait.

— Je ne sais pas, monsieur, répondit le jeune homme. On
dit qu'on juge une femme qui a assassiné un gendarme.
Comme il paraît qu'il y a de la sorcellerie là-dessous,
l'évêque et l'official sont intervenus dans la cause, et mon
frère, qui est archidiacre de Josas, y passe sa vie. Or, je voulais lui parler, mais je n'ai pu arriver jusqu'à lui à cause de
la foule, ce qui me contrarie fort, car j'ai besoin d'argent.

— Hélas, monsieur, dit Gringoire, je voudrais pouvoir
vous en prêter; mais si mes grègues sont trouées, ce n'est
pas par les écus.

Il n'osa pas dire au jeune homme qu'il connaissait son
frère l'archidiacre, vers lequel il n'était pas retourné depuis
la scène de l'église, négligence qui l'embarrassait.

L'écolier passa son chemin, et Gringoire se mit à suivre la
foule qui montait l'escalier de la grand'chambre. Il estimait
qu'il n'est rien de tel que le spectacle d'un procès criminel
pour dissiper la mélancolie, tant les juges sont ordinairement
d'une bêtise réjouissante. Le peuple auquel il s'était mêlé
marchait et se coudoyait en silence. Après un lent et insipide
piétinement sous un long couloir sombre, qui serpentait dans
le palais comme le canal intestinal du vieil édifice, il parvint
auprès d'une porte basse qui débouchait sur une salle que sa
haute taille lui permit d'explorer du regard par-dessus les
têtes ondoyantes de la cohue.

La salle était vaste et sombre, ce qui la faisait paraître plus
vaste encore. Le jour tombait; les longues fenêtres ogives ne
laissaient plus pénétrer qu'un pâle rayon qui s'éteignait
avant d'atteindre jusqu'à la voûte, énorme treillis de char-
pentes sculptées, dont les mille figures semblaient remuer
confusément dans l'ombre. Il y avait déjà plusieurs chandelles allumées çà et là sur des tables et rayonnant sur des
têtes de greffiers affaissés dans des paperasses. La partie
antérieure de la salle était occupée par la foule; à droite et à
gauche il y avait des hommes de robe à des tables; au fond,

sur une estrade, force juges dont les dernières rangées s'enfonçaient dans les ténèbres ; faces immobiles et sinistres. Les murs étaient semés de fleurs de lys sans nombre. On distinguait vaguement un grand christ au-dessus des juges, et partout des piques et des hallebardes au bout desquelles la lumière des chandelles mettait des pointes de feu.

— Monsieur, demanda Gringoire à l'un de ses voisins, qu'est-ce que c'est donc que toutes ces personnes rangées là-bas comme prélats en concile ?

— Monsieur, dit le voisin, ce sont les conseillers de la grand'chambre à droite, et les conseillers des enquêtes à gauche ; les maîtres en robes noires, et les messires en robes rouges.

— Là, au-dessus d'eux, reprit Gringoire, qu'est-ce que c'est que ce gros rouge qui sue ?

— C'est monsieur le président.

— Et ces moutons derrière lui ? poursuivit Gringoire, lequel, nous l'avons déjà dit, n'aimait pas la magistrature. Ce qui tenait peut-être à la rancune qu'il gardait au Palais de Justice depuis sa mésaventure dramatique.

— Ce sont messieurs les maîtres des requêtes de l'Hôtel du Roi.

— Et devant lui, ce sanglier ?

— C'est monsieur le greffier de la cour de parlement.

— Et à droite, ce crocodile ?

— Maître Philippe Lheulier, avocat du roi extraordinaire.

— Et à gauche, ce gros chat noir ?

— Maître Jacques Charmolue, procureur du roi en cour d'église, avec messieurs de l'officialité.

— Or çà, monsieur, dit Gringoire, que font donc tous ces braves gens-là ?

— Ils jugent.

— Ils jugent qui ? je ne vois pas d'accusé.

— C'est une femme, monsieur. Vous ne pouvez la voir. Elle nous tourne le dos, et elle nous est cachée par la foule. Tenez, elle est là où vous voyez un groupe de pertuisaniers.

— Qu'est-ce que cette femme ? demanda Gringoire. Savez-vous son nom ?

— Non, monsieur. Je ne fais que d'arriver. Je présume seulement qu'il y a de la sorcellerie, parce que l'official assiste au procès.

— Allons ! dit notre philosophe, nous allons voir tous ces gens de robe manger de la chair humaine. C'est un spectacle comme un autre.

— Monsieur, observa le voisin, est-ce que vous ne trouvez pas que maître Jacques Charmolue a l'air très doux ?

— Hum ! répondit Gringoire. Je me défie d'une douceur qui a les narines pincées et les lèvres minces.

Ici les voisins imposèrent silence aux deux causeurs. On écoutait une déposition importante.

— Messeigneurs, disait, au milieu de la salle, une vieille dont le visage disparaissait tellement sous ses vêtements qu'on eût dit un monceau de guenilles qui marchait, messeigneurs, la chose est aussi vraie qu'il est vrai que c'est moi qui suis la Falourdel, établie depuis quarante ans au Pont Saint-Michel, et payant exactement rentes, lods et censives, la porte vis-à-vis la maison de Tassin-Caillart, le teinturier, qui est du côté d'amont l'eau. — Une pauvre vieille à présent, une jolie fille autrefois, messeigneurs ! — On me disait depuis quelques jours : La Falourdel, ne filez pas trop votre rouet le soir, le diable aime peigner avec ses cornes la quenouille des vieilles femmes. Il est sûr que le moine-bourru, qui était l'an passé du côté du Temple, rôde maintenant dans la Cité. La Falourdel, prenez garde qu'il ne cogne à votre porte. — Un soir, je filais mon rouet, on cogne à ma porte. Je demande qui. On jure. J'ouvre. Deux hommes entrent. Un noir avec un bel officier. On ne voyait que les yeux du noir, deux braises. Tout le reste était manteau et chapeau. Voilà qu'ils me disent : — La chambre à Sainte-Marthe. — C'est ma chambre d'en haut, messeigneurs, ma plus propre. Ils me donnent un écu. Je serre l'écu dans mon tiroir, et je dis : Ce sera pour acheter demain des tripes à l'écorcherie de la Gloriette. — Nous montons. — Arrivés à la chambre d'en haut, pendant que je tournais le dos, l'homme noir disparaît. Cela m'ébahit un peu. L'officier, qui était beau comme un grand seigneur, redescend avec moi. Il sort. Le temps de filer un quart d'écheveau, il rentre avec une belle jeune fille, une poupée qui eût brillé comme un soleil si elle eût été coiffée. Elle avait avec elle un bouc, un grand bouc, noir ou blanc, je ne sais plus. Voilà qui me fait songer. La fille, cela ne me regarde pas, mais le bouc !... Je n'aime pas ces bêtes-là, elles ont une barbe et des cornes.

Cela ressemble à un homme. Et puis, cela sent le samedi. Cependant, je ne dis rien. J'avais l'écu. C'est juste, n'est-ce pas, monsieur le juge ? Je fais monter la fille et le capitaine à la chambre d'en haut, et je les laisse seuls, c'est-à-dire avec le bouc. Je descends et je me remets à filer. — Il faut vous dire que ma maison a un rez-de-chaussée et un premier, elle donne par derrière sur la rivière, comme les autres maisons du pont, et la fenêtre du rez-de-chaussée et la fenêtre du premier s'ouvrent sur l'eau. — J'étais donc en train de filer. Je ne sais pourquoi je pensais à ce moine-bourru que le bouc m'avait remis en tête, et puis la belle fille était un peu farouchement attifée. — Tout à coup, j'entends un cri en haut, et choir quelque chose sur le carreau, et que la fenêtre s'ouvre. Je cours à la mienne qui est au-dessous, et je vois passer devant mes yeux une masse noire qui tombe dans l'eau. C'était un fantôme habillé en prêtre. Il faisait clair de lune. Je l'ai très bien vu. Il nageait du côté de la Cité. Alors, toute tremblante, j'appelle le guet. Ces messieurs de la douzaine entrent, et même dans le premier moment, ne sachant pas de quoi il s'agissait, comme ils étaient en joie, ils m'ont battue. Je leur ai expliqué. Nous montons, et qu'est-ce que nous trouvons ? ma pauvre chambre tout en sang, le capitaine étendu de son long avec un poignard dans le cou, la fille faisant la morte, et le bouc tout effarouché. — Bon, dis-je, j'en aurai pour plus de quinze jours à laver le plancher. Il faudra gratter, ce sera terrible. — On a emporté l'officier, pauvre jeune homme ! et la fille toute débraillée. — Attendez. Le pire, c'est que le lendemain, quand j'ai voulu prendre l'écu pour acheter les tripes, j'ai trouvé une feuille sèche à la place.

La vieille se tut. Un murmure d'horreur circula dans l'auditoire. — Ce fantôme, ce bouc, tout cela sent la magie, dit un voisin de Gringoire. — Et cette feuille sèche ! ajouta un autre. — Nul doute, reprit un troisième, c'est une sorcière qui a des commerces avec le moine-bourru pour dévaliser les officiers. — Gringoire lui-même n'était pas éloigné de trouver tout cet ensemble effrayant et vraisemblable.

— Femme Falourdel, dit monsieur le président avec majesté, n'avez-vous rien de plus à dire à la justice ?

— Non, monseigneur, répondit la vieille, sinon que dans le rapport on a traité ma maison de masure tortue et puante, ce qui est outrageusement parler. Les maisons du pont n'ont pas grande mine, parce qu'il y a foison de peuple, mais néanmoins les bouchers ne laissent pas d'y demeurer, qui sont gens riches et mariés à de belles femmes fort propres.

Le magistrat qui avait fait à Gringoire l'effet d'un crocodile se leva. — Paix ! dit-il. Je prie messieurs de ne pas perdre de vue qu'on a trouvé un poignard sur l'accusée. — Femme Falourdel, avez-vous apporté cette feuille sèche en laquelle s'est transformé l'écu que le démon vous avait donné ?

— Oui, monseigneur, répondit-elle, je l'ai retrouvée. La voici.

Un huissier transmit la feuille morte au crocodile qui fit un signe de tête lugubre et la passa au président qui la renvoya au procureur du roi en cour d'église, de façon qu'elle fit le tour de la salle. — C'est une feuille de bouleau, dit maître Jacques Charmolue. Nouvelle preuve de la magie.

Un conseiller prit la parole. — Témoin, deux hommes sont montés en même temps chez vous. L'homme noir, que vous avez vu d'abord disparaître, puis nager en Seine avec des habits de prêtre, et l'officier. — Lequel des deux vous a remis l'écu ?

La vieille réfléchit un moment et dit : — C'est l'officier. Une rumeur parcourut la foule.

— Ah ! pensa Gringoire, voilà qui fait hésiter ma conviction.

Cependant maître Philippe Lheulier, l'avocat extraordinaire du roi, intervint de nouveau. — Je rappelle à messieurs que, dans sa déposition écrite à son chevet, l'officier assassiné, en déclarant qu'il avait eu vaguement la pensée, au moment où l'homme noir l'avait accosté, que ce pourrait fort bien être le moine-bourru, ajoutait que le fantôme l'avait vivement pressé de s'aller accointer avec l'accusée, et sur l'observation de lui, capitaine, qu'il était sans argent, lui avait donné l'écu dont ledit officier a payé la Falourdel. Donc l'écu est une monnaie de l'enfer.

Cette observation concluante parut dissiper tous les doutes de Gringoire et des autres sceptiques de l'auditoire.

— Messieurs ont le dossier des pièces, ajouta l'avocat du roi en s'asseyant, ils peuvent consulter le dire de Phœbus de Châteaupers.

A ce nom l'accusée se leva. Sa tête dépassa la foule. Gringoire épouvanté reconnut la Esmeralda.

Elle était pâle ; ses cheveux, autrefois si gracieusement nattés et pailletés de sequins, tombaient en désordre ; ses lèvres étaient bleues ; ses yeux creux effrayaient. Hélas !

— Phœbus ! dit-elle avec égarement, où est-il ? O messeigneurs ! avant de me tuer, par grâce, dites-moi s'il vit encore !

— Taisez-vous, femme, répondit le président. Ce n'est pas là notre affaire.

— Oh ! par pitié, dites-moi s'il est vivant ! reprit-elle en joignant ses belles mains amaigries ; et l'on entendait ses chaînes frissonner le long de sa robe.

— Eh bien ! dit sèchement l'avocat du roi, il se meurt. — Êtes-vous contente ?

La malheureuse retomba sur sa sellette, sans voix, sans larmes, blanche comme une figure de cire.

Le président se baissa vers un homme placé à ses pieds, qui avait un bonnet d'or et une robe noire, une chaîne au cou et une verge à la main.

— Huissier, introduisez la seconde accusée.

Tous les yeux se tournèrent vers une petite porte qui s'ouvrit, et, à la grande palpitation de Gringoire, donna passage à une jolie chèvre aux cornes et aux pieds d'or. L'élégante bête s'arrêta un moment sur le seuil, tendant le cou, comme si, dressée à la pointe d'une roche, elle eût eu sous les yeux un immense horizon. Tout à coup elle aperçut la bohémienne, et, sautant par-dessus la table et la tête d'un greffier, en deux bonds elle fut à ses genoux. Puis elle se roula gracieusement sur les pieds de sa maîtresse, sollicitant un mot ou une caresse ; mais l'accusée resta immobile, et la pauvre Djali elle-même n'eut pas un regard.

— Eh mais... c'est ma vilaine bête, dit la vieille Falourdel, et je les reconnais bellement toutes deux !

Jacques Charmolue intervint. — S'il plaît à messieurs, nous procéderons à l'interrogatoire de la chèvre.

C'était en effet la seconde accusée. Rien de plus simple alors qu'un procès de sorcellerie intenté à un animal. On trouve, entre autres, dans les comptes de la prévôté pour 1466, un curieux deuil des frais du procès de Gillet-Soulart et de sa truie, *exécutés pour leurs démérites, à Corbeil*. Tout y est, le coût des fosses pour mettre la truie, les cinq cents bourrées de cotrets pris sur le port de Morsant, les trois pintes de vin et le pain, dernier repas du patient fraternellement partagé par le bourreau, jusqu'aux onze jours de garde et de nourriture de la truie à huit deniers parisis chaque. Quelquefois même on allait plus loin que les bêtes. Les capitulaires de Charlemagne et de Louis le Débonnaire infligent de graves peines aux fantômes enflammés qui se permettraient de paraître dans l'air.

Cependant le procureur en cour d'église s'était écrié : — Si le démon qui possède cette chèvre et qui a résisté à tous les exorcismes persiste dans ses maléfices, s'il en épouvante la cour, nous le prévenons que nous serons forcés de requérir contre lui le gibet ou le bûcher.

Gringoire eut la sueur froide. Charmolue prit sur une table le tambour de basque de la bohémienne, et, le présentant d'une certaine façon à la chèvre, il lui demanda : — Quelle heure est-il ?

La chèvre le regarda d'un œil intelligent, leva son pied doré et frappa sept coups. Il était en effet sept heures. Un mouvement de terreur parcourut la foule.

Gringoire n'y put tenir.

— Elle se perd ! cria-t-il tout haut. Vous voyez bien qu'elle ne sait ce qu'elle fait.

— Silence aux manants du bout de la salle ! dit aigrement l'huissier.

Jacques Charmolue, à l'aide des mêmes manœuvres du tambourin, fit faire à la chèvre plusieurs autres momeries, sur la date du jour, le mois de l'année, etc., dont le lecteur a déjà été témoin. Et, par une illusion d'optique propre aux débats judiciaires, ces mêmes spectateurs, qui peut-être avaient plus d'une fois applaudi dans le carrefour aux innocentes malices de Djali, en furent effrayés sous les voûtes du Palais de Justice. La chèvre était décidément le diable.

Ce fut bien pis encore, quand, le procureur du roi ayant vidé sur le carreau un certain sac de cuir plein de lettres mobiles que Djali avait au cou, on vit la chèvre extraire avec sa patte de l'alphabet épars ce nom fatal : *Phœbus*. Les sortilèges dont le capitaine avait été victime parurent irrésistiblement démontrés, et, aux yeux de tous, la bohémienne, cette ravissante danseuse qui avait tant de fois ébloui les passants de sa grâce, ne fut plus qu'une effroyable stryge.

Du reste, elle ne donnait aucun signe de vie. Ni les gracieuses évolutions de Djali, ni les menaces du parquet, ni les sourdes imprécations de l'auditoire, rien n'arrivait plus à sa pensée.

Il fallut, pour la réveiller, qu'un sergent la secouât sans pitié et que le président élevât solennellement la voix :

— Fille, vous êtes de race bohème, adonnée aux maléfices. Vous avez, de complicité avec la chèvre ensorcelée impliquée au procès, dans la nuit du 29 mars dernier, meurtri et poignardé, de concert avec les puissances de ténèbres, à l'aide de charmes et de pratiques, un capitaine des archers de l'ordonnance du roi, Phœbus de Châteaupers. Persistez-vous à nier ?

— Horreur ! cria la jeune fille en cachant son visage de ses mains. Mon Phœbus ! Oh ! c'est l'enfer !

— Persistez-vous à nier ? demanda froidement le président.

— Si je le nie ! dit-elle d'un accent terrible, et elle s'était levée et son œil étincelait.

Le président continua carrément : — Alors comment expliquez-vous les faits à votre charge ?

Elle répondit d'une voix entrecoupée :

— Je l'ai déjà dit. Je ne sais pas. C'est un prêtre. Un prêtre que je ne connais pas. Un prêtre infernal qui me poursuit !

— C'est cela, reprit le juge. Le moine-bourru.

— O messeigneurs ! ayez pitié ! je ne suis qu'une pauvre fille...

— D'Égypte, dit le juge.

Maître Jacques Charmolue prit la parole avec douceur : — Attendu l'obstination douloureuse de l'accusée, je requiers l'application de la question.

— Accordé, dit le président.

La malheureuse frémit de tout son corps. Elle se leva pourtant à l'ordre des pertuisaniers, et marcha d'un pas assez ferme, précédée de Charmolue et des prêtres de l'officialité, entre deux rangs de hallebardes, vers une porte bâtarde qui s'ouvrit subitement et se referma sur elle, ce qui fit au triste Gringoire l'effet d'une gueule horrible qui venait de la dévorer.

Quand elle disparut, on entendit un bêlement plaintif. C'était la petite chèvre qui pleurait.

L'audience fut suspendue. Un conseiller ayant fait observer que messieurs étaient fatigués et que ce serait bien long d'attendre jusqu'à la fin de la torture, le président répondit qu'un magistrat doit savoir se sacrifier à son devoir.

— La fâcheuse et déplaisante drôlesse, dit un vieux juge, qui se fait donner la question quand on n'a pas soupé !

II

SUITE DE L'ÉCU
CHANGÉ EN FEUILLE SÈCHE

Après quelques degrés montés et descendus dans des couloirs si sombres qu'on les éclairait de lampes en plein jour, la Esmeralda, toujours entourée de son lugubre cortège, fut poussée par les sergents du palais dans une chambre sinistre. Cette chambre, de forme ronde, occupait le rez-de-chaussée de l'une de ces grosses tours qui percent encore, dans notre siècle, la couche d'édifices modernes dont le nouveau Paris a recouvert l'ancien. Pas de fenêtre à ce caveau, pas d'autre ouverture que l'entrée, basse et battue d'une énorme porte de fer. La clarté cependant n'y manquait point. Un four était pratiqué dans l'épaisseur du mur. Un gros feu y était allumé, qui remplissait le caveau de ses rouges réverbérations, et dépouillait de tout rayonnement une misérable chandelle posée dans un coin. La herse de fer qui servait à fermer le four, levée en ce moment, ne laissait voir, à l'orifice du soupirail flamboyant sur le mur ténébreux, que l'extrémité inférieure de ses barreaux, comme une rangée de dents noires, aiguës et espacées, ce qui faisait ressembler la fournaise à l'une de ces bouches de dragons qui jettent des flammes dans les légendes. A la lumière qui s'en échappait, la prisonnière vit tout autour de la chambre des instruments effroyables dont elle ne comprenait pas l'usage. Au milieu gisait un matelas de cuir presque posé à terre, sur lequel pendait une courroie à boucle, rattachée à un anneau de cuivre que mordait un monstre camard sculpté dans la clef de la voûte. Des tenailles, des pinces, de larges fers de charrue, encombraient l'intérieur du four et rougissaient pêle-mêle sur la braise. La sanglante lueur de la fournaise n'éclairait dans toute la chambre qu'un fouillis de choses horribles.

Ce tartare s'appelait simplement *la chambre de la question.*

Sur le lit était nonchalamment assis Pierrat Torterue, le tourmenteur-juré. Ses valets, deux gnomes à face carrée, à tablier de cuir, à brayes de toile, remuaient la ferraille sur les charbons.

La pauvre fille avait eu beau recueillir son courage. En pénétrant dans cette chambre, elle eut horreur.

Les sergents du bailli du Palais se rangèrent d'un côté, les prêtres de l'officialité de l'autre. Un greffier, une écritoire et une table étaient dans un coin. Maître Jacques Charmolue s'approcha de l'égyptienne avec un sourire très doux. — Ma chère enfant, dit-il, vous persistez donc à nier ?

— Oui, répondit-elle d'une voix déjà éteinte.

— En ce cas, reprit Charmolue, il sera bien douloureux pour nous de vous questionner avec plus d'instance que nous ne le voudrions. — Veuillez prendre la peine de vous asseoir sur ce lit. — Maître Pierrat, faites place à mademoiselle, et fermez la porte.

Pierrat se leva avec un grognement. — Si je ferme la porte, murmura-t-il, mon feu va s'éteindre.

— Eh bien, mon cher, repartit Charmolue, laissez-la ouverte.

Cependant la Esmeralda restait debout. Ce lit de cuir, où s'étaient tordus tant de misérables, l'épouvantait. La terreur lui glaçait la moelle des os. Elle était là, effarée et stupide. A un signe de Charmolue, les deux valets la prirent et la posèrent assise sur le lit. Ils ne lui firent aucun mal, mais quand ces hommes la touchèrent, quand ce cuir la toucha, elle sentit tout son sang refluer vers son cœur. Elle jeta un regard égaré autour de la chambre. Il lui sembla voir se mouvoir et marcher de toutes parts vers elle, pour lui grimper le long du corps et la mordre et la pincer, tous ces difformes outils de la torture, qui étaient, parmi les instruments de tout genre qu'elle avait vus jusqu'alors, ce que sont les chauves-souris, les mille-pieds et les araignées parmi les insectes et les oiseaux.

— Où est le medecin? demanda Charmolue.

— Ici, répondit une robe noire qu'elle n'avait pas encore aperçue.

Elle frissona.

— Mademoiselle, reprit la voix caressante du procureur en cour d'église, pour la troisième fois persistez-vous à nier les faits dont vous êtes accusée?

Cette fois elle ne put que faire un signe de tête. La voix lui manqua.

— Vous persistez? dit Jacques Charmolue. Alors, j'en suis désespéré, mais il faut que je remplisse le devoir de mon office.

— Monsieur le procureur du roi, dit brusquement Pierrat, par où commencerons-nous?

Charmolue hésita un moment avec la grimace ambiguë d'un poète qui cherche une rime.

— Par le brodequin, dit-il enfin.

L'infortunée se sentit si profondément abandonnée de Dieu et des hommes que sa tête tomba sur sa poitrine comme une chose inerte qui n'a pas de force en soi.

Le tourmenteur et le médecin s'approchèrent d'elle à la fois. En même temps, les deux valets se mirent à fouiller dans leur hideux arsenal.

Au cliquetis de ces affreuses ferrailles, la malheureuse enfant tressaillit comme une grenouille morte qu'on galvanise. — Oh! murmura-t-elle, si bas que nul ne l'entendit, ô mon Phœbus! — Puis elle se replongea dans son immobilité et dans son silence de marbre. Ce spectacle eût déchiré tout autre cœur que les cœurs des juges. On eût dit une pauvre âme pécheresse questionnée par Satan sous l'écarlate guichet de l'enfer. Le misérable corps auquel allait se cramponner cette effroyable fourmilière de scies, de roues et de chevalets, l'être qu'allaient manier ces âpres mains de bourreaux et de tenailles, c'était donc cette douce, blanche et fragile créature. Pauvre grain de mil que la justice humaine donnait à moudre aux épouvantables meules de la torture!

Cependant les mains calleuses des valets de Pierrat Torterue avaient brutalement mis à nu cette jambe charmante, ce petit pied qui avaient tant de fois émerveillé les passants de leur gentillesse et de leur beauté dans les carrefours de Paris.

— C'est dommage! grommela le tourmenteur en consi-

dérant ces formes si gracieuses et si délicates. Si l'archidiacre eût été présent, certes, il se fût souvenu en ce moment de son symbole de l'araignée et de la mouche. Bientôt la malheureuse vit, à travers un nuage qui se répandait sur ses yeux, approcher le *brodequin,* bientôt elle vit son pied emboîté entre les ais ferrés disparaître sous l'effrayant appareil. Alors la terreur lui rendit de la force. — Otez-moi cela ! cria-t-elle avec emportement. Et, se dressant tout échevelée :
— Grâce !

Elle s'élança hors du lit pour se jeter aux pieds du procureur du roi, mais sa jambe était prise dans le lourd bloc de chêne et de ferrures, et elle s'affaissa sur le brodequin, plus brisée qu'une abeille qui aurait un plomb sur l'aile.

A un signe de Charmolue, on la replaça sur le lit, et deux grosses mains assujettirent à sa fine ceinture la courroie qui pendait de la voûte.

— Une dernière fois, avouez-vous les faits de la cause ? demanda Charmolue avec son imperturbable bénignité.

— Je suis innocente.

— Alors, madamoiselle, comment expliquez-vous les circonstances à votre charge ?

— Hélas, monseigneur ! je ne sais.

— Vous niez donc ?

— Tout !

— Faites, dit Charmolue à Pierrat.

Pierrat tourna la poignée du cric, le brodequin se resserra, et la malheureuse poussa un de ces horribles cris qui n'ont d'orthographe dans aucune langue humaine.

— Arrêtez, dit Charmolue à Pierrat. — Avouez-vous ? dit-il à l'égyptienne.

— Tout ! cria la misérable fille. J'avoue, j'avoue ! grâce !

Elle n'avait pas calculé ses forces en affrontant la question. Pauvre enfant dont la vie jusqu'alors avait été si joyeuse, si suave, si douce, la première douleur l'avait vaincue.

— L'humanité m'oblige à vous dire, observa le procureur du roi, qu'en avouant c'est la mort que vous devez attendre.

— Je l'espère bien, dit-elle. Et elle retomba sur le lit de cuir, mourante, pliée en deux, se laissant pendre à la courroie bouclée sur sa poitrine.

— Sus, ma belle, soutenez-vous un peu, dit maître Pierrat

en la relevant. Vous avez l'air du mouton d'or qui est au cou de monsieur de Bourgogne.

Jacques Charmolue éleva la voix.

— Greffier, écrivez. — Jeune fille bohème, vous avouez votre participation aux agapes, sabbats et maléfices de l'enfer, avec les larves, les masques et les stryges ? Répondez.

— Oui, dit-elle, si bas que sa parole se perdait dans son souffle.

— Vous avouez avoir vu le bélier que Belzébuth fait paraître dans les nuées pour rassembler le sabbat, et qui n'est vu que des sorciers ?

— Oui.

— Vous confessez avoir adoré les têtes de Bophomet, ces abominables idoles des templiers ?

— Oui.

— Avoir eu commerce habituel avec le diable sous la forme d'une chèvre familière, jointe au procès ?

— Oui,

— Enfin, vous avouez et confessez avoir, à l'aide du démon, et du fantôme vulgairement appelé le moine-bourru, dans la nuit du vingt-neuvième mars dernier, meurtri et assassiné un capitaine nommé Phœbus de Châteaupers ?

Elle leva sur le magistrat ses grands yeux fixes, et répondit comme machinalement, sans convulsion et sans secousse : — Oui. Il était évident que tout était brisé en elle.

— Écrivez, greffier, dit Charmolue. Et s'adressant aux tortionnaires : — Qu'on détache la prisonnière, et qu'on la ramène à l'audience.

Quand la prisonnière fut *déchaussée,* le procureur en cour d'église examina son pied encore engourdi par la douleur. — Allons ! dit-il, il n'y a pas grand mal. Vous avez crié à temps. Vous pourriez encore danser, la belle !

Puis il se tourna vers ses acolytes de l'officialité. — Voilà enfin la justice éclairée ! Cela soulage, messieurs ! Mademoiselle nous rendra ce témoignage, que nous avons agi avec toute la douceur possible.

III

FIN DE L'ÉCU
CHANGÉ EN FEUILLE SÈCHE

Quand elle rentra, pâle et boitant, dans la salle d'audience un murmure général de plaisir l'accueillit. De la part de l'auditoire, c'était ce sentiment d'impatience satisfaite qu'on éprouve au théâtre à l'expiration du dernier entr'acte de la comédie, lorsque la toile se relève et que la fin va commencer. De la part des juges, c'était espoir de bientôt souper. La petite chèvre aussi bêla de joie. Elle voulut courir vers sa maîtresse, mais on l'avait attachée au banc.

La nuit était tout à fait venue. Les chandelles, dont on n'avait pas augmenté le nombre, jetaient si peu de lumière qu'on ne voyait pas les murs de la salle. Les ténèbres y enveloppaient tous les objets d'une sorte de brume. Quelques faces apathiques de juges y ressortaient à peine. Vis-à-vis d'eux, à l'extrémité de la longue salle, ils pouvaient voir un point de blancheur vague se détacher sur le fond sombre. C'était l'accusée.

Elle s'était traînée à sa place. Quand Charmolue se fut installé magistralement à la sienne, il s'assit, puis se releva, et dit, sans laisser percer trop de vanité de son succès : — L'accusée a tout avoué.

— Fille bohème, reprit le président, vous avez avoué tous vos faits de magie, de prostitution et d'assassinat sur Phœbus de Châteaupers ?

Son cœur se serra. On l'entendit sangloter dans l'ombre. — Tout ce que vous voudrez, répondit-elle faiblement, mais tuez-moi vite !

— Monsieur le procureur du roi en cour d'église, dit le président, la chambre est prête à vous entendre en vos réquisitions.

Maître Charmolue exhiba un effrayant cahier, et se mit à lire avec force gestes et l'accentuation exagérée de la plaidoirie une oraison en latin où toutes les preuves du procès s'échafaudaient sur des périphrases cicéroniennes flanquées de citations de Plaute, son comique favori. Nous regrettons de ne pouvoir offrir à nos lecteurs ce morceau remarquable.

L'orateur le débitait avec une action merveilleuse. Il n'avait pas achevé l'exorde, que déjà la sueur lui sortait du front et les yeux de la tête. Tout à coup, au beau milieu d'une période, il s'interrompit, et son regard d'ordinaire assez doux et même assez bête, devint foudroyant. — Messieurs, s'écria-t-il (cette fois en français car ce n'était pas dans le cahier), Satan est tellement mêlé dans cette affaire que le voilà qui assiste à nos débats et fait singerie de leur majesté. Voyez !

En parlant ainsi, il désignait de la main la petite chèvre qui, voyant gesticuler Charmolue, avait cru en effet qu'il était à propos d'en faire autant, et s'était assise sur le derrière, reproduisant de son mieux, avec ses pattes de devant et sa tête barbue, la pantomime pathétique du procureur du roi en cour d'église. C'était, si l'on s'en souvient, un de ses plus gentils talents. Cet incident, cette dernière *preuve,* fit grand effet. On lia les pattes à la chèvre, et le procureur du roi reprit le fil de son éloquence.

Cela fut très long, mais la péroraison était admirable. En voici la dernière phrase ; qu'on y ajoute la voix enrouée et le geste essoufflé de maître Charmolue. — *Ideo, Domni, coram stryga demonstrata, crimine patente, intentione criminis existente, in nomine sanctæ ecclesiæ Nostræ-Dominæ Parisiensis, quæ est in saisina habendi omnimodam altam et bassam justitiam in illa hac intemerata Civitatis insula, tenore præsentium declaramus nos requirere, primo aliquandam pecuniariam indemnitatem ; secundo, amendationem honorabilem ante portalium maximum Nostræ-Dominæ, ecclesiæ cathedralis ; tertio, sententiam in virtute cujus ista stryga cum sua capella, seu in trivio vulgariter dicto* la Grève, *seu in insula exeunte in fluvio Sequanæ, juxta pointam jardini regalis, executatæ sint !*

Il remit son bonnet, et se rassit.

— *Eheu !* soupira Gringoire navré, *bassa latinitas !*

Un autre homme en robe noire se leva près de l'accusée. C'était son avocat. Les juges, à jeun, commencèrent à murmurer.

— Avocat, soyez bref, dit le président.

— Monsieur le président, répondit l'avocat, puisque la défenderesse a confessé le crime, je n'ai plus qu'un mot à dire à messieurs. Voici un texte de la loi salique : « Si une stryge a mangé un homme, et qu'elle en soit convaincue, elle paiera une amende de huit mille deniers, qui font deux cents sous d'or. » Plaise à la chambre condamner ma cliente à l'amende.

— Texte abrogé, dit l'avocat du roi extraordinaire.

— *Nego,* répliqua l'avocat.

— Aux voix ! dit un conseiller, le crime est patent, et il est tard.

On alla aux voix sans quitter la salle. Les juges *opinèrent du bonnet,* ils étaient pressés. On voyait leurs têtes chaperonnées se découvrir l'une après l'autre dans l'ombre à la question lugubre que leur adressait tout bas le président. La pauvre accusée avait l'air de les regarder, mais son œil trouble ne voyait plus.

Puis le greffier se mit à écrire ; puis il passa au président un long parchemin.

Alors la malheureuse entendit le peuple se remuer, les piques s'entre-choquer et une voix glaciale qui disait :

— Fille bohème, le jour qu'il plaira au roi notre sire, à l'heure de midi, vous serez menée dans un tombereau, en chemise, pieds nus, la corde au cou, devant le grand portail de Notre-Dame, et y ferez amende honorable avec une torche de cire du poids de deux livres à la main, et de là serez menée en place de Grève, où vous serez pendue et étranglée au gibet de la ville ; et cette votre chèvre pareillement ; et paierez à l'official trois lions d'or, en réparation des crimes, par vous commis et par vous confessés, de sorcellerie, de magie, de luxure et de meurtre sur la personne du sieur Phœbus de Châteaupers. Dieu ait votre âme !

— Oh ! c'est un rêve ! murmura-t-elle, et elle sentit de rudes mains qui l'emportaient.

IV

LASCIATE OGNI SPERANZA

Au Moyen Âge, quand un édifice était complet, il y en avait presque autant dans la terre que dehors. A moins d'être bâtis sur pilotis, comme Notre-Dame, un palais, une forteresse, une église avaient toujours un double fond. Dans les cathédrales, c'était en quelque sorte une autre cathédrale souterraine, basse, obscure, mystérieuse, aveugle et muette, sous la nef supérieure qui regorgeait de lumière et retentissait d'orgues et de cloches jour et nuit; quelquefois c'était un sépulcre. Dans les palais, dans les bastilles, c'était une prison, quelquefois aussi un sépulcre, quelquefois les deux ensemble. Ces puissantes bâtisses, dont nous avons expliqué ailleurs le mode de formation et de *végétation,* n'avaient pas simplement des fondations, mais, pour ainsi dire, des racines qui s'allaient ramifiant dans le sol en chambres, en galeries, en escaliers comme la construction d'en haut. Ainsi, églises, palais, bastilles avaient de la terre à mi-corps. Les caves d'un édifice étaient un autre édifice où l'on descendait au lieu de monter, et qui appliquait ses étages souterrains sous le monceau d'étages extérieurs du monument, comme ces forêts et ces montagnes qui se renversent dans l'eau miroitante d'un lac au-dessous des forêts et des montagnes du bord.

A la bastille Saint-Antoine, au Palais de Justice de Paris, au Louvre, ces édifices souterrains étaient des prisons. Les étages de ces prisons, en s'enfonçant dans le sol, allaient se rétrécissant et s'assombrissant. C'étaient autant de zones où s'échelonnaient les nuances de l'horreur. Dante n'a rien pu trouver de mieux pour son enfer. Ces entonnoirs de cachots aboutissaient d'ordinaire à un cul de basse-fosse à fond de cuve où Dante a mis Satan, où la société mettait le condamné à mort. Une fois une misérable existence enterrée là, adieu le jour, l'air, la vie, *ogni speranza.* Elle n'en sortait que pour le gibet ou le bûcher. Quelquefois elle y pourrissait. La justice humaine appelait cela *oublier.* Entre les hommes et lui, le condamné sentait peser sur sa tête un entassement de pierres et de geôliers, et la prison tout entière, la massive bastille n'était plus qu'une énorme serrure compliquée qui le cadenassait hors du monde vivant.

C'est dans un fond de cuve de ce genre, dans les oubliettes creusées par saint Louis, dans *l'in-pace* de la Tournelle, qu'on avait, de peur d'évasion sans doute, déposé la Esmeralda condamnée au gibet, avec le colossal Palais de Justice sur la tête. Pauvre mouche qui n'eût pu remuer le moindre de ses moellons !

Certes, la providence et la société avaient été également injustes, un tel luxe de malheur et de torture n'était pas nécessaire pour briser une si frêle créature.

Elle était là, perdue dans les ténèbres, ensevelie, enfouie, murée. Qui l'eût pu voir en cet état, après l'avoir vue rire et danser au soleil, eût frémi. Froide comme la nuit, froide comme la mort, plus un souffle d'air dans ses cheveux, plus un bruit humain à son oreille, plus une lueur de jour dans ses yeux, brisée en deux, écrasée de chaînes, accroupie près d'une cruche et d'un pain sur un peu de paille dans la mare d'eau qui se formait sous elle des suintements du cachot, sans mouvement, presque sans haleine, elle n'en était même plus à souffrir. Phœbus, le soleil, midi, le grand air, les rues de Paris, les danses aux applaudissements, les doux babillages d'amour avec l'officier, puis le prêtre, la matrulle, le poignard, le sang, la torture, le gibet, tout cela repassait bien encore dans son esprit, tantôt comme une vision chantante et dorée, tantôt comme un cauchemar difforme; mais ce n'était plus qu'une lutte horrible et vague qui se perdait dans les ténèbres, ou qu'une musique lointaine qui se jouait là-haut sur la terre, et qu'on n'entendait plus à la profondeur où la malheureuse était tombée.

Depuis qu'elle était là, elle ne veillait ni ne dormait. Dans cette infortune, dans ce cachot, elle ne pouvait pas plus distinguer la veille du sommeil, le rêve de la réalité, que le jour de la nuit. Tout cela était mêlé, brisé, flottant, répandu confusément dans sa pensée. Elle ne sentait plus, elle ne savait plus, elle ne pensait plus. Tout au plus elle songeait. Jamais créature vivante n'avait été engagée si avant dans le néant.

Ainsi engourdie, gelée, pétrifiée, à peine avait-elle remarqué deux ou trois fois le bruit d'une trappe qui s'était ouverte quelque part au-dessus d'elle, sans même laisser passer un peu de lumière, et par laquelle une main lui avait jeté une croûte de pain noir. C'était pourtant l'unique communication qui lui restât avec les hommes, la visite périodique du geôlier.

Une seule chose occupait encore machinalement son oreille : au-dessus de sa tête l'humidité filtrait à travers les pierres moisies de la voûte, et à intervalles égaux une goutte d'eau s'en détachait. Elle écoutait stupidement le bruit que faisait cette goutte d'eau en tombant dans la mare à côté d'elle.

Cette goutte d'eau tombant dans cette mare, c'était là le seul mouvement qui remuât encore autour d'elle, la seule horloge qui marquât le temps, le seul bruit qui vînt jusqu'à elle de tout le bruit qui se fait sur la surface de la terre.

Pour tout dire, elle sentait aussi de temps en temps, dans ce cloaque de fange et de ténèbres, quelque chose de froid qui lui passait çà et là sur le pied ou sur le bras, et elle frissonnait.

Depuis combien de temps y était-elle, elle ne le savait. Elle avait souvenir d'un arrêt de mort prononcé quelque part contre quelqu'un, puisqu'on l'avait emportée, elle, et qu'elle s'était réveillée dans la nuit et dans le silence, glacée. Elle s'était traînée sur les mains, alors des anneaux de fer lui avaient coupé la cheville du pied, et des chaînes avaient sonné. Elle avait reconnu que tout était muraille autour d'elle, qu'il y avait au-dessous d'elle une dalle couverte d'eau et une botte de paille. Mais ni lampe, ni soupirail. Alors, elle s'était assise sur cette paille, et quelquefois, pour changer de posture, sur la dernière marche d'un degré de pierre qu'il y avait dans son cachot. Un moment, elle avait essayé de compter les noires minutes que lui mesurait la goutte d'eau, mais bientôt ce triste travail d'un cerveau malade s'était rompu de lui-même dans sa tête et l'avait laissée dans le stupeur.

Un jour enfin ou une nuit (car minuit et midi avaient même couleur dans ce sépulcre), elle entendit au-dessus d'elle un bruit plus fort que celui que faisait d'ordinaire le guichetier quand il lui apportait son pain et sa cruche. Elle leva la tête, et vit un rayon rougeâtre passer à travers les fentes de l'espèce de porte ou de trappe pratiquée dans la voûte de *l'in-pace*. En même temps la lourde ferrure cria, la trappe grinça sur ses gonds rouillés, tourna, et elle vit une lanterne, une main et la partie inférieure du corps de deux hommes, la porte étant trop basse pour qu'elle pût apercevoir leurs têtes. La lumière la blessa si vivement qu'elle ferma les yeux.

Quand elle les rouvrit, la porte était refermée, le falot était posé sur un degré de l'escalier, un homme, seul, était debout devant elle. Une cagoule noire lui tombait jusqu'aux pieds, un caffardum de même couleur lui cachait le visage. On ne voyait rien de sa personne, ni sa face ni ses mains. C'était un long suaire noir qui se tenait debout, et sous lequel on sentait remuer quelque chose. Elle regarda fixement quelques minutes cette espèce de spectre. Cependant, elle ni lui ne parlaient. On eût dit deux statues qui se confrontaient. Deux choses seulement semblaient vivre dans le caveau ; la mèche de la lanterne qui pétillait à cause de l'humidité de l'atmosphère, et la goutte d'eau de la voûte qui coupait cette crépitation irrégulière de son clapotement monotone et faisait trembler la lumière de la lanterne en moires concentriques sur l'eau huileuse de la mare.

Enfin la prisonnière rompit le silence : — Qui êtes-vous ?

— Un prêtre.

Le mot, l'accent, le son de voix, la firent tressaillir.

Le prêtre poursuivit en articulant sourdement : — Êtes-vous préparée ?

— A quoi ?

— A mourir.

— Oh ! dit-elle, sera-ce bientôt ?

— Demain.

Sa tête, qui s'était levée avec joie, revint frapper sa poitrine. — C'est encore bien long ! murmura-t-elle ; qu'est-ce que cela leur faisait, aujourd'hui ?

— Vous êtes donc très malheureuse ? demanda le prêtre après un silence.

— J'ai bien froid, répondit-elle.

Elle prit ses pieds avec ses mains, geste habituel aux malheureux qui ont froid et que nous avons déjà vu faire à la recluse de la Tour-Roland, et ses dents claquaient.

Le prêtre parut promener de dessous son capuchon ses yeux dans le cachot.

— Sans lumière ! sans feu ! dans l'eau ! c'est horrible !

— Oui, répondit-elle avec l'air étonné que le malheur lui avait donné. Le jour est à tout le monde. Pourquoi ne me donne-t-on que la nuit ?

— Savez-vous, reprit le prêtre après un nouveau silence, pourquoi vous êtes ici ?

— Je crois que je l'ai su, dit-elle en passant ses doigts maigres sur ses sourcils comme pour aider sa mémoire, mais je ne le sais plus.

Tout à coup elle se mit à pleurer comme un enfant. — Je voudrais sortir d'ici, monsieur. J'ai froid, j'ai peur, et il y a des bêtes qui me montent le long du corps.

— Eh bien, suivez-moi.

En parlant ainsi, le prêtre lui prit le bras. La malheureuse était gelée jusque dans les entrailles, cependant cette main lui fit une impression de froid.

— Oh ! murmura-t-elle, c'est la main glacée de la mort. — Qui êtes-vous donc ?

Le prêtre releva son capuchon. Elle regarda. C'était ce visage sinistre qui la poursuivait depuis si longtemps, cette tête de démon qui lui était apparue chez la Falourdel au-dessus de la tête adorée de son Phœbus, cet œil qu'elle avait vu pour la dernière fois briller près d'un poignard.

Cette apparition, toujours si fatale pour elle, et qui l'avait ainsi poussée de malheur en malheur jusqu'au supplice, la tira de son engourdissement. Il lui sembla que l'espèce de voile qui s'était épaissi sur sa mémoire se déchirait. Tous les détails de sa lugubre aventure, depuis la scène nocturne chez la Falourdel jusqu'à sa condamnation à la Tournelle, lui revinrent à la fois dans l'esprit, non pas vagues et confus comme jusqu'alors, mais distincts, crus, tranchés, palpitants, terribles. Ces souvenirs à demi effacés, et presque oblitérés par l'excès de la souffrance, la sombre figure qu'elle avait devant elle les raviva, comme l'approche du feu fait ressortir toutes fraîches sur le papier blanc les lettres invisibles qu'on y a tracées avec de l'encre sympathique. Il lui sembla que toutes les plaies de son cœur se rouvraient et saignaient à la fois.

— Hah ! cria-t-elle, les mains sur ses yeux et avec un tremblement convulsif, c'est le prêtre !

Puis elle laissa tomber ses bras découragés, et resta assise, la tête baissée, l'œil fixé à terre, muette, et continuant de trembler.

Le prêtre la regardait de l'œil d'un milan qui a longtemps plané en rond du plus haut du ciel autour d'une pauvre alouette tapie dans les blés, qui a longtemps rétréci en silence les cercles formidables de son vol, et tout à coup s'est abattu sur sa proie comme la flèche de l'éclair, et la tient pantelante dans sa griffe.

Elle se mit à murmurer tout bas : — Achevez ! achevez !

le dernier coup! — Et elle enfonçait sa tête avec terreur entre ses épaules, comme la brebis qui attend le coup de massue du boucher.

— Je vous fais donc horreur? dit-il enfin.

Elle ne répondit pas.

— Est-ce que je vous fais horreur? répéta-t-il.

Ses lèvres se contractèrent comme si elle souriait. — Oui, dit-elle, le bourreau raille le condamné. Voilà des mois qu'il me poursuit, qu'il me menace, qu'il m'épouvante! Sans lui, mon Dieu, que j'étais heureuse! C'est lui qui m'a jetée dans cet abîme! O ciel! c'est lui qui a tué... c'est lui qui l'a tué! mon Phœbus!

Ici, éclatant en sanglots et levant les yeux sur le prêtre : — Oh! misérable! qui êtes-vous? que vous ai-je fait? vous me haïssez donc bien? Hélas! qu'avez-vous contre moi?

— Je t'aime! cria le prêtre.

Ses larmes s'arrêtèrent subitement. Elle le regarda avec un regard d'idiot. Lui était tombé à genoux et la couvait d'un œil de flamme.

— Entends-tu? je t'aime! cria-t-il encore.

— Quel amour! dit la malheureuse en frémissant.

Il reprit : — L'amour d'un damné.

Tous deux restèrent quelques minutes silencieux, écrasés sous la pesanteur de leurs émotions, lui insensé, elle stupide.

— Écoute, dit enfin le prêtre, et un calme singulier lui était revenu. Tu vas tout savoir. Je vais te dire ce que jusqu'ici j'ai à peine osé me dire à moi-même, lorsque j'interrogeais furtivement ma conscience à ces heures profondes de la nuit où il y a tant de ténèbres qu'il semble que Dieu ne nous voit plus. Écoute. Avant de te rencontrer, jeune fille, j'étais heureux...

— Et moi! soupira-t-elle faiblement.

— Ne m'interromps pas. — Oui, j'étais heureux, je croyais l'être du moins. J'étais pur, j'avais l'âme pleine d'une clarté limpide. Pas de tête qui s'élevât plus fière et plus radieuse que la mienne. Les prêtres me consultaient sur la chasteté, les docteurs sur la doctrine. Oui, la science était tout pour moi. C'était une sœur, et une sœur me suffisait. Ce n'est pas qu'avec l'âge il ne me fût venu d'autres idées. Plus d'une fois ma chair s'était émue au passage d'une forme de femme. Cette force du sexe et du sang de l'homme que, fol adolescent, j'avais cru étouffer pour la vie, avait plus d'une fois soulevé convulsivement la chaîne des vœux de fer qui me scellent, misérable, aux froides pierres de l'autel. Mais le jeûne, la prière, l'étude, les macérations du cloître, avaient refait l'âme maîtresse du corps. Et puis, j'évitais les femmes. D'ailleurs, je n'avais qu'à ouvrir un livre pour que toutes les impures fumées de mon cerveau s'évanouissent devant la splendeur de la science. En peu de minutes, je sentais fuir au loin les choses épaisses de la terre, et je me retrouvais calme, ébloui et serein en présence du rayonnement tranquille de la vérité éternelle. Tant que le démon n'envoya pour m'attaquer que de vagues ombres de femmes qui passaient éparses sous mes yeux, dans l'église, dans les rues, dans les prés, et qui revenaient à peine dans mes songes, je le vainquis aisément. Hélas ! si la victoire ne m'est pas restée, la faute en est à Dieu, qui n'a pas fait l'homme et le démon de force égale. — Écoute. Un jour...

Ici le prêtre s'arrêta, et la prisonnière entendit sortir de sa poitrine des soupirs qui faisaient un bruit de râle et d'arrachement.

Il reprit :

— ... Un jour, j'étais appuyé à la fenêtre de ma cellule... — Quel livre lisais-je donc ? Oh ! tout cela est un tourbillon dans ma tête. — Je lisais. La fenêtre donnait sur une place. J'entends un bruit de tambour et de musique. Fâché d'être ainsi troublé dans ma rêverie, je regarde dans la place. Ce que je vis, il y en avait d'autres que moi qui le voyaient, et pourtant ce n'était pas un spectacle fait pour des yeux humains. Là, au milieu du pavé, — il était midi, — un grand soleil, — une créature dansait. Une créature si belle que Dieu l'eût préférée à la Vierge, et l'eût choisie pour sa mère, et eût voulu naître d'elle si elle eût existé quand il se fit homme ! Ses yeux étaient noirs et splendides, au milieu de sa chevelure noire quelques cheveux que pénétrait le soleil blondissaient comme des fils d'or. Ses pieds disparaissaient dans leur mouvement comme les rayons d'une roue qui tourne rapidement. Autour de sa tête, dans ses nattes noires, il y avait des plaques de métal qui pétillaient au soleil et faisaient à son front une couronne d'étoiles. Sa robe semée de paillettes scintillait bleue et piquée de mille étincelles comme une nuit d'été. Ses bras souples et bruns se nouaient et se dénouaient autour de sa taille comme deux écharpes. La forme de son corps était surprenante de beauté. Oh! la resplendissante figure qui se détachait comme quelque chose de lumineux dans la lumière même du soleil!... — Hélas! jeune fille, c'était toi. — Surpris, enivré, charmé, je me laissai aller à te regarder. Je te regardai tant que tout à coup je frissonnai d'épouvante, je sentis que le sort me saisissait.

Le prêtre, oppressé, s'arrêta encore un moment. Puis il continua.

— Déjà à demi fasciné, j'essayai de me cramponner à quelque chose et de me retenir dans ma chute. Je me rappelai les embûches que Satan m'avait déjà tendues. La créature qui était sous mes yeux avait cette beauté surhumaine qui ne peut venir que du ciel ou de l'enfer. Ce n'était pas là une simple fille faite avec un peu de notre terre, et pauvrement éclairée à l'intérieur par le vacillant rayon d'une âme de femme. C'était un ange! mais de ténèbres, mais de flamme et non de lumière. Au moment où je pensais cela, je vis près de toi une chèvre, une bête du sabbat, qui me regardait en riant. Le soleil de midi lui faisait des cornes de feu. Alors j'entrevis le piège du démon, et je ne doutai plus que tu ne vinsses de l'enfer et que tu n'en vinsses pour ma perdition. Je le crus.

Ici le prêtre regarda en face la prisonnière et ajouta froidement :

— Je le crois encore. — Cependant le charme opérait peu à peu, ta danse me tournoyait dans le cerveau, je sentais le mystérieux maléfice s'accomplir en moi, tout ce qui aurait dû veiller s'endormait dans mon âme, et comme ceux qui meurent dans la neige je trouvais du plaisir à laisser venir ce sommeil. Tout à coup tu te mis à chanter. Que pouvais-je faire, misérable? Ton chant était plus charmant encore que ta danse. Je voulus fuir. Impossible. J'étais cloué, j'étais enraciné dans le sol. Il me semblait que le marbre de la dalle m'était monté jusqu'aux genoux. Il fallut rester jusqu'au bout. Mes pieds étaient de glace, ma tête bouillonnait. Enfin, tu eus peut-être pitié de moi, tu cessas de chanter, tu disparus. Le reflet de l'éblouissante vision, le retentissement de la musique enchanteresse s'évanouirent par degrés dans mes yeux et dans mes oreilles. Alors je tombai dans l'encoignure de la fenêtre, plus roide et plus faible qu'une statue descellée. La cloche de vêpres me réveilla. Je me relevai, je m'enfuis, mais, hélas! il y avait en moi quelque chose de tombé qui ne pouvait se relever, quelque chose de survenu que je ne pouvais fuir.

Il fit encore une pause, et poursuivit :

— Oui, à dater de ce jour, il y eut en moi un homme que je ne connaissais pas. Je voulus user de tous mes remèdes, le cloître, l'autel, le travail, les livres. Folie! Oh! que la science sonne creux quand on y vient heurter avec désespoir une tête pleine de passions! Sais-tu, jeune fille, ce que je voyais toujours désormais entre le livre et moi? Toi, ton ombre, l'image de l'apparition lumineuse qui avait un jour traversé l'espace devant moi. Mais cette image n'avait plus la même couleur; elle était sombre, funèbre, ténébreuse comme le cercle noir qui poursuit longtemps la vue de l'imprudent qui a regardé fixement le soleil.

Ne pouvant m'en débarrasser, entendant toujours ta chanson bourdonner dans ma tête, voyant toujours tes pieds danser sur mon bréviaire, sentant toujours la nuit en songe ta forme glisser sur ma chair, je voulus te revoir, te toucher, savoir qui tu étais, voir si je te retrouverais bien pareille à l'image idéale qui m'était restée de toi, briser peut-être mon rêve avec la réalité. En tout cas, j'espérais qu'une impression nouvelle effacerait la première, et la première m'était devenue insupportable. Je te cherchai. Je te revis. Malheur! Quand je t'eus vue deux fois, je voulus te voir mille, je voulus te voir toujours. Alors, — comment enrayer sur cette pente de l'enfer? — alors je ne m'appartins plus. L'autre bout du fil que le démon m'avait attaché aux ailes, il l'avait noué à ton pied. Je devins vague et errant comme toi. Je t'attendais sous les porches, et t'épiais au coin des rues, je te guettais du haut de ma tour. Chaque soir, je rentrais en moi-même plus charmé, plus désespéré, plus ensorcelé, plus perdu!

J'avais su qui tu étais, égyptienne, bohémienne, gitane, zingara, comment douter de la magie? Écoute. J'espérai qu'un procès me débarrasserait du charme. Une sorcière avait enchanté Bruno d'Ast, il la fit brûler et fut guéri. Je le savais. Je voulus essayer du remède. J'essayai d'abord de te faire interdire le parvis Notre-Dame, espérant t'oublier si tu ne revenais plus. Tu n'en tins compte. Tu revins. Puis il me vint l'idée de t'enlever. Une nuit je le tentai. Nous étions deux. Nous te tenions déjà, quand ce misérable officier survint. Il te délivra. Il commençait ainsi ton malheur, le mien et le sien. Enfin, ne sachant plus que faire et que devenir, je te dénonçai à l'official. Je pensais que je serais guéri, comme Bruno d'Ast. Je pensais aussi confusément qu'un procès te livrerait à moi, que dans une prison je te tiendrais, je t'aurais, que là tu ne pourrais m'échapper, que tu me possédais depuis assez longtemps pour que je te possédasse aussi à mon tour. Quand on fait le mal, il faut faire tout le mal. Démence de s'arrêter à un milieu dans le monstrueux ! L'extrémité du crime a des délires de joie. Un prêtre et une sorcière peuvent s'y fondre en délices sur la botte de paille d'un cachot !

Je te dénonçai donc. C'est alors que je t'épouvantais dans mes rencontres. Le complot que je tramais contre toi, l'orage que j'amoncelais sur ta tête s'échappait de moi en menaces et en éclairs. Cependant j'hésitais encore. Mon projet avait des côtés effroyables qui me faisaient reculer.

Peut-être y aurais-je renoncé, peut-être ma hideuse pensée se serait-elle desséchée dans mon cerveau sans porter son fruit. Je croyais qu'il dépendrait toujours de moi de suivre ou de rompre ce procès. Mais toute mauvaise pensée est inexorable et veut devenir un fait ; mais là où je me croyais tout-puissant, la fatalité était plus puissante que moi. Hélas ! hélas ! c'est elle qui t'a prise et qui t'a livrée au rouage terrible de la machine que j'avais ténébreusement construite ! — Écoute. Je touche à la fin.

Un jour, — par un autre beau soleil, — je vois passer devant moi un homme qui prononce ton nom et qui rit et qui a la luxure dans les yeux. Damnation ! je l'ai suivi. Tu sais le reste.

Il se tut. La jeune fille ne put trouver qu'une parole :

— O mon Phœbus !

— Pas ce nom ! dit le prêtre en lui saisissant le bras avec violence. Ne prononce pas ce nom ! Oh ! misérables que nous sommes, c'est ce nom qui nous a perdus ! Ou plutôt nous nous sommes tous perdus les uns les autres par l'inexplicable jeu de la fatalité ! — Tu souffres, n'est-ce pas ? tu as froid, la nuit te fait aveugle, le cachot t'enveloppe, mais peut-être as-tu encore quelque lumière au fond de toi, ne fût-ce que ton amour d'enfant pour cet homme vide qui jouait avec ton cœur ! Tandis que moi, je porte le cachot au-dedans de moi, au-dedans de moi est l'hiver, la glace, le désespoir, j'ai la nuit dans l'âme. Sais-tu tout ce que j'ai souffert ? J'ai assisté à ton procès. J'étais assis sur le banc de l'official. Oui, sous l'un de ces capuces de prêtre, il y avait les contorsions d'un damné. Quand on t'a amenée, j'étais là ; quand on t'a interrogée, j'étais là. — Caverne de loups ! — C'était mon crime, c'était mon gibet que je voyais se dresser lentement sur ton front. A chaque témoin, à chaque preuve, à chaque plaidoirie, j'étais là ; j'ai pu compter chacun de tes pas dans la voie douloureuse ; j'étais là encore quand cette bête féroce... — Oh ! je n'avais pas prévu la torture !

— Écoute. Je t'ai suivie dans la chambre de douleur. Je t'ai vu déshabiller et manier demi-nue par les mains infâmes du tourmenteur. J'ai vu ton pied, ce pied où j'eusse voulu pour un empire déposer un seul baiser et mourir, ce pied sous lequel je sentirais avec tant de délices s'écraser ma tête, je l'ai vu enserrer dans l'horrible brodequin qui fait des membres d'un être vivant une boue sanglante. Oh ! misérable ! pendant que je voyais cela, j'avais sous mon suaire un poignard dont je me labourais la poitrine. Au cri que tu as poussé, je l'ai enfoncé dans ma chair ; à un second cri, il m'entrait dans le cœur ! Regarde. Je crois que cela saigne encore.

Il ouvrit sa soutane. Sa poitrine en effet était déchirée comme par une griffe de tigre, et il avait au flanc une plaie assez large et mal fermée.

La prisonnière recula d'horreur.

— Oh ! dit le prêtre, jeune fille, aie pitié de moi ! Tu te crois malheureuse, hélas ! hélas ! tu ne sais pas ce que c'est que le malheur. Oh ! aimer une femme ! être prêtre ! être haï ! l'aimer de toutes les fureurs de son âme, sentir qu'on donnerait pour le moindre de ses sourires son sang, ses entrailles, sa renommée, son salut, l'immortalité et l'éternité, cette vie et l'autre ; regretter de ne pas être roi, génie, empereur, archange, dieu, pour lui mettre un plus grand esclave sous les pieds ; l'étreindre nuit et jour de ses rêves et de ses pensées ; et la voir amoureuse d'une livrée de soldat ! et n'avoir à lui offrir qu'une sale soutane de prêtre dont elle aura peur et dégoût ! Être présent, avec sa jalousie et sa rage, tandis qu'elle prodigue à un misérable fanfaron imbécile des trésors d'amour et de beauté ! Voir ce corps dont la forme vous brûle, ce sein qui a tant de douceur, cette chair palpiter et rougir sous les baisers d'un autre ! O ciel ! aimer son pied, son bras, son épaule, songer à ses veines bleues, à sa peau brune jusqu'à s'en tordre des nuits entières sur le pavé de sa cellule, et voir toutes les caresses qu'on a rêvées pour elle aboutir à la torture ! N'avoir réussi qu'à la coucher sur le lit de cuir ! Oh ! ce sont là, les véritables tenailles rougies au feu de l'enfer ! Oh ! bienheureux celui qu'on scie entre deux planches, et qu'on écartèle à quatre chevaux ! — Sais-tu ce que c'est que ce supplice que vous font subir, durant les longues nuits, vos artères qui bouillonnent, votre cœur qui crève, votre tête qui rompt, vos dents qui mordent vos mains ; tourmenteurs acharnés qui vous retournent sans relâche, comme sur un gril ardent, sur une pensée d'amour, de jalousie et de désespoir ! Jeune fille, grâce ! trêve un moment ! un peu de cendre sur cette braise ! Essuie, je t'en conjure, la sueur qui ruisselle à grosses gouttes de mon front ! Enfant ! torture-moi d'une main mais caresse-moi de l'autre ! Aie pitié, jeune fille ! aie pitié de moi !

Le prêtre se roulait dans l'eau de la dalle et se martelait le crâne aux angles des marches de pierre. La jeune fille l'écoutait, le regardait. Quand il se tut, épuisé et haletant, elle répéta à demi-voix : — O mon Phœbus !

Le prêtre se traîna vers elle à deux genoux.

— Je t'en supplie, cria-t-il, si tu as des entrailles, ne me repousse pas ! Oh ! je t'aime ! je suis un misérable ! Quand tu dis ce nom, malheureuse, c'est comme si tu broyais entre tes dents toutes les fibres de mon cœur ! Grâce ! si tu viens de l'enfer, j'y vais avec toi. J'ai tout fait pour cela. L'enfer où tu seras, c'est mon paradis, ta vue est plus charmante que celle de Dieu !

Oh ! dis ! tu ne veux donc pas de moi ? Le jour où une femme repousserait un pareil amour, j'aurais cru que les montagnes remueraient. Oh ! si tu voulais !... Oh ! que nous pourrions être heureux ! Nous fuirions, — je te ferais fuir, — nous irions quelque part, nous chercherions l'endroit sur la terre où il y a le plus de soleil, le plus d'arbres, le plus de ciel bleu. Nous nous aimerions, nous verserions nos deux âmes l'une dans l'autre et nous aurions une soif inextinguible de nous-mêmes que nous étancherions en commun et sans cesse à cette coupe d'intarissable amour!

Elle l'interrompit avec un rire terrible et éclatant. — Regardez donc, mon père! vous avez du sang après les ongles!

Le prêtre demeura quelques instants comme pétrifié, l'œil fixé sur sa main.

— Eh bien, oui! reprit-il enfin avec une douceur étrange, outrage-moi, raille-moi, accable-moi! mais viens, viens. Hâtons-nous. C'est pour demain, te dis-je. Le gibet de la Grève, tu sais? il est toujours prêt.

C'est horrible! te voir marcher dans ce tombereau! Oh! grâce! — Je n'avais jamais senti comme à présent à quel point je t'aimais. — Oh! suis-moi. Tu prendras le temps de m'aimer après que je t'aurai sauvée. Tu me haïras aussi longtemps que tu voudras. Mais viens. Demain! demain! le gibet! ton supplice! Oh! sauve-toi! épargne-moi!

Il lui prit le bras, il était égaré, il voulut l'entraîner.

Elle attacha sur lui son œil fixe.

— Qu'est devenu mon Phœbus?

— Ah! dit le prêtre en lui lâchant le bras, vous êtes sans pitié!

— Qu'est devenu Phœbus? répéta-t-elle froidement.

— Il est mort! cria le prêtre.

— Mort! dit-elle toujours glaciale et immobile; alors que me parlez-vous de vivre?

Lui ne l'écoutait pas. — Oh! oui, disait-il comme se parlant à lui-même, il doit être bien mort. La lame est entrée très avant. Je crois que j'ai touché le cœur avec la pointe. Oh! je vivais jusqu'au bout du poignard!

La jeune fille se jeta sur lui comme une tigresse furieuse, et le poussa sur les marches de l'escalier avec une force surnaturelle. — Va-t'en,monstre! va-t'en, assassin! laisse-moi mourir! Que notre sang à tous deux te fasse au front une tache éternelle! Être à toi, prêtre! jamais! jamais! Rien ne nous réunira, pas même l'enfer! Va, maudit! jamais!

Le prêtre avait trébuché à l'escalier. Il dégagea en silence ses pieds des plis de sa robe, reprit sa lanterne, et se mit à monter lentement les marches qui menaient à la porte; il rouvrit cette porte, et sortit.

Tout à coup la jeune fille vit reparaître sa tête, elle avait une expression épouvantable, et il lui cria avec un râle de rage et de désespoir : — Je te dis qu'il est mort !

Elle tomba la face contre terre ; et l'on n'entendit plus dans le cachot d'autre bruit que le soupir de la goutte d'eau qui faisait palpiter la mare dans les ténèbres.

V

LA MÈRE

Je ne crois pas qu'il y ait rien au monde de plus riant que les idées qui s'éveillent dans le cœur d'une mère à la vue du petit soulier de son enfant. Surtout si c'est le soulier de fête, des dimanches, du baptême, le soulier brodé jusque sous la semelle, un soulier avec lequel l'enfant n'a pas encore fait un pas. Ce soulier-là a tant de grâce et de petitesse, il lui est si impossible de marcher, que c'est pour la mère comme si elle voyait son enfant. Elle lui sourit, elle le baise, elle lui parle. Elle se demande s'il se peut en effet qu'un pied soit si petit ; et, l'enfant fût-il absent, il suffit du joli soulier pour lui remettre sous les yeux la douce et fragile créature. Elle croit le voir, elle le voit, tout entier, vivant, joyeux, avec ses mains délicates, sa tête ronde, ses lèvres pures, ses yeux sereins dont le blanc est bleu. Si c'est l'hiver, il est là, il rampe sur le tapis, il escalade laborieusement un tabouret, et la mère tremble qu'il n'approche du feu. Si c'est l'été, il se traîne dans la cour, dans le jardin, arrache l'herbe d'entre les pavés, regarde naïvement les grands chiens, les grands chevaux, sans peur, joue avec les coquillages, avec les fleurs, et fait gronder le jardinier qui trouve le sable dans les plates-bandes et la terre dans les allées. Tout rit, tout brille, tout joue autour de lui comme lui, jusqu'au souffle d'air et au rayon de soleil qui s'ébattent à l'envie dans les boucles follettes de ses cheveux. Le soulier montre tout cela à la mère et lui fait fondre le cœur comme le feu une cire.

Mais quand l'enfant est perdu, ces mille images de joie, de charme, de tendresse qui se pressent autour du petit soulier deviennent autant de choses horribles. Le joli soulier brodé n'est plus qu'un instrument de torture qui broie éternellement le cœur de la mère. C'est toujours la même fibre qui vibre, la fibre la plus profonde et la plus sensible ; mais au lieu d'un ange qui la caresse, c'est un démon qui la pince.

Un matin, tandis que le soleil de mai se levait dans un de ces ciels bleu foncé où le Garofalo aime à placer ses descentes de croix, la recluse de la Tour-Roland entendit un bruit de roues, de chevaux et de ferrailles dans la place de Grève. Elle s'en éveilla peu, noua ses cheveux sur ses oreilles pour s'assourdir, et se remit à contempler à genoux l'objet inanimé qu'elle adorait ainsi depuis quinze ans. Ce petit soulier, nous l'avons déjà dit, était pour elle l'univers. Sa pensée y était enfermée, et n'en devait plus sortir qu'à la mort. Ce qu'elle avait jeté vers le ciel d'imprécations amères, de plaintes touchantes, de prières et de sanglots, à propos de ce charmant hochet de satin rose, la sombre cave de la Tour-Roland seule l'a su. Jamais plus de désespoir n'a été répandu sur une chose plus gentille et plus gracieuse.

Ce matin-là, il semblait que sa douleur s'échappait plus violente encore qu'à l'ordinaire, et on l'entendit du dehors se lamenter avec une voix haute et monotone qui navrait le cœur.

— O ma fille ! disait-elle, ma fille ! ma pauvre chère petite enfant ! je ne te verrai donc plus. C'est donc fini ! Il me semble toujours que cela s'est fait hier ! Mon Dieu, mon Dieu, pour me la reprendre si vite, il valait mieux ne pas me la donner. Vous ne savez donc pas que nos enfants tiennent à notre ventre, et qu'une mère qui a perdu son enfant ne croit plus en Dieu ?

— Ah ! misérable que je suis, d'être sortie ce jour-là ! — Seigneur ! Seigneur ! pour me l'ôter ainsi, vous ne m'aviez donc jamais regardée avec elle, lorsque je la réchauffais toute joyeuse à mon feu, lorsqu'elle me riait en me tétant, lorsque je faisais monter ses petits pieds sur ma poitrine jusqu'à mes lèvres ? Oh ! si vous aviez regardé cela, mon Dieu, vous auriez eu pitié de ma joie, vous ne m'auriez pas ôté le seul amour qui me resta dans le cœur ! Étais-je donc une si misérable créature, Seigneur, que vous ne pussiez me regarder avant de me condamner ? — Hélas ! hélas ! voilà le soulier ; le pied, où est-il ? où est le reste ? où est l'enfant ?

Ma fille, ma fille ! qu'ont-ils fait de toi ? Seigneur, rendez-la-moi. Mes genoux se sont écorchés quinze ans à vous prier, mon Dieu, est-ce que ce n'est pas assez ?

Rendez-la-moi, un jour, une heure, une minute, une minute, Seigneur ! et jetez-moi ensuite au démon pour l'éternité ! Oh ! si je savais où traîne un pan de votre robe, je m'y cramponnerais de mes deux mains, et il faudrait bien que vous me rendissiez mon enfant ! Son joli petit soulier, est-ce que vous n'en avez pas pitié, Seigneur ? Pouvez-vous condamner une pauvre mère à ce supplice de quinze ans ? Bonne Vierge ! bonne Vierge du ciel ! mon enfant-Jésus à moi, on me l'a pris, on me l'a volé, on l'a mangé sur une bruyère, on a bu son sang, on a mâché ses os ! Bonne Vierge, ayez pitié de moi ! Ma fille ! il me faut ma fille ! Qu'est-ce que cela me fait, qu'elle soit dans le paradis ? je ne veux pas de votre ange, je veux mon enfant ! Je suis une lionne, je veux mon lionceau. — Oh ! je me tordrai sur la terre, et je briserai la pierre avec mon front, et je me damnerai, et je vous maudirai, Seigneur, si vous me gardez mon enfant ! vous voyez bien que j'ai les bras tout mordus, Seigneur ! est-ce que le bon Dieu n'a pas de pitié ? — Oh ! ne me donnez que du sel et du pain noir, pourvu que j'aie ma fille et qu'elle me réchauffe comme un soleil ! Hélas ! Dieu mon Seigneur, je ne suis qu'une vile pécheresse ; mais ma fille me rendait pieuse. J'étais pleine de religion pour l'amour d'elle ; et je vous voyais à travers son sourire comme par une ouverture du ciel. — Oh ! que je puisse seulement une fois, encore une fois, une seule fois, chausser ce soulier à son joli petit pied rose, et je meurs, bonne Vierge, en vous bénissant ! — Ah ! quinze ans ! elle serait grande maintenant ! — Malheureuse enfant ! quoi ! c'est donc bien vrai, je ne la reverrai plus, pas même dans le ciel ! car, moi, je n'irai pas. Oh quelle misère ! dire que voilà son soulier, et que c'est tout !

La malheureuse s'était jetée sur ce soulier, sa consolation et son désespoir depuis tant d'années, et ses entrailles se déchiraient en sanglots comme le premier jour. Car pour une mère qui a perdu son enfant, c'est toujours le premier jour. Cette douleur-là ne vieillit pas. Les habits de deuil ont beau s'user et blanchir : le cœur reste noir.

En ce moment, de fraîches et joyeuses voix d'enfants passèrent devant la cellule. Toutes les fois que des enfants frappaient sa vue ou son oreille, la pauvre mère se précipitait dans l'angle le plus sombre de son sépulcre, et l'on eût dit qu'elle cherchait à plonger sa tête dans la pierre pour ne pas les entendre. Cette fois, au contraire, elle se dressa comme en sursaut, et écouta avidement. Un des petits garçons venait de dire : — C'est qu'on va pendre une égyptienne aujourd'hui.

Avec le brusque soubresaut de cette araignée que nous avons vue se jeter sur une mouche au tremblement de sa toile, elle courut à sa lucarne, qui donnait, comme on sait, sur la place de Grève. En effet, une échelle était dressée près du gibet permanent, et le maître des basses-œuvres s'occupait d'en rajuster les chaînes rouillées par la pluie. Il y avait quelque peuple alentour.

Le groupe rieur des enfants était déjà loin. La sachette chercha des yeux un passant qu'elle pût interroger. Elle avisa, tout à côté de sa loge, un prêtre qui faisait semblant de lire dans le bréviaire public, mais qui était beaucoup moins occupé du *lettrain de fer treillissé* que du gibet, vers lequel il jetait de temps à autre un sombre et farouche coup d'œil. Elle reconnut monsieur l'archidiacre de Josas, un saint homme.

— Mon père, demanda-t-elle, qui va-t-on pendre là ?

Le prêtre la regarda et ne répondit pas ; elle répéta sa question. Alors il dit : — Je ne sais pas.

— Il y avait là des enfants qui disaient que c'était une égyptienne, reprit la recluse.

— Je crois qu'oui, dit le prêtre.

Alors Paquette la Chantefleurie éclata d'un rire d'hyène.

— Ma sœur, dit l'archidiacre, vous haïssez donc bien les égyptiennes ?

— Si je les hais ? s'écria la recluse ; ce sont des stryges, des voleuses d'enfants ! Elles m'ont dévoré ma petite fille, mon enfant, mon unique enfant ! Je n'ai plus de cœur. Elles me l'ont mangé !

Elle était effrayante. Le prêtre la regardait froidement.

— Il y en a une surtout que je hais, et que j'ai maudite, reprit-elle ; c'en est une jeune, qui a l'âge que ma fille aurait, si sa mère ne m'avait pas mangé ma fille. Chaque fois que cette jeune vipère passe devant ma cellule, elle me bouleverse le sang !

— Eh bien ! ma sœur, réjouissez-vous, dit le prêtre, glacial comme une statue de sépulcre,c'est celle-là que vous
allez voir mourir.

Sa tête tomba sur sa poitrine, et il s'éloigna lentement.

La recluse se tordit les bras de joie. — Je le lui avais prédit, qu'elle y monterait ! Merci, prêtre ! cria-t-elle.

Et elle se mit à se promener à grands pas devant les barreaux de sa lucarne, échevelée, l'œil flamboyant, heurtant le
mur de son épaule, avec l'air fauve d'une louve en cage qui
a faim depuis longtemps et qui sent approcher l'heure du
repas.

VI

TROIS CŒURS D'HOMME
FAITS DIFFÉREMMENT

Phœbus, cependant, n'était pas mort. Les hommes de
cette espèce ont la vie dure. Quand maître Philippe Lheulier,
avocat extraordinaire du roi, avait dit à la pauvre Esmeralda : *Il se meurt,* c'était par erreur ou par plaisanterie.
Quand l'archidiacre avait répété à la condamnée : *Il est
mort,* le fait est qu'il n'en savait rien, mais qu'il le croyait,
qu'il y comptait, qu'il n'en doutait pas, qu'il l'espérait bien.
Il lui eût été par trop dur de donner à la femme qu'il aimait
de bonnes nouvelles de son rival. Tout homme à sa place en
eût fait autant.

Ce n'est pas que la blessure de Phœbus n'eût été grave,
mais elle l'avait été moins que l'archidiacre ne s'en flattait.
Le maître-myrrhe, chez lequel les soldats du guet l'avaient
transporté dans le premier moment, avait craint huit jours
pour sa vie, et le lui avait même dit en latin. Toutefois, la
jeunesse avait repris le dessus ; et, chose qui arrive souvent,
nonobstant pronostics et diagnostics, la nature s'était amusée
à sauver le malade à la barbe du médecin. C'est tandis qu'il
gisait encore sur le grabat du maître-myrrhe qu'il avait subi
les premiers interrogatoires de Philippe Lheulier et des

enquêteurs de l'official. ce qui l'avait fort ennuyé. Aussi, un beau matin, se sentant mieux, il avait laissé ses éperons d'or en paiement au pharmacopole, et s'était esquivé. Cela, du reste,n'avait apporté aucun trouble à l'instruction de l'affaire. La justice d'alors se souciait fort peu de la netteté et de la propreté d'un procès au criminel. Pourvu que l'accusé fût pendu, c'est tout ce qu'il lui fallait. Or, les juges avaient assez de preuves contre la Esmeralda. Ils avaient cru Phœbus mort, et tout avait été dit.

Phœbus, de son côté, n'avait pas fait une grande fuite. Il était allé tout simplement rejoindre sa compagnie, en garnison à Queue-en-Brie, dans l'Ile-de-France, à quelques relais de Paris.

Après tout, il ne lui agréait nullement de comparaître en personne dans ce procès. Il sentait vaguement qu'il y ferait une mine ridicule. Au fond, il ne savait trop que penser de toute l'affaire. Indévot et superstitieux, comme tout soldat qui n'est que soldat, quand il se questionnait sur cette aventure, il n'était pas rassuré sur la chèvre, sur la façon bizarre dont il avait fait rencontre de la Esmeralda, sur la manière non moins étrange dont elle lui avait laissé deviner son amour, sur sa qualité d'égyptienne, enfin sur le moine-bourru. Il entrevoyait dans cette histoire beaucoup plus de magie que d'amour, probablement une sorcière, peut-être le diable ; une comédie enfin, ou, pour parler le langage d'alors, un mystère très désagréable où il jouait un rôle fort gauche, le rôle des coups et des risées. Le capitaine en était tout penaud. Il éprouvait cette espèce de honte que notre La Fontaine a définie si admirablement :

Honteux comme un renard qu'une poule aurait pris.

Il espérait d'ailleurs que l'affaire ne s'ébruiterait pas, que son nom, lui absent, y serait à peine prononcé et en tout cas ne retentirait pas au-delà du plaid de la Tournelle. En cela il ne se trompait point, il n'y avait pas alors de *Gazette des Tribunaux* et comme il ne se passait guère de semaine qui n'eût son faux-monnayeur bouilli, ou sa sorcière pendue, ou son hérétique brûlé à l'une des innombrables *justices* de Paris, on était tellement habitué à voir dans tous les carrefours la vieille Thémis féodale, bras nus et manches retroussées, faire sa besogne aux fourches, aux échelles et aux piloris, qu'on n'y prenait presque pas garde. Le beau monde de ce temps-là savait à peine le nom du patient qui passait au coin de la rue, et la populace tout au plus se régalait de ce mets grossier. Une exécution était un incident habituel de la voie publique, comme la braisière du talmellier ou la tuerie de l'écorcheur. Le bourreau n'était qu'une espèce de boucher un peu plus foncé qu'un autre.

Phœbus se mit donc assez promptement l'esprit en repos sur la charmeresse Esmeralda, ou Similar, comme il disait, sur le coup de poignard de la bohémienne ou du moine-bourru (peu lui importait), et sur l'issue du procès. Mais dès que son cœur fut vacant de ce côté, l'image de Fleur-de-Lys y revint. Le cœur du capitaine
Phœbus, comme la physique d'alors, avait horreur du vide.

C'était d'ailleurs un séjour fort insipide que Queue-en-Brie, un village de maréchaux ferrants et de vachères aux mains gercées, un long cordon de masures et de chaumières qui ourle la grande route des deux côtés pendant une demi-lieue ; une *queue* enfin.

Fleur-de-Lys était son avant-dernière passion, une jolie fille, une charmante dot ; donc un beau matin, tout à fait guéri, et présumant bien qu'après deux mois l'affaire de la bohémienne devait être finie et oubliée, l'amoureux cavalier arriva en piaffant à la porte du logis Gondelaurier.

Il ne fit pas attention à une cohue assez nombreuse qui s'amassait dans la place du parvis, devant le portail de Notre-Dame ; il se souvint qu'on était au mois de mai, il supposa quelque procession, quelque Pentecôte, quelque fête, attacha son cheval à l'anneau du porche, et monta joyeusement chez sa belle fiancée.

Elle était seule avec sa mère.

Fleur-de-Lys avait toujours sur le cœur la scène de la sorcière, sa chèvre, son alphabet maudit, et les longues absences de Phœbus. Cependant, quand elle vit entrer son capitaine, elle lui trouva si bonne mine, un hoqueton si neuf, un baudrier si luisant et un air si passionné qu'elle rougit de plaisir. La noble damoiselle était elle-même plus charmante que jamais. Ses magnifiques cheveux blonds étaient nattés à ravir, elle était toute vêtue de ce bleu-ciel qui va si bien aux blanches, coquetterie que lui avait enseignée Colombe, et avait l'œil noyé dans cette langueur d'amour qui leur va mieux encore.

Phœbus, qui n'avait rien vu en fait de beauté depuis les margotons de Queue-en-Brie, fut enivré de Fleur-de-Lys, ce qui donna à notre officier une manière si empressée et si galante que sa paix fut tout de suite faite. Madame de Gondelaurier elle-même, toujours maternellement assise dans son grand fauteuil, n'eut pas la force de le bougonner. Quant aux reproches de Fleur-de-Lys, ils expirèrent en tendres roucoulements.

La jeune fille était assise près de la fenêtre, brodant toujours sa grotte de Neptunus. Le capitaine se tenait appuyé au dossier de sa chaise, et elle lui adressait à demi-voix ses caressantes gronderies.

— Qu'est-ce que vous êtes donc devenu depuis deux grands mois, méchant?

— Je vous jure, répondit Phœbus, un peu gêné de la question, que vous êtes belle à faire rêver un archevêque;

Elle ne pouvait s'empêcher de sourire.

— C'est bon, c'est bon, monsieur. Laissez là ma beauté, et répondez-moi. Belle beauté, vraiment!

— Eh bien! chère cousine, j'ai été rappelé à tenir garnison.

— Et où cela, s'il vous plaît? et pourquoi n'êtes-vous pas venu me dire adieu?

— A Queue-en-Brie.

Phœbus était enchanté que la première question l'aidât à esquiver la seconde.

— Mais c'est tout près, monsieur. Comment n'être pas venu me voir une seule fois?

Ici Phœbus fut assez sérieusement embarrassé. — C'est, que... le service... et puis, charmante cousine, j'ai été malade.

— Malade! reprit-elle effrayée.

— Oui... blessé.

— Blessé!

La pauvre enfant était toute bouleversée.

— Oh! ne vous effarouchez pas de cela, dit négligemment Phœbus, ce n'est rien. Une querelle, un coup d'épée; qu'est-ce que cela vous fait?

— Qu'est-ce que cela me fait? s'écria Fleur-de-Lys en levant ses beaux yeux pleins de larmes. Oh! vous ne dites pas ce que vous pensez en disant cela. Qu'est-ce que ce coup d'épée? Je veux tout savoir.

— Eh bien ! chère belle, j'ai eu noise avec Mahé Fédy, vous savez ? le lieutenant de Saint-Germain-en-Laye, et nous nous sommes décousu chacun quelques pouces de la peau. Voilà tout.

Le menteur capitaine savait fort bien qu'une affaire d'honneur fait toujours ressortir un homme aux yeux d'une femme. En effet, Fleur-de-Lys le regardait en face tout émue de peur, de plaisir et d'admiration. Elle n'était cependant pas complètement rassurée.

— Pourvu que vous soyez bien tout à fait guéri, mon Phœbus ! dit-elle. Je ne connais pas votre Mahé Fédy, mais c'est un vilain homme. Et d'où venait cette querelle ?

Ici Phœbus, dont l'imagination n'était que fort médiocrement créatrice, commença à ne savoir plus comment se tirer de sa prouesse.

— Oh ! que sais-je ?... un rien, un cheval, un propos ! — Belle cousine, s'écria-t-il pour changer de conversation, qu'est-ce que c'est donc que ce bruit dans le Parvis ?

Il s'approcha de la fenêtre. — Oh ! mon Dieu, belle cousine, voilà bien du monde sur la place !

— Je ne sais pas, dit Fleur-de-Lys ; il paraît qu'il y a une sorcière qui va faire amende honorable ce matin devant l'église pour être pendue après.

Le capitaine croyait si bien l'affaire de la Esmeralda terminée qu'il s'émut fort peu des paroles de Fleur-de-Lys. Il lui fit cependant une ou deux questions.

— Comment s'appelle cette sorcière ?

— Je ne sais pas, répondit-elle.

— Et que dit-on qu'elle ait fait ?

Elle haussa encore cette fois ses blanches épaules. — Je ne sais pas.

— Oh ! mon Dieu Jésus ! dit la mère, il y a tant de sorciers maintenant, qu'on les brûle, je crois, sans savoir leurs noms. Autant vaudrait chercher à savoir le nom de chaque nuée du ciel. Après tout, on peut être tranquille. Le bon Dieu tient son registre. — Ici la vénérable dame se leva et vint à la fenêtre. — Seigneur ! dit-elle, vous avez raison, Phœbus. Voilà une grande cohue de populaire. Il y en a, béni soit Dieu ! jusque sur les toits. — Savez-vous, Phœbus ? cela me rappelle mon beau temps. L'entrée du roi Charles VII, où il y avait tant de monde aussi. — Je ne sais plus en quelle année. — Quand je vous parle de cela, n'est-ce pas ? cela vous fait l'effet de quelque chose de vieux et à moi de quelque chose de jeune. — Oh ! c'était un bien plus beau peuple qu'à présent. Il y en avait jusque sur les mâchicoulis de la Porte Saint-Antoine. Le roi avait la reine en croupe, et après leurs altesses venaient toutes les dames en croupe de tous les seigneurs. Je me rappelle qu'on riait fort, parce qu'à côté d'Amanyon de Garlande, qui était fort bref de taille, il y avait le sire Matefelon, un chevalier de stature gigantale, qui avait tué des Anglais à tas. C'était bien beau. Une procession de tous les gentilshommes de France avec leurs oriflammes qui rougeoyaient à l'œil. Il y avait ceux à pennon et ceux à bannière. Que sais-je, moi ? le sire de Calan, à pennon ; Jean de Châteaumorant, à bannière ; le sire de Coucy, à bannière, et plus étoffément que nul des autres, excepté le duc de Bourbon... — Hélas ! que c'est une chose triste de penser que tout cela a existé et qu'il n'en est plus rien !

Les deux amoureux n'écoutaient pas la respectable douairière. Phœbus était revenu s'accouder au dossier de la chaise de sa fiancée, poste charmant d'où son regard libertin s'enfonçait dans toutes les ouvertures de la collerette de Fleur-de-Lys. Cette gorgerette bâillait si à propos, et lui laissait voir tant de choses exquises et lui en laissait deviner tant d'autres, que Phœbus, ébloui de cette peau à reflet de satin, se disait en lui-même : — Comment peut-on aimer autre chose qu'une blanche ? Tous deux gardaient le silence. La jeune fille levait de temps en temps sur lui des yeux ravis et doux, et leurs cheveux se mêlaient dans un rayon du soleil de printemps.

— Phœbus, dit tout à coup Fleur-de-Lys à voix basse, nous devons nous marier dans trois mois, jurez-moi que vous n'avez jamais aimé d'autre femme que moi.

— Je vous le jure, bel ange ! répondit Phœbus, et son regard passionné se joignait pour convaincre Fleur-de-Lys à l'accent sincère de sa voix. Il se croyait peut-être lui-même en ce moment.

Cependant la bonne mère, charmée de voir les fiancés en si parfaite intelligence, venait de sortir de l'appartement pour vaquer à quelque détail domestique. Phœbus s'en aperçut, et cette solitude enhardit tellement l'aventureux capitaine qu'il lui monta au cerveau des idées fort étranges.

Fleur-de-Lys l'aimait, il était son fiancé, elle était seule avec lui, son ancien goût pour elle s'était réveillé, non dans toute sa fraîcheur, mais dans toute son ardeur ; après tout, ce n'est pas grand crime de manger un peu son blé en herbe ; je ne sais si ces pensées lui passèrent dans l'esprit, mais ce qui est certain, c'est que Fleur-de-Lys fut tout à coup effrayée de l'expression de son regard. Elle regarda autour d'elle, et ne vit plus sa mère.

— Mon Dieu ! dit-elle rouge et inquiète, j'ai bien chaud !

— Je crois en effet, répondit Phœbus, qu'il n'est pas loin de midi. Le soleil est gênant. Il n'y a qu'à fermer les rideaux.

— Non, non, cria la pauvre petite, j'ai besoin d'air au contraire.

Et comme une biche qui sent le souffle de la meute, elle se leva, courut à la fenêtre, l'ouvrit, et se précipita sur le balcon.

Phœbus, assez contrarié, l'y suivit.

La place du Parvis Notre-Dame, sur laquelle le balcon donnait, comme on sait, présentait en ce moment un spectacle sinistre et singulier qui fit brusquement changer de nature à l'effroi de la timide Fleur-de-Lys.

Une foule immense, qui refluait dans toutes les rues adjacentes, encombrait la place proprement dite. La petite muraille à hauteur d'appui qui entourait le Parvis n'eût pas suffi à le maintenir libre, si elle n'eût été doublée d'une haie épaisse de sergents des onze-vingts et de hacquebutiers, la couleuvrine au poing. Grâce à ce taillis de piques et d'arquebuses, le Parvis était vide. L'entrée en était gardée par un gros de hallebardiers aux armes de l'évêque. Les larges portes de l'église étaient fermées, ce qui contrastait avec les innombrables fenêtres de la place, lesquelles, ouvertes jusque sur les pignons, laissaient voir des milliers de têtes entassées à peu près comme les piles de boulets dans un parc d'artillerie.

La surface de cette cohue était grise, sale et terreuse. Le spectacle qu'elle attendait était évidemment de ceux qui ont le privilège d'extraire et d'appeler ce qu'il y a de plus immonde dans la population. Rien de hideux comme le bruit qui s'échappait de ce fourmillement de coiffes jaunes et de chevelures sordides. Dans cette foule, il y avait plus de rires que de cris, plus de femmes que d'hommes.

De temps en temps quelque voix aigre et vibrante perçait la rumeur générale.

. . . .

— Ohé! Mahiet Baliffre! est-ce qu'on va la pendre là?

— Imbécile! c'est ici l'amende honorable, en chemise! le bon Dieu va lui tousser du latin dans la figure! Cela se fait toujours ici, à midi. Si c'est la potence que tu veux, va-t'en à la Grève.

— J'irai après.

. . . .

— Dites donc, la Boucanbry? est-il vrai qu'elle ait refusé un confesseur?

— Il paraît que oui, la Bechaigne.

— Voyez-vous, la païenne!

. . . .

— Monsieur, c'est l'usage. Le bailli du Palais est tenu de livrer le malfaiteur tout jugé, pour l'exécution, si c'est un laïc, au prévôt de Paris; si c'est un clerc, à l'official de l'évêché.

— Je vous remercie, monsieur.

. . . .

— Oh! mon Dieu! disait Fleur-de-Lys, la pauvre créature!

Cette pensée remplissait de douleur le regard qu'elle promenait sur la populace. Le capitaine, beaucoup plus occupé d'elle que de cet amas de quenaille, chiffonnait amoureusement sa ceinture par derrière. Elle se retourna suppliante et souriant. — De grâce, laissez-moi, Phœbus! si ma mère rentrait, elle verrait votre main!

En ce moment midi sonna lentement à l'horloge de Notre-Dame. Un murmure de satisfaction éclata dans la foule. La dernière vibration du douzième coup s'éteignait à peine que toutes les têtes moutonnèrent commes les vagues sous un coup de vent, et qu'une immense clameur s'éleva du pavé, des fenêtres et des toits : — La voila!

Fleur-de-Lys mit ses mains sur ses yeux pour ne pas voir.

— Charmante, lui dit Phœbus, voulez-vous rentrer?

— Non, répondit-elle; et ces yeux qu'elle venait de fermer par crainte, elle les rouvrit par curiosité.

Un tombereau, traîné d'un fort limonier normand et tout enveloppé de cavalerie en livrée violette à croix blanches, venait de déboucher sur la place par la rue Saint-Pierre-aux-Bœufs. Les sergents du guet lui frayaient passage dans le peuple à grands coups de boullayes. A côté du tombereau chevauchaient quelques officiers de justice et de police, reconnaissables à leur costume noir et à leur gauche façon de se tenir en selle. Maître Jacques Charmolue paradait à leur tête.

Dans la fatale voiture, une jeune fille était assise, les bras liés derrière le dos, sans prêtre à côté d'elle. Elle était en chemise, ses longs cheveux noirs (la mode alors était de ne les couper qu'au pied du gibet) tombaient épars sur sa gorge et sur ses épaules à demi découvertes.

A travers cette ondoyante chevelure, plus luisante qu'un plumage de corbeau, on voyait se tordre et se nouer une grosse corde grise et rugueuse qui écorchait ses fragiles clavicules et se roulait autour du cou charmant de la pauvre fille comme un ver de terre sur une fleur. Sous cette corde brillait une petite amulette ornée de verroteries vertes qu'on lui avait laissée sans doute parce qu'on ne refuse plus rien à ceux qui vont mourir. Les spectateurs placés aux fenêtres pouvaient apercevoir au fond du tombereau ses jambes nues qu'elle tâchait de dérober sous elle comme par un dernier instinct de femme. A ses pieds il y avait une petite chèvre garrottée. La condamnée retenait avec ses dents sa chemise mal attachée. On eût dit qu'elle souffrait encore dans sa misère d'être ainsi livrée presque nue à tous les yeux. Hélas ! ce n'est pas pour de pareils frémissements que la pudeur est faite.

— Jésus ! dit vivement Fleur-de-Lys au capitaine. Regardez donc, beau cousin ! c'est cette vilaine bohémienne à la chèvre !

En parlant ainsi elle se retourna vers Phœbus. Il avait les yeux fixés sur le tombereau. Il était très pâle.

— Quelle bohémienne à la chèvre ? dit-il en balbutiant.

— Comment ! reprit Fleur-de-Lys ; est-ce que vous ne vous souvenez pas ?...

Phœbus l'interrompit. — Je ne sais pas ce que vous voulez dire.

Il fit un pas pour rentrer. Mais Fleur-de-Lys, dont la jalousie, naguère si vivement remuée par cette même égyptienne, venait de se réveiller, Fleur-de-Lys lui jeta un coup d'œil plein de pénétration et de défiance. Elle se rappelait vaguement en ce moment avoir ouï parler d'un capitaine mêlé au procès de cette sorcière.

— Qu'avez-vous ? dit-elle à Phœbus, on dirait que cette femme vous a troublé.

Phœbus s'efforça de ricaner.

— Moi ! pas le moins du monde ! Ah bien oui !

— Alors restez, reprit-elle impérieusement, et voyons jusqu'à la fin.

Force fut au malencontreux capitaine de demeurer. Ce qui le rassurait un peu, c'est que la condamnée ne détachait pas son regard du plancher de son tombereau. Ce n'était que trop véritablement la Esmeralda. Sur ce dernier échelon de l'opprobre et du malheur, elle était toujours belle, ses grands yeux noirs paraissaient encore plus grands à cause de l'appauvrissement de ses joues, son profil livide était pur et sublime. Elle ressemblait à ce qu'elle avait été comme une Vierge du Masaccio ressemble à une Vierge de Raphaël : plus faible, plus mince, plus maigre.

Du reste, il n'y avait rien en elle qui ne ballottât en quelque sorte, et que, hormis sa pudeur, elle ne laissât aller au hasard, tant elle avait été profondément rompue par la stupeur et le désespoir. Son corps rebondissait à tous les cahots du tombereau comme une chose morte ou brisée. Son regard était morne et fou. On voyait encore une larme dans sa prunelle, mais immobile et pour ainsi dire gelée.

Cependant la lugubre cavalcade avait traversé la foule au milieu des cris de joie et des attitudes curieuses. Nous devons dire toutefois, pour être fidèle historien, qu'en la voyant si belle et si accablée, beaucoup s'étaient émus de pitié, et des plus durs. Le tombereau était entré dans le Parvis.

Devant le portail central, il s'arrêta. L'escorte se rangea en bataille des deux côtés. La foule fit silence, et au milieu de ce silence plein de solennité et d'anxiété les deux battants de la grande porte tournèrent, comme d'eux-mêmes, sur leurs gonds qui grincèrent avec un bruit de fifre. Alors on vit dans toute sa longueur la profonde église, sombre, tendue de deuil, à peine éclairée de quelques cierges scintillant au loin sur le maître-autel, ouverte comme une gueule de caverne au milieu de la place éblouissante de lumière. Tout au fond, dans l'ombre de l'abside, on entrevoyait une gigantesque croix d'argent, développée sur un drap noir qui tombait de la voûte au pavé. Toute la nef était déserte. Cependant on voyait remuer confusément quelques têtes de prêtres dans les stalles lointaines du chœur, et au moment où la grande porte s'ouvrit il s'échappa de l'église un chant grave, éclatant et monotone qui jetait comme par bouffées sur la tête de la condamnée des fragments de psaumes lugubres.

« ... *Non timebo millia populi circumdantis me; exsurge, Domine; salvum me fac, Deus!*

« ... *Salvum me fac, Deus, quoniam intraverunt aquoe usque ad animam meam.*

« ... *Infixus sum in limo profundi; et non est substantia.* »

En même temps une autre voix, isolée du chœur, entonnait sur le degré du maître-autel ce mélancolique offertoire : « *Qui verbum meum audit, et credit ei qui misit me, habet vitam œternam et in judicium non venit; sed transit a morte in vitam.* »

Ce chant que quelques vieillards perdus dans leurs ténèbres chantaient de loin sur cette belle créature, pleine de jeunesse et de vie, caressée par l'air tiède du printemps, inondée de soleil, c'était la messe des morts.

Le peuple écoutait avec recueillement.

La malheureuse, effarée, semblait perdre sa vue et sa pensée dans les obscures entrailles de l'église. Ses lèvres blanches remuaient comme si elles priaient, et quand le valet du bourreau s'approcha d'elle pour l'aider à descendre du tombereau, il l'entendit qui répétait à voix basse ce mot : *Phœbus.*

On lui délia les mains, on la fit descendre accompagnée de sa chèvre qu'on avait déliée aussi, et qui bêlait de joie de se sentir libre, et on la fit marcher pieds nus sur le dur pavé jusqu'au bas des marches du portail. La corde qu'elle avait au cou traînait derrière elle. On eût dit un serpent qui la suivait.

Alors le chant s'interrompit dans l'église. Une grande croix d'or et une file de cierges se mirent en mouvement dans l'ombre. On entendit sonner la hallebarde des suisses bariolés, et quelques moments après une longue procession de prêtres en chasubles et de diacres en dalmatiques, qui venaient gravement et en psalmodiant vers la condamnée, se développa à sa vue et aux yeux de la foule. Mais son regard s'arrêta à celui qui marchait en tête, immédiatement après le porte-croix. — Oh! dit-elle tout bas en frissonnant, c'est encore lui! le prêtre!

C'était en effet l'archidiacre. Il avait à sa gauche le sous-chantre et à sa droite le chantre armé du bâton de son office. Il avançait, la tête renversée en arrière, les yeux fixes et ouverts, en chantant d'une voix forte :

« *De ventre inferi clamavi, et exaudisti vocem meam,*

« *Et projecisti me in profundum in corde maris, et flumen circumdedit me.* »

Au moment où il parut au grand jour sous le haut portail en ogive, enveloppé d'une vaste chape d'argent barrée d'une croix noire, il était si pâle que plus d'un pensa dans la foule que c'était un des évêques de marbre, agenouillés sur les pierres sépulcrales du chœur, qui s'était levé et qui venait recevoir au seuil de la tombe celle qui allait mourir.

Elle, non moins pâle et non moins statue, elle s'était à peine aperçue qu'on lui avait mis en main un lourd cierge de cire jaune allumé ; elle n'avait pas écouté la voix glapissante du greffier lisant la fatale teneur de l'amende honorable ; quand on lui avait dit de répondre *Amen,* elle avait répondu *Amen.* Il fallut, pour lui rendre quelque vie et quelque force, qu'elle vît le prêtre faire signe à ses gardiens de s'éloigner et s'avancer seul vers elle.

Alors elle sentit son sang bouillonner dans sa tête, et un reste d'indignation se ralluma dans cette âme déjà engourdie et froide.

L'archidiacre s'approcha d'elle lentement. Même en cette extrémité, elle le vit promener sur sa nudité un œil étincelant de luxure, de jalousie et de désir. Puis il lui dit à haute voix :
— Jeune fille, avez-vous demandé à Dieu pardon de vos fautes et de vos manquements ?

— Il se pencha à son oreille, et ajouta (les spectateurs croyaient qu'il recevait sa dernière confession) : — Veux tu de moi ? je puis encore te sauver !

Elle le regarda fixement : — Va-t'en, démon ! ou je te dénonce.

Il se prit à sourire d'un sourire horrible. — On ne te croira pas. — Tu ne feras qu'ajouter un scandale à un crime. — Réponds vite ! veux-tu de moi ?

— Qu'as-tu fait de mon Phœbus?

— Il est mort, dit le prêtre.

En ce moment le misérable archidiacre leva la tête machinalement, et vit à l'autre bout de la place, au balcon du logis Gondelaurier, le capitaine debout près de Fleur-de-Lys. Il chancela, passa la main sur ses yeux, regarda encore, murmura une malédiction, et tous ses traits se contractèrent violemment.

— Eh bien! meurs, toi! dit-il entre ses dents.

Personne ne t'aura.

Alors levant la main sur l'égyptienne, il s'écria d'une voix funèbre: — *I nunc, anima anceps, et sit tibi Deus misericors!*

C'était la redoutable formule dont on avait coutume de clore ces sombres cérémonies. C'était le signal convenu du prêtre au bourreau.

Le peuple s'agenouilla.

— *Kyrie Eleïson*, dirent les prêtres restés sous l'ogive du portail.

— *Kyrie Eleïson*, répéta la foule avec ce murmure qui court sur toutes les têtes comme le clapotement d'une mer agitée.

— *Amen*, dit l'archidiacre.

Il tourna le dos à la condamnée, sa tête retomba sur sa poitrine, ses mains se croisèrent, il rejoignit son cortège de prêtres, et un moment après on le vit disparaître, avec la croix, les cierges et les chapes, sous les arceaux brumeux de la cathédrale; et sa voix sonore s'éteignit par degrés dans le chœur en chantant ce verset de désespoir:

« *Omnes gurgites tui et fluctus tui super me transierunt!* »

En même temps le retentissement intermittent de la hampe ferrée des hallebardes des suisses, mourant peu à peu sous les entre-colonnements de la nef, faisait l'effet d'un marteau d'horloge sonnant la dernière heure de la condamnée.

Cependant les portes de Notre-Dame étaient restées ouvertes, laissant voir l'église vide, désolée, en deuil, sans cierges et sans voix.

La condamnée demeurait immobile à sa place, attendant qu'on disposât d'elle. Il fallut qu'un des sergents à verge en avertît maître Charmolue, qui, pendant toute cette scène, s'était mis à étudier le bas-relief du grand portail qui représente, selon les uns, le sacrifice d'Abraham, selon les autres, l'opération philosophale, figurant le soleil par l'ange, le feu par le fagot, l'artisan par Abraham.

On eut assez de peine à l'arracher à cette contemplation, mais enfin il se retourna, et à un signe qu'il fit deux hommes vêtus de jaune, les valets du bourreau, s'approchèrent de l'égyptienne pour lui rattacher les mains.

La malheureuse, au moment de remonter dans le tombereau fatal et de s'acheminer vers sa dernière station, fut prise peut-être de quelque déchirant regret de la vie. Elle leva ses yeux rouges et secs vers le ciel, vers le soleil, vers les nuages d'argent coupés çà et là de trapèzes et de triangles bleus, puis elle les abaissa autour d'elle, sur la terre, sur la foule, sur les maisons... Tout à coup, tandis que l'homme jaune lui liait les coudes, elle poussa un cri terrible, un cri de joie. A ce balcon, là-bas, à l'angle de la place, elle venait de l'apercevoir, lui, son ami, son seigneur, Phœbus, l'autre apparition de sa vie ! Le juge avait menti ! le prêtre avait menti ! c'était bien lui, elle n'en pouvait douter, il était là, beau, vivant, revêtu de son éclatante livrée, la plume en tête, l'épée au côté !

— Phœbus ! cria-t-elle, mon Phœbus !

Et elle voulut tendre vers lui ses bras tremblants d'amour et de ravissement, mais ils étaient attachés.

Alors elle vit le capitaine froncer le sourcil, une belle jeune fille qui s'appuyait sur lui le regarder avec une lèvre dédaigneuse et des yeux irrités, puis Phœbus prononça quelques mots qui ne vinrent pas jusqu'à elle, et tous deux s'éclipsèrent précipitamment derrière le vitrail du balcon qui se referma.

— Phœbus ! cria-t-elle éperdue, est-ce que tu le crois ?

Une pensée monstrueuse venait de lui apparaître.

Elle se souvenait qu'elle avait été condamnée pour meurtre sur la personne de Phœbus de Châteaupers.

Elle avait tout supporté jusque-là. Mais ce dernier coup était trop rude. Elle tomba sans mouvement sur le pavé.

— Allons, dit Charmolue, portez-la dans le tombereau, et finissons !

Personne n'avait encore remarqué, dans la galerie des statues des rois, sculptés immédiatement au-dessus des ogives du portail, un spectateur étrange qui avait tout examiné jusqu'alors avec une telle impassibilité, avec un cou si tendu, avec un visage difforme, que, sans son accoutrement mi-parti rouge et violet, on eût pu le prendre pour un de ces monstres de pierre par la gueule desquels se dégorgent depuis six cents ans les longues gouttières de la cathédrale. Ce spectateur n'avait rien perdu de ce qui s'était passé depuis midi devant le portail de Notre-Dame. Et dès les premiers instants, sans que personne songeât à l'observer, il avait fortement attaché à l'une des colonnettes de la galerie une grosse corde à nœuds, dont le bout allait traîner en bas sur le perron. Cela fait, il s'était mis à regarder tranquillement, et à siffler de temps en temps quand un merle passait devant lui. Tout à coup, au moment où les valets du maître des œuvres se disposaient à exécuter l'ordre flegmatique de Charmolue, il enjamba la balustrade de la galerie, saisit la corde des pieds, des genoux et des mains, puis on le vit couler sur la façade, comme une goutte de pluie qui glisse le long d'une vitre, courir vers les deux bourreaux avec la vitesse d'un chat tombé d'un toit, les terrasser sous deux poings énormes, enlever l'égyptienne d'une main, comme un enfant sa poupée, et d'un seul élan rebondir jusque dans l'église, en élevant la jeune fille au-dessus de sa tête, et en criant d'une voix formidable : Asile !

Cela se fit avec une telle rapidité que si c'eût été la nuit, on eût pu tout voir à la lumière d'un seul éclair.

— Asile ! asile ! répéta la foule, et dix mille battements de mains firent étinceler de joie et de fierté l'œil unique de Quasimodo.

Cette secousse fit revenir à elle la condamnée. Elle souleva sa paupière, regarda Quasimodo, puis la referma subitement, comme épouvantée de son sauveur.

Charmolue resta stupéfait, et les bourreaux, et toute l'escorte. En effet, dans l'enceinte de Notre-Dame, la condamnée était inviolable. La cathédrale était un lieu de refuge. Toute justice humaine expirait sur le seuil.

Quasimodo s'était arrêté sous le grand portail. Ses larges pieds semblaient aussi solides sur le pavé de l'église que les lourds piliers romans. Sa grosse tête chevelue s'enfonçait dans ses épaules comme celle des lions qui eux aussi ont une crinière et pas de cou. Il tenait la jeune fille toute palpitante suspendue à ses mains calleuses comme une draperie blanche ; mais il la portait avec tant de précaution qu'il paraissait craindre de la briser ou de la faner. On eût dit qu'il sentait que c'était une chose délicate, exquise et précieuse, faite pour d'autres mains que les siennes. Par moments, il avait l'air de n'oser la toucher, même du souffle. Puis, tout à coup, il la serrait avec étreinte dans ses bras, sur sa poitrine anguleuse, comme son bien, comme son trésor, comme eût fait la mère de cette enfant ; son œil de gnome, abaissé sur elle, l'inondait de tendresse, de douleur et de pitié, et se relevait subitement plein d'éclairs. Alors les femmes riaient et pleuraient, la foule trépignait d'enthousiasme, car en ce moment-là Quasimodo avait vraiment sa beauté. Il était beau, lui, cet orphelin, cet enfant trouvé, ce rebut, il se sentait auguste et fort, il regardait en face cette société dont il était banni, et dans laquelle il intervenait si puissamment, cette justice humaine à laquelle il avait arraché sa proie, tous ces tigres forcés de mâcher à vide, ces sbires, ces juges, ces bourreaux, toute cette force du roi qu'il venait de briser, lui infirme, avec la force de Dieu.

Et puis c'était une chose touchante que cette protection tombée d'un être si difforme sur un être si malheureux qu'une condamnée à mort sauvée par Quasimodo. C'étaient les deux misères extrêmes de la nature et de la société qui se touchaient et qui s'entr'aidaient.

Cependant, après quelques minutes de triomphe, Quasimodo s'était brusquement enfoncé dans l'église avec son fardeau. Le peuple, amoureux de toute prouesse, le cherchait des yeux sous la sombre nef, regrettant qu'il se fût si vite dérobé à ses acclamations. Tout à coup on le vit reparaître à l'une des extrémités de la galerie des rois de France, il la traversa en courant comme un insensé, en élevant sa conquête dans ses bras, et en criant : Asile ! La foule éclata de nouveau en applaudissements. La galerie parcourue, il se replongea dans l'intérieur de l'église. Un moment après il reparut sur la plate-forme supérieure, toujours l'égyptienne dans ses bras, toujours courant avec folie, toujours criant : Asile ! Et la foule applaudissait. Enfin, il fit une troisième apparition sur le sommet de la tour du bourdon ; de là il sembla montrer avec orgueil à toute la ville celle qu'il avait sauvée, et sa voix tonnante, cette voix qu'on entendait si rarement et qu'il n'entendait jamais, répéta trois fois avec frénésie jusque dans les nuages : Asile ! asile ! asile !

— Noël ! Noël ! criait le peuple de son côté, et cette immense acclamation allait étonner sur l'autre rive la foule de la Grève et la recluse qui attendait toujours, l'œil fixé sur le gibet.

LIVRE NEUVIÈME

I

Claude Frollo n'était plus dans Notre-Dame pendant que son fils adoptif tranchait si brusquement le nœud fatal où le malheureux archidiacre avait pris l'égyptienne et s'était pris lui-même. Rentré dans la sacristie, il avait arraché l'aube, la chape et l'étole, avait tout jeté aux mains du bedeau stupéfait, s'était échappé par la porte dérobée du cloître, avait ordonné à un batelier du Terrain de le transporter sur la rive gauche de la Seine, et s'était enfoncé dans les rues montueuses de l'Université, ne sachant où il allait, rencontrant à chaque pas des bandes d'hommes et de femmes qui se pressaient joyeusement vers le Pont Saint-Michel dans l'espoir *d'arriver encore à temps* pour voir pendre la sorcière, pâle, égaré, plus troublé, plus aveugle et plus farouche qu'un oiseau de nuit lâché et poursuivi par une troupe d'enfants en plein jour. Il ne savait plus où il était, ce qu'il pensait, si il rêvait. Il allait, il marchait, il courait, prenant toute rue au hasard, ne choisissant pas, seulement toujours poussé en avant par la Grève, par l'horrible Grève qu'il sentait confusément derrière lui.

Il longea ainsi la montagne Sainte-Geneviève, et sortit enfin de la ville par la Porte Saint-Victor. Il continua de s'enfuir, tant qu'il put voir en se retournant l'enceinte de tours de l'Université et les rares maisons du faubourg ; mais lorsque enfin un pli du terrain lui eut dérobé en entier cet odieux Paris, quand il put s'en croire à cent lieues, dans les champs, dans un désert, il s'arrêta, et il lui sembla qu'il respirait.

Alors des idées affreuses se pressèrent dans son esprit. Il revit clair dans son âme, et frissonna. Il songea à cette malheureuse fille qui l'avait perdu et qu'il avait perdue. Il promena un œil hagard sur la double voie tortueuse que la fatalité avait fait suivre à leurs deux destinées, jusqu'au point d'intersection où elle les avait impitoyablement brisées l'une contre l'autre. Il pensa à la folie des vœux éternels, à la vanité de la chasteté, de la science, de la religion, de la vertu, à l'inutilité de Dieu. Il s'enfonça à cœur joie dans les mauvaises pensées, et, à mesure qu'il y plongeait plus avant, il sentait éclater en lui-même un rire de Satan.

Et en creusant ainsi son âme, quand il vit quelle large place la nature y avait préparée aux passions, il ricana plus amèrement encore. Il remua au fond de son cœur toute sa haine, toute sa méchanceté, et il reconnut, avec le froid coup d'œil d'un médecin qui examine un malade, que cette haine, que cette méchanceté n'étaient que de l'amour vicié ; que l'amour, cette source de toute vertu chez l'homme, tournait en choses horribles dans un cœur de prêtre, et qu'un homme constitué comme lui, en se faisant prêtre, se faisait démon. Alors il rit affreusement, et tout à coup il redevint pâle en considérant le côté le plus sinistre de sa fatale passion, de cet amour corrosif, venimeux, haineux, implacable, qui n'avait abouti qu'au gibet pour l'une, à l'enfer pour l'autre : elle condamnée, lui damné.

Et puis le rire lui revint, en songeant que Phœbus était vivant ; qu'après tout le capitaine vivait, était allègre et content, avait de plus beaux hoquetons que jamais et une nouvelle maîtresse qu'il menait voir pendre l'ancienne. Son ricanement redoubla quand il réfléchit que, des êtres vivants dont il avait voulu la mort, l'égyptienne, la seule créature qu'il ne hait pas, était la seule qu'il n'eût pas manquée.

Alors du capitaine sa pensée passa au peuple, et il lui vint une jalousie d'une espèce inouïe. Il songea que le peuple aussi, le peuple tout entier, avait eu sous les yeux la femme qu'il aimait, en chemise, presque nue. Il se tordit les bras en pensant que cette femme, dont la forme entrevue dans l'ombre par lui seul lui eût été le bonheur suprême, avait été livrée en plein jour, en plein midi, à tout un peuple, vêtue comme pour une nuit de volupté. Il pleura de rage sur tous ces mystères d'amour profanés, souillés, dénudés, flétris à jamais. Il pleura de rage en se figurant combien de regards immondes avaient trouvé leur compte à cette chemise mal nouée ; et que cette belle fille, ce lys vierge, cette coupe de pudeur et de délices dont il n'eût osé approcher ses lèvres qu'en tremblant, venait d'être transformée en une sorte de gamelle publique, où la plus vile populace de Paris, les voleurs, les mendiants, les laquais étaient venus boire en commun un plaisir effronté, impur et dépravé.

Et quand il cherchait à se faire une idée du bonheur qu'il eût put trouver sur la terre si elle n'eût pas été bohémienne et s'il n'eût pas été prêtre, si Phœbus n'eût pas existé et si elle l'eût aimé ; quand il se figurait qu'une vie de sérénité et d'amour lui eût été possible aussi à lui, qu'il y avait en ce même moment çà et là sur la terre des couples heureux, perdus en longues causeries sous les orangers, au bord des ruisseaux, en présence d'un soleil couchant, d'une nuit étoilée ; et que, si Dieu l'eût voulu, il eût pu faire avec elle un de ces couples de bénédiction, son cœur se fondait en tendresse et en désespoir.

Oh ! elle ! c'est elle ! c'est cette idée fixe qui revenait sans cesse, qui le torturait, qui lui mordait la cervelle et lui déchiquetait les entrailles. Il ne regrettait pas, il ne se repentait pas ; tout ce qu'il avait fait, il était prêt à le faire encore ; il aimait mieux la voir aux mains du bourreau qu'aux bras du capitaine, mais il souffrait ; il souffrait tant que par instants il s'arrachait des poignées de cheveux pour voir s'ils ne blanchissaient pas.

Il y eut un moment entre autres où il lui vint à l'esprit que c'était là peut-être la minute où la hideuse chaîne qu'il avait vue le matin resserrait son nœud de fer autour de ce cou si frêle et si gracieux. Cette pensée lui fit jaillir la sueur de tous les pores.

Il y eut un autre moment où, tout en riant diaboliquement sur lui-même, il se représenta à la fois la Esmeralda comme il l'avait vue le premier jour, vive, insouciante, joyeuse, parée, dansante, ailée, harmonieuse, et la Esmeralda du dernier jour, en chemise, et la corde au cou, montant lentement, avec ses pieds nus, l'échelle anguleuse du gibet ; il se figura ce double tableau d'une telle façon qu'il poussa un cri terrible.

Tandis que cet ouragan de désespoir bouleversait, brisait, arrachait, courbait, déracinait tout dans son âme, il regarda la nature autour de lui. A ses pieds, quelques poules fouillaient les broussailles en becquetant, les scarabées d'émail couraient au soleil, au-dessus de sa tête quelques groupes de nuées gris pommelé fuyaient dans un ciel bleu, à l'horizon la flèche de l'abbaye Saint-Victor perçait la courbe du coteau de son obélisque d'ardoise, et le meunier de la butte Copeaux regardait en sifflant tourner les ailes travailleuses de son moulin. Toute cette vie active, organisée, tranquille, reproduite autour de lui sous mille formes, lui fit mal. Il recommença à fuir.

Il courut ainsi à travers champs jusqu'au soir. Cette fuite de la nature, de la vie, de lui-même, de l'homme, de Dieu, de tout, dura tout le jour. Quelquefois il se jetait la face contre terre, et il arrachait avec ses ongles les jeunes blés. Quelquefois il s'arrêtait dans une rue de village déserte, et ses pensées étaient si insupportables qu'il prenait sa tête à deux mains et tâchait de l'arracher de ses épaules pour la briser sur le pavé.

Vers l'heure où le soleil déclinait, il s'examina de nouveau, et il se trouva presque fou. La tempête qui durait en lui depuis l'instant où il avait perdu l'espoir et la volonté de sauver l'égyptienne, cette tempête n'avait pas laissé dans sa conscience une seule idée saine, une seule pensée debout. Sa raison y gisait, à peu près entièrement détruite. Il n'avait plus que deux images distinctes dans l'esprit : la Esmeralda et la potence. Tout le reste était noir. Ces deux images rapprochées lui présentaient un groupe effroyable, et plus il y fixait ce qui lui restait d'attention et de pensée, plus il les voyait croître selon une progression fantastique, l'une en grâce, en charme, en beauté, en lumière, l'autre en horreur ; de sorte qu'à la fin la Esmeralda lui apparaissait comme une étoile, le gibet comme un énorme bras décharné.

Une chose remarquable, c'est que pendant toute cette torture il ne lui vint pas l'idée sérieuse de mourir. Le misérable était ainsi fait. Il tenait à la vie. Peut-être voyait-il réellement l'enfer derrière.

Cependant le jour continuait de baisser. L'être vivant qui existait encore en lui songea confusément au retour. Il se croyait loin de Paris ; mais, en s'orientant, il s'aperçut qu'il n'avait fait que tourner l'enceinte de l'Université. La flèche de Saint-Sulpice et les trois hautes aiguilles de Saint-Germain-des-Prés dépassaient l'horizon à sa droite. Il se dirigea de ce côté. Quand il entendit le qui-vive des hommes d'armes de l'abbé autour de la circonvallation crénelée de Saint-Germain, il se détourna, prit un sentier qui s'offrit à lui entre le moulin de l'abbaye et la maladrerie du bourg, et au bout de quelques instants se trouva sur la lisière du Pré-aux-Clercs. Ce pré était célèbre par les tumultes qui s'y faisaient jour et nuit ; c'était l'*hydre* des pauvres moines de Saint-Germain, *quod monachis Sancti-Germani pratensis hydra fuit, clericis nova semper dissidiorum capita suscitantibus.* L'archidiacre craignit d'y rencontrer quelqu'un ; il avait peur de tout visage humain ; il venait d'éviter l'Université, le bourg Saint-Germain, il voulait ne rentrer dans les rues que le plus tard possible. Il longea le Pré-aux-Clercs, prit le sentier désert qui le séparait du Dieu-Neuf, et arriva enfin au bord de l'eau. Là, dom Claude trouva un batelier qui, pour quelques deniers parisis, lui fit remonter la Seine jusqu'à la pointe de la Cité, et le déposa sur cette langue de terre abandonnée où le lecteur a déjà vu rêver Gringoire, et qui se prolongeait au-delà des jardins du roi, parallèlement à l'île du Passeur-aux-Vaches.

Le bercement monotone du bateau et le bruissement de l'eau avaient en quelque sorte engourdi le malheureux Claude. Quand le batelier se fut éloigné, il resta stupidement debout sur la grève, regardant devant lui et ne percevant plus les objets qu'à travers des oscillations grossissantes qui lui faisaient de tout une sorte de fantasmagorie. Il n'est pas rare que la fatigue d'une grande douleur produise cet effet sur l'esprit.

Le soleil était couché derrière la haute Tour de Nesle. C'était l'instant du crépuscule. Le ciel était blanc, l'eau de la rivière était blanche. Entre ces deux blancheurs, la rive gauche de la Seine, sur laquelle il avait les yeux fixés, projetait sa masse sombre, et, de plus en plus amincie par la perspective, s'enfonçait dans les brumes de l'horizon comme une flèche noire. Elle était chargée de maisons, dont on ne

distinguait que la silhouette obscure, vivement relevée en
ténèbres sur le fond clair du ciel et de l'eau. Çà et là des
fenêtres commençaient à y scintiller comme des trous de
braise. Cet immense obélisque noir ainsi isolé entre les deux
nappes blanches du ciel et de la rivière, fort large en cet
endroit, fit à dom Claude un effet singulier, comparable à ce
qu'éprouverait un homme qui, couché à terre sur le dos au
pied du clocher de Strasbourg, regarderait l'énorme aiguille
s'enfoncer au-dessus de sa tête dans les pénombres du crépuscule. Seulement ici c'était Claude qui était debout et
l'obélisque qui était couché ; mais comme la rivière, en
reflétant le ciel, prolongeait l'abîme au-dessous de lui,
l'immense promontoire semblait aussi hardiment élancé
dans le vide que toute flèche de cathédrale ; et l'impression
était la même. Cette impression avait même cela d'étrange et
de plus profond, que c'était bien le clocher de Strasbourg,
mais le clocher de Strasbourg haut de deux lieues, quelque
chose d'inouï, de gigantesque, d'incommensurable, un édifice comme nul œil humain n'en a vu, une tour de Babel.
Les cheminées des maisons, les créneaux des murailles, les
pignons taillés des toits, la flèche des Augustins, la Tour de
Nesle, toutes ces saillies qui ébréchaient le profil du colossal
obélisque, ajoutaient à l'illusion en jouant bizarrement à
l'œil les découpures d'une sculpture touffue et fantastique.
Claude, dans l'état d'hallucination où il se trouvait, crut voir,
voir de ses yeux vivants, le clocher de l'enfer ; les mille
lumières répandues sur toute la hauteur de l'épouvantable
tour lui parurent autant de porches de l'immense fournaise
intérieure ; les voix et les rumeurs qui s'en échappaient,
autant de cris, autant de râles. Alors il eut peur, il mit ses
mains sur ses oreilles pour ne plus entendre, tourna le dos
pour ne plus voir, et s'éloigna à grands pas de l'effroyable
vision.

Mais la vision était en lui.

Quand il rentra dans les rues, les passants qui se cou-
doyaient aux lueurs des devantures de boutiques lui faisaient
l'effet d'une éternelle allée et venue de spectres autour de
lui. Il avait des fracas étranges dans l'oreille. Des fantaisies
extraordinaires lui troublaient l'esprit. Il ne voyait ni les
maisons, ni le pavé, ni les chariots, ni les hommes et les
femmes, mais un chaos d'objets indéterminés qui se fon-

daient par les bords les uns dans les autres. Au coin de la rue de la Barillerie, il y avait une boutique d'épicerie, dont l'auvent était, selon l'usage immémorial, garni dans son pourtour de ces cerceaux de fer-blanc auxquels pend un cercle de chandelles de bois qui s'entrechoquent au vent en claquant comme des castagnettes. Il crut entendre s'entre-heurter dans l'ombre le trousseau de squelettes de Mont-faucon.

— Oh ! murmura-t-il, le vent de la nuit les chasse les uns contre les autres, et mêle le bruit de leurs chaînes au bruit de leurs os ! Elle est peut-être là, parmi eux !

Éperdu, il ne sut où il allait. Au bout de quelques pas, il se trouva sur le Pont Saint-Michel. Il y avait une lumière à une fenêtre d'un rez-de-chaussée. Il s'approcha. A travers un vitrage fêlé, il vit une salle sordide, qui réveilla un souvenir confus dans son esprit. Dans cette salle, mal éclairée d'une lampe maigre, il y avait un jeune homme blond et frais, à figure joyeuse, qui embrassait, avec de grands éclats de rire, une jeune fille fort effrontément parée. Et, près de la lampe, il y avait une vieille femme qui filait et qui chantait d'une voix chevrotante. Comme le jeune homme ne riait pas tou-jours, la chanson de la vieille arrivait par lambeaux jusqu'au prêtre. C'était quelque chose d'inintelligible et d'affreux.

> Grève, aboye, Grève, grouille !
> File, file, ma quenouille,
> File sa corde au bourreau
> Qui siffle dans le préau.
> Grève, aboye, Grève, grouille.
>
> La belle corde de chanvre !
> Semez d'Issy jusqu'à Vanvre
> Du chanvre et non pas du blé.
> Le voleur n'a pas volé
> La belle corde de chanvre.
>
> Grève, grouille, Grève, aboye !
> Pour voir la fille de joie
> Pendre au gibet chassieux,
> Les fenêtres sont des yeux.
> Grève, grouille, Grève, aboye !

Là-dessus le jeune homme riait et caressait la fille. La vieille, c'était la Falourdel ; la fille, c'était une fille publique ; le jeune homme, c'était son jeune frère Jehan.

Il continua de regarder. Autant ce spectacle qu'un autre.

Il vit Jehan aller à une fenêtre qui était au fond de la salle, l'ouvrir, jeter un coup d'œil sur le quai où brillaient au loin mille croisées éclairées, et il l'entendit dire en refermant la fenêtre : — Sur mon âme ! voilà qu'il se fait nuit. Les bourgeois allument leurs chandelles et le bon Dieu ses étoiles.

Puis, Jehan revint vers la ribaude, et cassa une bouteille qui était sur une table, en s'écriant :

— Déjà vide, corbœuf ! et je n'ai plus d'argent ! Isabeau, ma mie, je ne serai content de Jupiter que lorsqu'il aura changé vos deux tétins blancs en deux noires bouteilles, où je téterai du vin de Beaune jour et nuit.

Cette belle plaisanterie fit rire la fille de joie, et Jehan sortit.

Dom Claude n'eut que le temps de se jeter à terre pour ne pas être rencontré, regardé en face, et reconnu par son frère. Heureusement la rue était sombre, et l'écolier était ivre. Il avisa cependant l'archidiacre couché sur le pavé dans la boue.

— Oh ! oh ! dit-il, en voilà un qui a mené joyeuse vie aujourd'hui.

Il remua du pied dom Claude, qui retenait son souffle.

— Ivre mort, reprit Jehan. Allons, il est plein. Une vraie sangsue détachée d'un tonneau. Il est chauve, ajouta-t-il en se baissant ; c'est un vieillard ! *Fortunate senex !*

Puis dom Claude l'entendit s'éloigner en disant :

— C'est égal, la raison est une belle chose, et mon frère l'archidiacre est bien heureux d'être sage et d'avoir de l'argent.

L'archidiacre alors se releva, et courut tout d'une haleine vers Notre-Dame, dont il voyait les tours énormes surgir dans l'ombre au-dessus des maisons.

A l'instant où il arriva tout haletant sur la place du Parvis, il recula et n'osa lever les yeux sur le funeste édifice. — Oh ! dit-il à voix basse, est-il donc bien vrai qu'une telle chose se soit passée ici, aujourd'hui, ce matin même !

Cependant il se hasarda à regarder l'église. La façade était sombre. Le ciel derrière étincelait d'étoiles. Le croissant de la lune, qui venait de s'envoler de l'horizon, était arrêté en ce moment au sommet de la tour de droite, et semblait s'être perché, comme un oiseau lumineux, au bord de la balustrade découpée en trèfles noirs.

La porte du cloître était fermée. Mais l'archidiacre avait toujours sur lui la clef de la tour où était son laboratoire. Il s'en servit pour pénétrer dans l'église.

Il trouva dans l'église une obscurité et un silence de caverne. Aux grandes ombres qui tombaient de toutes parts à larges pans, il reconnut que les tentures de la cérémonie du matin n'avaient pas encore été enlevées. La grande croix d'argent scintillait au fond des ténèbres, saupoudrée de quelques points étincelants, comme la voie lactée de cette nuit de sépulcre. Les longues fenêtres du chœur montraient au-dessus de la draperie noire l'extrémité supérieure de leurs ogives, dont les vitraux, traversés d'un rayon de lune, n'avaient plus que les couleurs douteuses de la nuit, une espèce de violet, de blanc et de bleu dont on ne retrouve la teinte que sur la face des morts. L'archidiacre, en apercevant tout autour du chœur ces blêmes pointes d'ogives, crut voir des mitres d'évêques damnés. Il ferma les yeux, et quand il les rouvrit, il crut que c'était un cercle de visages pâles qui le regardaient.

Il se mit à fuir à travers l'église. Alors il lui sembla que l'église aussi s'ébranlait, remuait, s'animait, vivait, que chaque grosse colonne devenait une patte énorme qui battait le sol de sa large spatule de pierre, et que la gigantesque cathédrale n'était plus qu'une sorte d'éléphant prodigieux qui soufflait et marchait avec ses piliers pour pieds, ses deux tours pour trompes et l'immense drap noir pour caparaçon.

Ainsi la fièvre ou la folie était arrivée à un tel degré d'intensité que le monde extérieur n'était plus pour l'infortuné qu'une sorte d'apocalypse visible, palpable, effrayante.

Il fut un moment soulagé. En s'enfonçant sous les bas côtés, il aperçut, derrière un massif de piliers, une lueur rougeâtre. Il y courut comme à une étoile. C'était la pauvre lampe qui éclairait jour et nuit le bréviaire public de Notre-Dame sous son treillis de fer. Il se jeta avidement sur le saint livre, dans l'espoir d'y trouver quelque consolation ou quelque encouragement. Le livre était ouvert à ce passage de Job, sur lequel son œil fixe se promena : - « Et un esprit passa devant ma face, et j'entendis un petit souffle, et le poil de ma chair se hérissa. »

A cette lecture lugubre, il éprouva ce qu'éprouve l'aveugle qui se sent piquer par le bâton qu'il a ramassé. Ses genoux se dérobèrent sous lui, et il s'affaissa sur le pavé, songeant à celle qui était morte dans le jour. Il sentait passer et se dégorger dans son cerveau tant de fumées monstrueuses qu'il lui semblait que sa tête était devenue une des cheminées de l'enfer.

Il paraît qu'il resta longtemps dans cette attitude, ne pensant plus, abîmé et passif sous la main du démon. Enfin, quelque force lui revint, il songea à s'aller réfugier dans la tour près de son fidèle Quasimodo. Il se leva, et, comme il avait peur, il prit pour s'éclairer la lampe du bréviaire. C'était un sacrilège ; mais il n'en était plus à regarder à si peu de chose.

Il gravit lentement l'escalier des tours, plein d'un secret effroi que devait propager jusqu'aux rares passants du Parvis la mystérieuse lumière de sa lampe montant si tard de meurtrière en meurtrière au haut du clocher.

Tout à coup il sentit quelque fraîcheur sur son visage et se trouva sous la porte de la plus haute galerie. L'air était froid ; le ciel charriait des nuages dont les larges lames blanches débordaient les unes sur les autres en s'écrasant par les angles, et figuraient une débâcle de fleuve en hiver. Le croissant de la lune, échoué au milieu des nuées, semblait un navire céleste pris dans ces glaçons de l'air.

Il baissa la vue et contempla un instant, entre la grille de colonnettes qui unit les deux tours, au loin, à travers une gaze de brumes et de fumées, la foule silencieuse des toits de Paris, aigus, innombrables, pressés et petits comme les flots d'une mer tranquille dans une nuit d'été.

La lune jetait un faible rayon qui donnait au ciel et à la terre une teinte de cendre.

En ce moment l'horloge éleva sa voix grêle et fêlée. Minuit sonna. Le prêtre pensa à midi. C'étaient les douze heures qui revenaient. — Oh ! se dit-il tout bas, elle doit être froide à présent !

Tout à coup un coup de vent éteignit sa lampe, et presque en même temps il vit paraître à angle opposé de la tour, une ombre, une blancheur, une forme, une femme. Il tressaillit. A côté de cette femme, il y avait une petite chèvre, qui mêlait son bêlement au dernier bêlement de l'horloge.

Il eut la force de regarder. C'était elle.

Elle était pâle, elle était sombre. Ses cheveux tombaient

sur ses épaules comme le matin. Mais plus de corde au cou, plus de mains attachées. Elle était libre, elle était morte.

Elle était vêtue de blanc et avait un voile blanc sur la tête.

Elle venait vers lui, lentement, en regardant le ciel. La chèvre surnaturelle la suivait. Il se sentait de pierre et trop lourd pour fuir. A chaque pas qu'elle faisait en avant, il en faisait un en arrière, et c'était tout. Il rentra ainsi sous la voûte obscure de l'escalier. Il était glacé de l'idée qu'elle allait peut-être y entrer aussi ; si elle l'eût fait, il serait mort de terreur.

Elle arriva en effet devant la porte de l'escalier, s'y arrêta quelques instants, regarda fixement dans l'ombre, mais sans paraître y voir le prêtre, et passa. Elle lui parut plus grande que lorsqu'elle vivait ; il vit la lune à travers sa robe blanche ; il entendit son souffle.

Quand elle fut passée, il se mit à redescendre l'escalier, avec la lenteur qu'il avait vue au spectre, se croyant spectre lui-même, hagard. les cheveux tout droits, sa lampe éteinte toujours à la main ; et, tout en descendant les degrés en spirale, il entendait distinctement dans son oreille une voix qui riait et qui répétait :

« ... Un esprit passa devant ma face, et j'entendis un petit souffle, et le poil de ma chair se hérissa. »

II

BOSSU, BORGUE, BOITEUX

Toute ville au Moyen Âge, et, jusqu'à Louis XII, toute ville de France avait ses lieux d'asile. Ces lieux d'asile, au milieu du déluge de lois pénales et de juridictions barbares qui inondaient la cité, étaient des espèces d'îles qui s'élevaient au-dessus du niveau de la justice humaine. Tout criminel qui y abordait était sauvé. Il y avait dans une banlieue presque autant de lieux d'asile que de lieux patibulaires. C'était l'abus de l'impunité à côté de l'abus des supplices, deux choses mauvaises qui tâchaient de se corriger l'une par l'autre. Les palais du roi, les hôtels des princes, les églises surtout avaient droit d'asile. Quelquefois d'une ville tout entière qu'on avait besoin de repeupler on faisait temporairement un lieu de refuge. Louis XI fit Paris asile en 1467.

Une fois le pied dans l'asile, le criminel était sacré ; mais il fallait qu'il se gardât d'en sortir. Un pas hors du sanctuaire, il retombait dans le flot. La roue, le gibet, l'estrapade faisaient bonne garde à l'entour du lieu de refuge, et guettaient sans cesse leur proie comme les requins autour du vaisseau. On a vu des condamnés qui blanchissaient ainsi dans un cloître, sur l'escalier d'un palais, dans la culture d'une abbaye, sous un porche d'église ; de cette façon l'asile était une prison comme une autre. Il arrivait quelquefois qu'un arrêt solennel du parlement violait le refuge et restituait le condamné au bourreau ; mais la chose était rare. Les parlements s'effarouchaient des évêques, et, quand ces deux robes-là en venaient à se froisser, la simarre n'avait pas beau jeu avec la soutane. Parfois cependant, comme dans l'affaire des assassins de Petit-Jean, bourreau de Paris, et dans celle d'Émery Rousseau, meurtrier de Jean Valleret, la justice sautait par-dessus l'église et passait outre à l'exécution de ses sentences ; mais à moins d'un arrêt du parlement, malheur à qui violait à main armée un lieu d'asile ! On sait quelle fut la mort de Robert de Clermont, maréchal de France, et de Jean de Châlons, maréchal de Champagne ; et pourtant il ne s'agissait que d'un certain Perrin Marc, Larçon d'un changeur, un misérable assassin ; mais les deux maréchaux avaient brisé les portes de Saint-Méry. Là était l'énormité.

Il y avait autour des refuges un tel respect, qu'au dire de la tradition, il prenait parfois jusqu'aux animaux. Aymoin conte qu'un cerf, chassé par Dagobert, s'étant réfugié près du tombeau de saint Denys, la meute s'arrêta tout court en aboyant.

Les églises avaient d'ordinaire une logette préparée pour recevoir les suppliants. En 1407, Nicolas Flamel leur fit bâtir, sur les voûtes de Saint-Jacques-de-la-Boucherie, une chambre qui lui coûta quatre livres six sols seize deniers parisis.

A Notre-Dame, c'était une cellule établie sur les combles des bas côtés sous les arcs-boutants, en regard du cloître, précisément à l'endroit où la femme du concierge actuel des tours s'est pratiqué un jardin, qui est aux jardins suspendus de Babylone ce qu'une laitue est à un palmier, ce qu'une portière est à Sémiramis.

C'est là qu'après sa course effrénée et triomphale sur les tours et les galeries, Quasimodo avait déposé la Esmeralda. Tant que cette course avait duré, la jeune fille n'avait pu reprendre ses sens, à demi assoupie, à demi éveillée, ne sentant plus rien sinon qu'elle montait dans l'air, qu'elle y flottait, qu'elle y volait, que quelque chose l'enlevait au-dessus de la terre. De temps en temps, elle entendait le rire éclatant, la voix bruyante de Quasimodo à son oreille; elle entr'ouvrait ses yeux; alors au-dessous d'elle elle voyait confusément Paris marqueté de ses mille toits d'ardoisés et de tuiles comme une mosaïque rouge et bleue, au-dessus de sa tête la face effrayante et joyeuse de Quasimodo. Alors sa paupière retombait; elle croyait que tout était fini, qu'on l'avait exécutée pendant son évanouissement, et que le difforme esprit qui avait présidé à sa destinée l'avait reprise et l'emportait. Elle n'osait le regarder et se laissait aller.

Mais quand le sonneur de cloches échevelé et haletant l'eut déposée dans la cellule du refuge, quand elle sentit ses grosses mains détacher doucement la corde qui lui meurtrissait les bras, elle éprouva cette espèce de secousse qui réveille en sursaut les passagers d'un navire qui touche au milieu d'une nuit obscure. Ses pensées se réveillèrent aussi, et lui revinrent une à une. Elle vit qu'elle était dans Notre-Dame, elle se souvint d'avoir été arrachée des mains du bourreau, que Phœbus était vivant, que Phœbus ne l'aimait plus; et ces deux idées, dont l'une répandait tant d'amertume sur l'autre, se présentant ensemble à la pauvre condamnée, elle se tourna vers Quasimodo qui se tenait debout devant elle, et qui lui faisait peur. Elle lui dit : — Pourquoi m'avez-vous sauvée?

Il la regarda avec anxiété comme cherchant à deviner ce qu'elle lui disait. Elle répéta sa question. Alors il lui jeta un coup d'œil profondément triste, et s'enfuit.

Elle resta étonnée.

Quelques moments après il revint, apportant un paquet qu'il jeta à ses pieds. C'étaient des vêtements que des femmes charitables avait déposés pour elle au seuil de l'église. Alors elle abaissa ses yeux sur elle-même, se vit presque nue, et rougit. La vie revenait.

Quasimodo parut éprouver quelque chose de cette pudeur. Il voila son regard de sa large main et s'éloigna encore une fois, mais à pas lents.

Elle se hâta de se vêtir. C'était une robe blanche avec un voile blanc. Un habit de novice de l'Hôtel-Dieu.

Elle achevait à peine qu'elle vit revenir Quasimodo. Il portait un panier sous un bras et un matelas sous l'autre. Il y avait dans le panier une bouteille, du pain, et quelques provisions. Il posa le panier à terre, et dit : Mangez. — Il étendit le matelas sur la dalle, et dit : Dormez. — C'était son propre repas, c'était son propre lit que le sonneur de cloches avait été chercher.

L'égyptienne leva les yeux sur lui pour le remercier ; mais elle ne put articuler un mot. Le pauvre diable était vraiment horrible. Elle baissa la tête avec un tressaillement d'effroi.

Alors il lui dit : — Je vous fais peur. Je suis bien laid, n'est-ce pas ? Ne me regardez point. Écoutez-moi seulement. — Le jour, vous resterez ici ; la nuit, vous pouvez vous promener par toute l'église. Mais ne sortez de l'église ni jour ni nuit. Vous seriez perdue. On vous tuerait et je mourrais.

Émue, elle leva la tête pour lui répondre. Il avait disparu. Elle se retrouva seule, rêvant aux paroles singulières de cet être presque monstrueux, et frappée du son de sa voix qui était si rauque et pourtant si douce.

Puis, elle examina sa cellule. C'était une chambre de quelque six pieds carrés, avec une petite lucarne et une porte sur le plan légèrement incliné du toit en pierres plates. Plusieurs gouttières à figures d'animaux semblaient se pencher autour d'elle et tendre le cou pour la voir par la lucarne. Au bord de son toit, elle apercevait le haut de mille cheminées qui faisaient monter sous ses yeux les fumées de tous les feux de Paris. Triste spectacle pour la pauvre égyptienne, enfant trouvée, condamnée à mort, malheureuse créature, sans patrie, sans famille, sans foyer.

Au moment où la pensée de son isolement lui apparaissait ainsi, plus poignante que jamais, elle sentit une tête velue et barbue se glisser dans ses mains, sur ses genoux. Elle tressaillit (tout l'effrayait maintenant), et regarda. C'était la pauvre chèvre, l'agile Djali, qui s'était échappée à sa suite,

au moment où Quasimodo avait dispersé la brigade de Charmolue, et qui se répandait en caresses à ses pieds depuis près
d'une heure, sans pouvoir obtenir un regard. L'égyptienne la
couvrit de baisers. — Oh! Djali, disait-elle, comme je t'ai
oubliée! Tu songes donc toujours à moi! Oh! tu n'es pas
ingrate, toi! — En même temps, comme si une main invisible eut soulevé le poids qui comprimait ses larmes dans
son cœur depuis si longtemps, elle se mit a pleurer; et à
mesure que ses larmes coulaient, elle sentait s'en aller avec
elles ce qu'il y avait de plus âcre et de plus amer dans sa
douleur.

Le soir venu, elle trouva la nuit si belle, la lune si douce,
qu'elle fit le tour de la galerie élevée qui enveloppe l'église.
Elle en éprouva quelque soulagement, tant la terre lui parut
calme, vue de cette hauteur.

III

SOURD

Le lendemain matin, elle s'aperçut en s'éveillant qu'elle
avait dormi. Cette chose singulière l'étonna. Il y avait si
longtemps qu'elle était déshabituée du sommeil. Un joyeux
rayon du soleil levant entrait par sa lucarne et lui venait frapper le visage. En même temps que le soleil, elle vit à cette
lucarne un objet qui l'effraya, la malheureuse figure de Quasimodo. Involontairement elle referma les yeux, mais en
vain; elle croyait toujours voir à travers sa paupière rose ce
masque de gnome, borgne et brèche-dent. Alors, tenant toujours ses yeux fermés, elle entendit une rude voix qui disait
très doucement : — N'ayez pas peur. Je suis votre ami.
J'étais venu vous voir dormir. Cela ne vous fait pas de mal,
n'est-ce pas, que je vienne vous voir dormir? Qu'est-ce que
cela vous fait que je sois là quand vous avez les yeux fermés? Maintenant je vais m'en aller. Tenez, je me suis mis
derrière le mur. Vous pouvez rouvrir les yeux.

Il y avait quelque chose de plus plaintif encore que ces

paroles, c'était l'accent dont elles étaient prononcées. L'égyptienne touchée ouvrit les yeux. Il n'était plus en effet à la lucarne. Elle alla à cette lucarne, et vit le pauvre bossu blotti à un angle de mur, dans une attitude douloureuse et résignée. Elle fit un effort pour surmonter la répugnance qu'il lui inspirait. — Venez, lui dit-elle doucement. Au mouvement des lèvres de l'égyptienne, Quasimodo crut qu'elle le chassait ; alors il se leva et se retira en boitant lentement, la tête baissée, sans même oser lever sur la jeune fille son regard plein de désespoir. — Venez donc, cria-t-elle. Mais il continuait de s'éloigner. Alors elle se jeta hors de sa cellule, courut à lui, et lui prit le bras. En se sentant touché par elle, Quasimodo trembla de tous ses membres. Il releva son œil suppliant, et, voyant qu'elle le ramenait près d'elle, toute sa face rayonna de joie et de tendresse. Elle voulut le faire entrer dans sa cellule, mais il s'obstina à rester sur le seuil. — Non, non, dit-il, le hibou n'entre pas dans le nid de l'alouette.

Alors elle s'accroupit gracieusement sur sa couchette avec sa chèvre endormie à ses pieds. Tous deux restèrent quelques instants immobiles, considérant en silence, lui tant de grâce, elle tant de laideur. A chaque moment, elle découvrait en Quasimodo quelque difformité de plus. Son regard se promenait des genoux cagneux au dos bossu, du dos bossu à l'œil unique. Elle ne pouvait comprendre qu'un être si gauchement ébauché existât. Cependant il y avait sur tout cela tant de tristesse et de douceur répandues qu'elle commençait à s'y faire.

Il rompit le premier ce silence. — Vous me disiez donc de revenir ?

Elle fit un signe de tête affirmatif, en disant : — Oui.

Il comprit le signe de tête. — Hélas ! dit-il comme hésitant à achever, c'est que... je suis sourd.

— Pauvre homme ! s'écria la bohémienne avec une expression de bienveillante pitié.

Il se mit à sourire douloureusement. — Vous trouvez qu'il ne me manquait que cela, n'est-ce pas ? Oui, je suis sourd. C'est comme cela que je suis fait. C'est horrible, n'est-il pas vrai ? Vous êtes si belle, vous !

Il y avait dans l'accent du misérable un sentiment si profond de sa misère qu'elle n'eut pas la force de dire une parole. D'ailleurs il ne l'aurait pas entendue. Il poursuivit.

— Jamais je n'ai vu ma laideur comme à présent. Quand je me compare à vous, j'ai bien pitié de moi, pauvre malheureux monstre que je suis ! Je dois vous faire l'effet d'une bête, dites. — Vous, vous êtes un rayon de soleil, une goutte de rosée, un chant d'oiseau ! — Moi, je suis quelque chose d'affreux, ni homme, ni animal, un je ne sais quoi plus dur, plus foulé aux pieds et plus difforme qu'un caillou !

Alors il se mit à rire, et ce rire était ce qu'il y a de plus déchirant au monde. Il continua :

— Oui, je suis sourd. Mais vous me parlerez par gestes, par signes. J'ai un maître qui cause avec moi de cette façon. Et puis, je saurai bien vite votre volonté au mouvement de vos lèvres, à votre regard.

— Eh bien ! reprit-elle en souriant, dites-moi pourquoi vous m'avez sauvée.

Il la regarda attentivement tandis qu'elle parlait.

— J'ai compris, répondit-il. Vous me demandez pourquoi je vous ai sauvée. Vous avez oublié un misérable qui a tenté de vous enlever une nuit, un misérable à qui le lendemain même vous avez porté secours sur leur infâme pilori. Une goutte d'eau et un peu de pitié, voilà plus que je n'en paierai avec ma vie. Vous avez oublié ce misérable ; lui, il s'est souvenu.

Elle l'écoutait avec un attendrissement profond.

Une larme roulait dans l'œil du sonneur, mais elle n'en tomba pas. Il parut mettre une sorte de point d'honneur à la dévorer.

— Écoutez, reprit-il quand il ne craignit plus que cette larme s'échappât, nous avons là des tours bien hautes, un homme qui en tomberait serait mort avant de toucher le pavé ; quand il vous plaira que j'en tombe, vous n'aurez pas même un mot à dire, un coup d'œil suffira.

Alors il se leva. Cet être bizarre, si malheureuse que fût la bohémienne, éveillait encore quelque compassion en elle. Elle lui fit signe de rester.

— Non, non, dit-il. Je ne dois pas rester trop longtemps. Je ne suis pas à mon aise quand vous me regardez. C'est par pitié que vous ne détournez pas les yeux. Je vais quelque part d'où je vous verrai sans que vous me voyiez. Ce sera mieux.

Il tira de sa poche un petit sifflet de métal. — Tenez, dit-il, quand vous aurez besoin de moi, quand vous voudrez que je vienne, quand vous n'aurez pas trop d'horreur à me voir, vous sifflerez avec ceci. J'entends ce bruit-là.

Il déposa le sifflet à terre et s'enfuit.

IV

GRÈS ET CRISTAL

Les jours se succédèrent.

Le calme revenait peu à peu dans l'âme de la Esmeralda. L'excès de la douleur, comme l'excès de la joie, est une chose violente qui dure peu. Le cœur de l'homme ne peut rester longtemps dans une extrémité. La bohémienne avait tant souffert qu'il ne lui en restait plus que l'étonnement.

Avec la sécurité l'espérance lui était revenue. Elle était hors de la société, hors de la vie, mais elle sentait vaguement qu'il ne serait peut-être pas impossible d'y entrer. Elle était comme une morte qui tiendrait en réserve une clef de son tombeau.

Elle sentait s'éloigner d'elle peu à peu les images terribles qui l'avaient si longtemps obsédée. Tous les fantômes hideux, Pierrat Torterue, Jacques Charmolue, s'effaçaient dans son esprit, tous, le prêtre lui-même.

Et puis, Phœbus vivait, elle en était sûre, elle l'avait vu. La vie de Phœbus, c'était tout. Après la série de secousses fatales qui avaient tout fait écrouler en elle, elle n'avait retrouvé debout dans son âme qu'une chose, qu'un sentiment, son amour pour le capitaine. C'est que l'amour est comme un arbre, il pousse de lui-même, jette profondément ses racines dans tout notre être, et continue souvent de verdoyer sur un cœur en ruine.

Et ce qu'il y a d'inexplicable, c'est que plus cette passion est aveugle, plus elle est tenace. Elle n'est jamais plus solide que lorsqu'elle n'a pas de raison en elle.

Sans doute la Esmeralda ne songeait pas au capitaine sans

amertume. Sans doute il était affreux qu'il eût été trompé aussi lui, qu'il eût cru cette chose impossible, qu'il eût pu comprendre un coup de poignard venu de celle qui eût donné mille vies pour lui. Mais enfin, il ne fallait pas trop lui en vouloir : n'avait-elle pas avoué *son crime* ? n'avait-elle pas cédé, faible femme, à la torture ? Toute la faute était à elle. Elle aurait dû se laisser arracher les ongles plutôt qu'une telle parole. Enfin, qu'elle revit Phœbus une seule fois, une seule minute, il ne faudrait qu'un mot, qu'un regard pour le détromper, pour le ramener. Elle n'en doutait pas. Elle s'étourdissait aussi sur beaucoup de choses singulières, sur le hasard de la présence de Phoebus le jour de l'amende honorable, sur la jeune fille avec laquelle il était C'était sa sœur sans doute. Explication déraisonnable, mais dont elle se contentait, parce qu'elle avait besoin de croire que Phoebus l'aimait toujours et n'aimait qu'elle. Ne le lui avait-il pas juré ? Que lui fallait-il de plus, naïve et crédule qu'elle était ? Et puis, dans cette affaire, les apparences n'étaient-elles pas bien plutôt contre elle que contre lui ? Elle attendait donc. Elle espérait.

Ajoutons que l'église, cette vaste église qui l'enveloppait de toutes parts, qui la gardait, qui la sauvait, était elle-même un souverain calmant. Les lignes solennelles de cette architecture, l'attitude religieuse de tous les objets qui entouraient la jeune fille, les pensées pieuses et sereines qui se dégageaient, pour ainsi dire, de tous les pores de cette pierre, agissaient sur elle à son insu. L'édifice avait aussi des bruits d'une telle bénédiction et d'une telle majesté qu'ils assoupissaient cette âme malade. Le chant monotone des officiants, les réponses du peuple aux prêtres, quelques fois inarticulées, quelquefois tonnantes, l'harmonieux tressaillement des vitraux, l'orgue éclatant comme cent trompettes, les trois clochers bourdonnant comme des ruches de grosses abeilles, tout cet orchestre sur lequel bondissait une gamme gigantesque montant et descendant sans cesse d'une foule à un clocher, assourdissait sa mémoire, son imagination, sa douleur. Les cloches surtout la berçaient. C'était comme un magnétisme puissant que ces vastes appareils répandaient sur elle à larges flots.

Aussi chaque soleil levant la trouvait plus apaisée, respirant mieux, moins pâle. A mesure que ses plaies intérieures se fermaient, sa grâce et sa beauté refleurissaient sur son visage, mais plus recueillies et plus reposées. Son ancien caractère lui revenait aussi, quelque chose même de sa gaieté, sa jolie moue, son amour de sa chèvre, son goût de chanter, sa pudeur. Elle avait soin de s'habiller le matin dans l'angle de sa logette, de peur que quelque habitant des greniers voisins ne la vît par la lucarne.

Quand la pensée de Phœbus lui en laissait le temps, l'égyptienne songeait quelquefois à Quasimodo. C'était le seul lien, le seul rapport, la seule communication qui lui restât avec les hommes, avec les vivants. La malheureuse ! elle était plus hors du monde que Quasimodo ! Elle ne comprenait rien à l'étrange ami que le hasard lui avait donné. Souvent elle se reprochait de ne pas avoir une reconnaissance qui fermât les yeux, mais décidément elle ne pouvait s'accoutumer au pauvre sonneur. Il était trop laid.

Elle avait laissé à terre le sifflet qu'il lui avait donné. Cela n'empêcha pas Quasimodo de reparaître de temps en temps les premiers jours. Elle faisait son possible pour ne pas se détourner avec trop de répugnance quand il venait lui apporter le panier de provisions ou la cruche d'eau, mais il s'apercevait toujours du moindre mouvement de ce genre, et alors il s'en allait tristement.

Une fois, il survint au moment ou elle caressait Djali. Il resta quelques moments pensif devant ce groupe gracieux de la chèvre et de l'égyptienne. Enfin il dit en secouant sa tête lourde et mal faite : — Mon malheur, c'est que je ressemble encore trop à l'homme. Je voudrais être tout à fait une bête, comme cette chèvre.

Elle leva sur lui un regard étonné.

Il répondit à ce regard : — Oh ! je sais bien pourquoi. — Et il s'en alla.

Une autre fois, il se présenta à la porte de la cellule (ou il n'entrait jamais) au moment où la Esmeralda chantait une vieille ballade espagnole, dont elle ne comprenait pas les paroles, mais qui était restée dans son oreille parce que les bohémiennes l'en avaient bercée tout enfant. A la vue de cette vilaine figure qui survenait brusquement au milieu de sa chanson, la jeune fille s'interrompit avec un geste d'effroi involontaire. Le malheureux sonneur tomba à genoux sur le seuil de la porte et joignit d'un air suppliant ses grosses mains informes. — Oh! dit-il douloureusement, je vous en conjure, continuez et ne me chassez pas. — Elle ne voulut pas l'affliger, et, toute tremblante, reprit sa romance. Par degrés cependant son effroi se dissipa, et elle se laissa aller tout entière à l'impression de l'air mélancolique et traînant qu'elle chantait. Lui, était resté à genoux, les mains jointes, comme en prière, attentif, respirant à peine, son regard fixé sur les prunelles brillantes de la bohémienne. On eût dit qu'il entendait sa chanson dans ses yeux.

Une autre fois encore, il vint à elle d'un air gauche et timide. — Écoutez-moi, dit-il avec effort, j'ai quelque chose à vous dire. — Elle lui fit signe qu'elle l'écoutait. Alors il se mit à soupirer, entr'ouvrit ses lèvres, parut un moment prêt à parler, puis il la regarda, fit un mouvement de tête négatif et se retira lentement, son front dans la main, laissant l'égyptienne stupéfaite.

Parmi les personnages grotesques sculptés dans le mur, il y en avait un qu'il affectionnait particulièrement, et avec lequel il semblait souvent échanger des regards fraternels. Une fois l'égyptienne l'entendit qui lui disait : — Oh! que ne suis-je de pierre comme toi!

Un jour enfin, un matin, la Esmeralda s'était avancée jusqu'au bord du toit et regardait dans la place par-dessus la toiture aiguë de Saint-Jean-le-Rond. Quasimodo était là, derrière elle. Il se plaçait ainsi de lui-même, afin d'épargner le plus possible à la jeune fille le déplaisir de le voir. Tout à coup la bohémienne tressaillit, une larme et un éclair de joie brillèrent à la fois dans ses yeux, elle s'agenouilla au bord du toit et tendit ses bras avec angoisse vers la place en criant : Phœbus! viens! viens! un mot, un seul mot, au nom du ciel! Phœbus! Phœbus! — Sa voix, son visage, son geste, toute sa personne avaient l'expression déchirante d'un naufragé qui ait le signal de détresse au joyeux navire qui passe au loin dans un rayon de soleil à l'horizon.

Quasimodo se pencha sur la place, et vit que l'objet de cette tendre et délirante prière était un jeune homme, un capitaine, un beau cavalier tout reluisant d'armes et de parures, qui passait en caracolant au fond de la place, et saluait du panache une belle dame souriant à son balcon. Du reste, l'officier n'entendait pas la malheureuse qui l'appelait. Il était trop loin.

Mais le pauvre sourd entendait, lui. Un soupir profond souleva sa poitrine. Il se retourna. Son cœur était gonflé de toutes les larmes qu'il dévorait ; ses deux poings convulsifs se heurtèrent sur sa tête, et quand il les retira il avait à chaque main une poignée de cheveux roux.

L'égyptienne ne faisait aucune attention à lui. Il disait à voix basse en grinçant des dents : — Damnation ! Voilà donc comme il faut être ! il n'est besoin que d'être beau en dessus !

Cependant elle était restée à genoux et criait avec une agitation extraordinaire : — Oh ! le voilà qui descend de cheval ! — Il va entrer dans cette maison ! — Phœbus ! — Il ne m'entend pas ! — Phœbus ! — Que cette femme est méchante de lui parler en même temps que moi ! — Phœbus ! Phœbus !

Le sourd la regardait. Il comprenait cette pantomime. L'œil du pauvre sonneur se remplissait de larmes, mais il n'en laissait couler aucune. Tout à coup il la tira doucement par le bord de sa manche. Elle se retourna. Il avait pris un air tranquille. Il lui dit : — Voulez-vous que je vous l'aille chercher ?

Elle poussa un cri de joie. — Oh ! va ! allez ! cours ! vite ! ce capitaine ! ce capitaine ! amenez-le-moi ! je t'aimerai ! — Elle embrassait ses genoux. Il ne put s'empêcher de secouer la tête douloureusement. — Je vais vous l'amener, dit-il d'une voix faible. Puis il tourna la tête et se précipita à grands pas sous l'escalier, étouffé de sanglots.

Quand il arriva sur la place, il ne vit plus rien que le beau cheval attaché à la porte du logis Gondelaurier. Le capitaine venait d'y entrer.

Il leva son regard vers le toit de l'église. La Esmeralda y était toujours à la même place, dans la même posture. Il lui fit un triste signe de tête. Puis il s'adossa à l'une des bornes du porche Gondelaurier, déterminé à attendre que le capitaine sortît.

C'était, dans le logis Gondelaurier, un de ces jours de gala qui précèdent les noces. Quasimodo vit entrer beaucoup de monde et ne vit sortir personne. De temps en temps il regardait vers le toit. L'égyptienne ne bougeait pas plus que lui. Un palefrenier vint détacher le cheval, et le fit entrer à l'écurie du logis.

La journée entière se passa ainsi, Quasimodo sur la borne la Esmeralda sur le toit, Phœbus sans doute aux pieds de Fleur-de-Lys.

Enfin la nuit vint ; une nuit sans lune, une nuit obscure. Quasimodo eut beau fixer son regard sur la Esmeralda. Bientôt ce ne fut plus qu'une blancheur dans le crépuscule ; puis rien. Tout s'effaça, tout était noir.

Quasimodo vit s'illuminer du haut en bas de la façade les fenêtres du logis Gondelaurier. Il vit s'allumer l'une après l'autre les autres croisées de la place ; il les vit aussi s'éteindre jusqu'à la dernière. Car il resta toute la soirée à son poste. L'officier ne sortait pas. Quand les derniers passants furent rentrés chez eux, quand toutes les croisées des autres maisons furent éteintes, Quasimodo demeura tout à fait seul, tout à fait dans l'ombre. Il n'y avait pas alors de luminaire dans le Parvis de Notre-Dame.

Cependant les fenêtres du logis Gondelaurier étaient restées éclairées, même après minuit. Quasimodo immobile et attentif voyait passer sur les vitraux de mille couleurs une foule d'ombres vives et dansantes. S'il n'eût pas été sourd, à mesure que la rumeur de Paris endormi s'éteignait, il eût entendu de plus en plus distinctement, dans l'intérieur du logis Gondelaurier, un bruit de fête, de rires et de musiques.

Vers une heure du matin, les conviés commencèrent à se retirer. Quasimodo enveloppé de ténèbres les regardait tous passer sous le porche éclairé de flambeaux. Aucun n'était le capitaine.

Il était plein de pensées tristes. Par moments il regardait en l'air, comme ceux qui s'ennuient. De grands nuages noirs, lourds, déchirés, crevassés, pendaient comme des hamacs de crêpe sous le cintre étoilé de la nuit. On eût dit les toiles d'araignée de la voûte du ciel.

Dans un de ces moments, il vit tout à coup s'ouvrir mystérieusement la porte-fenêtre du balcon dont la balustrade de pierre se découpait au-dessus de sa tête. La frêle porte de vitre donna passage à deux personnes derrière lesquelles elle se referma sans bruit. C'était un homme et une femme. Ce ne fut pas sans peine que Quasimodo parvint à reconnaître dans l'homme le beau capitaine, dans la femme la jeune dame qu'il avait vue le matin souhaiter la bienvenue à l'officier, du haut de ce même balcon. La place était parfaitement obscure, et un double rideau cramoisi qui était retombé derrière la porte au moment où elle s'était refermée ne laissait guère arriver sur le balcon la lumière de l'appartement.

Le jeune homme et la jeune fille, autant qu'en pouvait juger notre sourd qui n'entendait pas une de leurs paroles, paraissaient s'abandonner à un fort tendre tête-à-tête. La jeune fille semblait avoir permis à l'officier de lui faire une ceinture de son bras, et résistait doucement à un baiser.

Quasimodo assistait d'en bas à cette scène d'autant plus gracieuse à voir qu'elle n'était pas faite pour être vue. Il contemplait ce bonheur, cette beauté avec amertume. Après tout, la nature n'était pas muette chez le pauvre diable, et sa colonne vertébrale, toute méchamment tordue qu'elle était, n'était pas moins frémissante qu'une autre. Il songeait à la misérable part que la providence lui avait faite, que la femme, l'amour, la volupté lui passeraient éternellement sous les yeux, et qu'il ne ferait jamais que voir la félicité des autres. Mais ce qui le déchirait le plus dans ce spectacle, ce qui mêlait de l'indignation à son dépit, c'était de penser à ce que devait souffrir l'égyptienne si elle voyait. Il est vrai que la nuit était bien noire, que la Esmeralda, si elle était restée à sa place (et il n'en doutait pas), était fort loin, et que c'était tout au plus s'il pouvait distinguer lui-même les amoureux du balcon. Cela le consolait.

Cependant leur entretien devenait de plus en plus animé, La jeune dame paraissait supplier l'officier de ne rien lui demander de plus. Quasimodo ne distinguait de tout cela que les belles mains jointes, les sourires mêlés de larmes, les regards levés aux étoiles de la jeune fille, les yeux du capitaine ardemment abaissés sur elle.

Heureusement, car la jeune fille commençait à ne plus lutter que faiblement, la porte du balcon se rouvrit subitement, une vieille dame parut, la belle sembla confuse, l'officier prit un air dépité, et tous trois rentrèrent.

Un moment après, un cheval piaffa sous le porche et le brillant officier, enveloppé de son manteau de nuit, passa rapidement devant Quasimodo.

Le sonneur lui laissa doubler l'angle de la rue, puis il se mit à courir après lui avec son agilité de singe, en criant : — Hé ! le capitaine !

Le capitaine s'arrêta.

— Que me veut ce maraud ? dit-il en avisant dans l'ombre cette espèce de figure déhanchée qui accourait vers lui en cahotant.

Quasimodo cependant était arrivé à lui, et avait pris hardiment la bride de son cheval : — Suivez-moi, capitaine, il y a ici quelqu'un qui veut vous parler.

— Cornemahom ! grommela Phœbus, voilà un vilain oiseau ébouriffé qu'il me semble avoir vu quelque part. — Holà ! maître, veux-tu bien laisser là bride de mon cheval ?

— Capitaine, répondit le sourd, ne me demandez-vous pas qui ?

— Je te dis de lâcher mon cheval, repartit Phœbus impatienté. Que veut ce drôle qui se pend au chanfrein de mon destrier ? Est-ce que tu prends mon cheval pour une potence ?

Quasimodo, loin de quitter la bride du cheval, se disposait à lui faire rebrousser chemin. Ne pouvant s'expliquer la résistance du capitaine, il se hâta de lui dire : — Venez, capitaine, c'est une femme qui vous attend. Il ajouta avec effort : — Une femme qui vous aime.

— Rare faquin ! dit le capitaine, qui me croit obligé d'aller chez toutes les femmes qui m'aiment ! ou qui le disent ! — Et si par hasard elle te ressemble, face de chat-huant ? — Dis à celle qui t'envoie que je vais me marier, et qu'elle aille au diable !

— Écoutez, s'écria Quasimodo croyant vaincre d'un mot son hésitation, venez, monseigneur ! c'est l'égyptienne que vous savez !

Ce mot fit en effet une grande impression sur Phœbus, mais non celle que le sourd en attendait. On se rappelle que notre galant officier s'était retiré avec Fleur-de-Lys quelques moments avant que Quasimodo sauvât la condamnée des mains de Charmolue. Depuis, dans toutes ses visites au logis Gondelaurier, il s'était bien gardé de reparler de cette femme dont le souvenir, après tout, lui était pénible ; et de son côté Fleur-de-Lys n'avait pas jugé politique de lui dire que l'égyptienne vivait. Phœbus croyait donc la pauvre *Similar* morte, et qu'il y avait déjà un ou deux mois de cela. Ajoutons que depuis quelques instants le capitaine songeait à l'obscurité profonde de la nuit, à la laideur surnaturelle, à la voix sépulcrale de l'étrange messager, que minuit était passé, que la rue était déserte comme le soir où le moine-bourru l'avait accosté, et que son cheval soufflait en regardant Quasimodo.

— L'égyptienne! s'écria-t-il presque effrayée. Or çà, viens-tu de l'autre monde?

Et il mit sa main sur la poignée de sa dague.

— Vite, vite, dit le sourd cherchant à entraîner le cheval. Par ici!

Phœbus lui assena un vigoureux coup de botte dans la poitrine.

L'œil de Quasimodo étincela. Il fit un mouvement pour se jeter sur le capitaine. Puis il lui dit en se roidissant : — Oh! que vous êtes heureux qu'il y ait quelqu'un qui vous aime!

Il appuya sur le mot *quelqu'un,* et lâchant la bride du cheval : — Allez-vous-en!

Phœbus piqua des deux en jurant. Quasimodo le regarda s'enfoncer dans le brouillard de la rue. — Oh! disait tout bas le pauvre sourd, refuser cela!

Il rentra dans Notre-Dame, alluma sa lampe et remonta dans la tour. Comme il l'avait pensé, la bohémienne était toujours à la même place.

Du plus loin qu'elle l'aperçut, elle courut à lui. — Seul! s'écria-t-elle en joignant douloureusement ses belles mains.

— Je n'ai pu le retrouver, dit froidement Quasimodo.

— Il fallait l'attendre toute la nuit! reprit-elle avec emportement.

Il vit son geste de colère et comprit le reproche. — Je le guetterai mieux une autre fois, dit-il en baissant la tête.

— Va-t'en! lui dit-elle.

Il la quitta. Elle était mécontente de lui. Il avait mieux aimé être maltraité par elle que de l'affliger. Il avait gardé toute la douleur pour lui.

A dater de ce jour, l'égyptienne ne le vit plus. Il cessa de venir à sa cellule. Tout au plus entrevoyait-elle quelquefois au sommet d'une tour la figure du sonneur mélancoliquement fixée sur elle. Mais dès qu'elle l'apercevait, il disparaissait.

Nous devons dire qu'elle était peu affligée de cette absence volontaire du pauvre bossu. Au fond du cœur, elle lui en savait gré. Au reste, Quasimodo ne se faisait pas illusion à cet égard.

Elle ne le voyait plus, mais elle sentait la présence d'un bon génie autour d'elle. Ses provisions étaient renouvelées par une main invisible pendant son sommeil. Un matin, elle trouva sur sa fenêtre une cage d'oiseaux. Il y avait au-dessus de sa cellule une sculpture qui lui faisait peur. Elle l'avait témoigné plus d'une fois devant Quasimodo. Un matin (car toutes ces choses-là se faisaient la nuit), elle ne la vit plus. On l'avait brisée. Celui qui avait grimpé jusqu'à cette sculpture avait dû risquer sa vie.

Quelquefois, le soir, elle entendait une voix cachée sous les abat-vent du clocher chanter comme pour l'endormir une chanson triste et bizarre. C'étaient des vers sans rime, comme un sourd en peut faire.

Ne regarde pas la figure,
Jeune fille, regarde le cœur.
Le cœur d'un beau jeune homme est souvent difforme.
Il y a des cœurs où l'amour ne se conserve pas.

Jeune fille, le sapin n'est pas beau,
N'est pas beau comme le peuplier,
Mais il garde son feuillage l'hiver.
Hélas ! à quoi bon dire cela ?
Ce qui n'est pas beau a tort d'être ;
La beauté n'aime que la beauté,
Avril tourne le dos à janvier.

La beauté est parfaite,
La beauté peut tout,
La beauté est la seule chose qui n'existe pas à demi.

Le corbeau ne vole que le jour,
Le hibou ne vole que la nuit,
Le cygne vole la nuit et le jour.

Un matin, elle vit, en s'éveillant, sur sa fenêtre, deux vases pleins de fleurs. L'un était un vase de cristal fort beau et fort brillant, mais fêlé. Il avait laissé fuir l'eau dont on l'avait rempli, et les fleurs qu'il contenait étaient fanées. L'autre était un pot de grès, grossier et commun, mais qui avait conservé toute son eau, et dont les fleurs étaient restées fraîches et vermeilles.

Je ne sais pas si ce fut avec intention, mais la Esmeralda prit le bouquet fané, et le porta tout le jour sur son sein.

Ce jour-là, elle n'entendit pas la voix de la tour chanter.

Elle s'en soucia médiocrement. Elle passait ses journées à caresser Djali, à épier la porte du logis Gondelaurier, à s'entretenir tout bas de Phœbus, et à émietter son pain aux hirondelles.

Elle avait du reste tout à fait cessé de voir, cessé d'entendre Quasimodo. Le pauvre sonneur semblait avoir disparu de l'église. Une nuit pourtant, comme elle ne dormait pas et songeait à son beau capitaine, elle entendit soupirer près de sa cellule. Effrayée, elle se leva, et vit à la lumière de la lune une masse informe couchée en travers devant sa porte. C'était Quasimodo qui dormait là sur une pierre.

V

LA CLEF DE LA PORTE-ROUGE

Cependant la voix publique avait fait connaître à l'archidiacre de quelle manière miraculeuse l'égyptienne avait été sauvée. Quand il apprit cela, il ne sut ce qu'il en éprouvait. Il s'était arrangé de la mort de la Esmeralda. De cette façon il était tranquille, il avait touché le fond de la douleur possible. Le cœur humain (dom Claude avait médité sur ces matières) ne peut contenir qu'une certaine quantité de désespoir. Quand l'éponge est imbibée, la mer peut passer dessus sans y faire entrer une larme de plus.

Or, la Esmeralda morte, l'éponge était imbibée, tout était dit pour dom Claude sur cette terre. Mais la sentir vivante, et Phœbus aussi, c'étaient les tortures qui recommençaient, les secousses, les alternatives, la vie. Et Claude était las de tout cela.

Quand il sut cette nouvelle, il s'enferma dans sa cellule du cloître. Il ne parut ni aux conférences capitulaires, ni aux offices. Il ferma sa porte à tous, même à l'évêque. Il resta muré de cette sorte plusieurs semaines. On le crut malade. Il l'était en effet.

Que faisait-il ainsi enfermé ? Sous quelles pensées l'infor-

tuné se débattait-il ? Livrait-il une dernière lutte à sa redoutable passion ? Combinait-il un dernier plan de mort pour
elle et de perdition pour lui ?

Son Jehan, son frère chéri, son enfant gâté, vint une fois à
sa porte, frappa, jura, supplia, se nomma dix fois. Claude
n'ouvrit pas.

Il passait des journées entières la face collée aux vitres de
sa fenêtre. De cette fenêtre, située dans le cloître, il voyait la
logette de la Esmeralda, il la voyait souvent elle-même avec
sa chèvre, quelquefois avec Quasimodo. Il remarquait les
petits soins du vilain sourd, ses obéissances, ses façons délicates et soumises avec l'égyptienne. Il se rappelait, car il
avait bonne mémoire, lui, et la mémoire est la tourmenteuse
des jaloux, il se rappelait le regard singulier du sonneur sur
la danseuse un certain soir. Il se demandait quel motif avait
pu pousser Quasimodo à la sauver. Il fut témoin de mille
petites scènes entre la bohémienne et le sourd dont la pantomime, vue de loin et commentée par sa passion, lui parut
fort tendre. Il se défiait de la singularité des femmes. Alors il
sentit confusément s'éveiller en lui une jalousie à laquelle il
ne se fût jamais attendu, une jalousie qui le faisait rougir de
honte et d'indignation. — Passe encore pour le capitaine,
mais celui-ci ! — Cette pensée le bouleversait.

Ses nuits étaient affreuses. Depuis qu'il savait l'égyptienne vivante, les froides idées de spectre et de tombe qui
l'avaient obsédé un jour entier s'étaient évanouies, et la
chair revenait l'aiguillonner. Il se tordait sur son lit de sentir
la brune jeune fille si près de lui.

Chaque nuit, son imagination délirante lui représentait la
Esmeralda dans toutes les attitudes qui avaient le plus fait
bouillir ses veines. Il la voyait étendue sur le capitaine poignardé, les yeux fermés, sa belle gorge nue couverte du sang
de Phœbus, à ce moment de délice où l'archidiacre avait
imprimé sur ses lèvres pâles ce baiser dont la malheureuse,
quoique à demi morte, avait senti la brûlure. Il la revoyait
déshabillée par les mains sauvages des tortionnaires, laissant
mettre à nu et emboîter dans le brodequin aux vis de fer son
petit pied, sa jambe fine et ronde, son genou souple et blanc.
Il revoyait encore ce genou d'ivoire resté seul en dehors de
l'horrible appareil de Torterue. Il se figurait enfin la jeune
fille en chemise, la corde au cou, épaules nues, pieds nus,

presque nue, comme il l'avait vue le dernier jour. Ces images de volupté faisaient crisper ses poings et courir un frisson le long de ses vertèbres.

Une nuit entre autres, elles échauffèrent si cruellement dans ses artères son sang de vierge et de prêtre qu'il mordit son oreiller, sauta hors de son lit, jeta un surplis sur sa chemise, et sortit de sa cellule, sa lampe à la main, à demi nu, effaré, l'œil en feu.

Il savait où trouver la clef de la Porte-Rouge qui communiquait du cloître à l'église, et il avait toujours sur lui, comme on sait, une clef de l'escalier des tours.

VI

SUITE DE LA CLEF
DE LA PORTE-ROUGE

Cette nuit-là, la Esmeralda s'était endormie dans sa logette, pleine d'oubli, d'espérance et de douces pensées. Elle dormait depuis quelque temps, rêvant, comme toujours, de Phœbus, lorsqu'il lui sembla entendre du bruit autour d'elle. Elle avait un sommeil léger et inquiet, un sommeil d'oiseau. Un rien la réveillait. Elle ouvrit les yeux. La nuit était très noire. Cependant elle vit à sa lucarne une figure qui la regardait. Il y avait une lampe qui éclairait cette apparition. Au moment où elle se vit aperçue de la Esmeralda, cette figure souffla la lampe. Néanmoins la jeune fille avait eu le temps de l'entrevoir. Ses paupières se refermèrent de terreur. — Oh! dit-elle d'une voix éteinte, le prêtre!

Tout son malheur passé lui revint comme dans un éclair. Elle retomba sur son lit, glacée.

Un moment après, elle sentit le long de son corps un contact qui la fit tellement frémir qu'elle se dressa réveillée et furieuse sur son séant.

Le prêtre venait de se glisser près d'elle. Il l'entourait de ses deux bras.

Elle voulut crier, et ne put.

— Va-t'en, monstre ! va-t'en, assassin ! dit-elle d'une voix tremblante et basse à force de colère et d'épouvante.

— Grâce ! grâce ! murmura le prêtre en lui imprimant ses lèvres sur les épaules.

Elle lui prit sa tête chauve à deux mains par son reste de cheveux, et s'efforça d'éloigner ses baisers comme si c'eût été des morsures.

— Grâce ! répétait l'infortuné. Si tu savais ce que c'est que mon amour pour toi ! c'est du feu, du plomb fondu, mille couteaux dans mon cœur !

Et il arrêta ses deux bras avec une force surhumaine. Éperdue : — Lâche-moi, lui dit-elle, ou je te crache au visage !

Il la lâcha. — Avilis-moi, frappe-moi, sois méchante ! fais ce que tu voudras ! Mais grâce ! aime-moi !

Alors elle le frappa avec une fureur d'enfant. Elle raidissait ses belles mains pour lui meurtrir la face. — Va-t'en, démon !

— Aime-moi ! aime-moi ! pitié ! criait le pauvre prêtre en se roulant sur elle et en répondant à ses coups par des caresses.

Tout à coup, elle le sentit plus fort qu'elle. — Il faut en finir ! dit-il en grinçant des dents.

Elle était subjuguée, palpitante, brisée, entre ses bras, à sa discrétion. Elle sentait une main lascive s'égarer sur elle. Elle fit un dernier effort, et se mit à crier : — Au secours ! à moi ! un vampire ! un vampire !

Rien ne venait. Djali seule était éveillée, et bêlait avec angoisse.

— Tais-toi ! disait le prêtre haletant.

Tout à coup, en se débattant, en rampant sur le sol, la main de l'égyptienne rencontra quelque chose de froid et de métallique. C'était le sifflet de Quasimodo. Elle le saisit avec une convulsion d'espérance, le porta à ses lèvres, et y siffla de tout ce qui lui restait de force. Le sifflet rendit un son clair, aigu, perçant.

— Qu'est-ce que cela ? dit le prêtre.

Presque au même instant il se sentit enlever par un bras vigoureux ; la cellule était sombre, il ne put distinguer nettement qui le tenait ainsi ; mais il entendit des dents claquer de rage, et il y avait juste assez de lumière éparse dans l'ombre pour qu'il vît briller au-dessus de sa tête une large lame de coutelas.

Le prêtre crut apercevoir la forme de Quasimodo. Il supposa que ce ne pouvait être que lui. Il se souvint d'avoir trébuché en entrant contre un paquet qui était étendu en travers de la porte en dehors. Cependant, comme le nouveau venu ne proférait pas une parole, il ne savait que croire. Il se jeta sur le bras qui tenait le coutelas en criant : — Quasimodo ! Il oubliait, en ce moment de détresse, que Quasimodo était sourd.

En un clin d'œil le prêtre fut terrassé, et sentit un genou de plomb s'appuyer sur sa poitrine. A l'empreinte anguleuse de ce genou, il reconnut Quasimodo. Mais que faire ? comment de son côté être reconnu de lui ? la nuit faisait le sourd aveugle.

Il était perdu. La jeune fille, sans pitié, comme une tigresse irritée, n'intervenait pas pour le sauver. Le coutelas se rapprochait de sa tête. Le moment était critique. Tout à coup son adversaire parut pris d'une hésitation. — Pas de sang sur elle ! dit-il d'une voix sourde.

C'était en effet la voix de Quasimodo.

Alors le prêtre sentit la grosse main qui le traînait par le pied hors de la cellule. C'est là qu'il devait mourir. Heureusement pour lui, la lune venait de se lever depuis quelques instants.

Quand ils eurent franchi la porte de la logette, son pâle rayon tomba sur la figure du prêtre. Quasimodo le regarda en face, un tremblement le prit, il lâcha le prêtre, et recula.

L'égyptienne, qui s'était avancée sur le seuil de la cellule, vit avec surprise les rôles changer brusquement. C'était maintenant le prêtre qui menaçait, Quasimodo qui suppliait.

Le prêtre, qui accablait le sourd de gestes de colère et de reproche, lui fit violemment signe de se retirer.

Le sourd baissa la tête, puis il vint se mettre à genoux devant la porte de l'égyptienne. — Monseigneur, dit-il d'une voix grave et résignée, vous ferez après ce qu'il vous plaira ; mais tuez-moi d'abord.

En parlant ainsi, il présentait au prêtre son coutelas. Le prêtre hors de lui se jeta dessus, mais la jeune fille fut plus prompte que lui. Elle arracha le couteau des mains de Quasimodo, et éclata de rire avec fureur. — Approche ! dit-elle au prêtre.

Elle tenait la lame haute. Le prêtre demeura indécis. Elle eût certainement frappé. — Tu n'oserais plus approcher, lâche ! lui cria-t-elle. Puis elle ajouta avec une expression impitoyable, et sachant bien qu'elle allait percer de mille fers rouges le cœur du prêtre : — Ah ! je sais que Phœbus n'est pas mort !

Le prêtre renversa Quasimodo à terre d'un coup de pied, et se replongea en frémissant de rage sous la voûte de l'escalier.

Quand il fut parti, Quasimodo ramassa le sifflet qui venait de sauver l'égyptienne. — Il se rouillait, dit-il en le lui rendant. Puis il la laissa seule.

La jeune fille, bouleversée par cette scène violente, tomba épuisée sur son lit, et se mit à pleurer à sanglots. Son horizon redevenait sinistre.

De son côté, le prêtre était rentré à tâtons dans sa cellule.

C'en était fait. Dom Claude était jaloux de Quasimodo !

Il répéta d'un air pensif sa fatale parole : Personne ne l'aura !

LIVRE DIXIÈME

I

GRINGOIRE À PLUSIEURS
BONNES IDÉES DE SUITE
RUE DES BERNARDINS

Depuis que Pierre Gringoire avait vu comment toute cette affaire tournait, et que décidément il y aurait corde, pendaison et autres désagréments pour les personnages principaux de cette comédie, il ne s'était plus soucié de s'en mêler. Les truands, parmi lesquels il était resté considérant qu'en dernier résultat c'était la meilleure compagnie de Paris, les truands avaient continué de s'intéresser à l'égyptienne. Il avait trouvé cela fort simple de la part de gens qui n'avaient, comme elle, d'autre perspective que Charmolue et Torterue, et qui ne chevauchaient pas comme lui dans les régions imaginaires entre les deux ailes de Pegasus. Il avait appris par leurs propos que son épousée au pot cassé s'était réfugiée dans Notre-Dame, et il en était bien aise. Mais il n'avait pas même la tentation d'y aller voir. Il songeait quelquefois à la petite chèvre, et c'était tout. Du reste, le jour il faisait des tours de force pour vivre, et la nuit il élucubrait un mémoire contre l'évêque de Paris, car il se souvenait d'avoir été inondé par les roues de ses moulins, et il lui en gardait rancune. Il s'occupait aussi de commenter le bel ouvrage de Baudry le Rouge, évêque de Noyon et de Tournay, *de Cupa Petrarum*, ce qui lui avait donné un goût violent pour l'architecture ; penchant qui avait remplacé dans son cœur sa passion pour l'hermétisme, dont il n'était d'ailleurs qu'un corollaire naturel, puisqu'il y a un lien intime entre l'hermétique et la maçonnerie. Gringoire avait passé de l'amour d'une idée à l'amour de la forme de cette idée.

Un jour, il s'était arrêté près de Saint-Germain-l'Auxerrois à l'angle d'un logis qu'on appelait *le For-l'Évêque,* lequel faisait face à un autre qu'on appelait *le For-le-Roi.* Il y avait à ce For-l'Évêque une charmante chapelle du quatorzième siècle dont le chevet donnait sur la rue. Gringoire en examinait dévotement les sculptures extérieures. Il était dans un de ces moments de jouissance égoïste, exclusive, suprême, où l'artiste ne voit dans le monde que l'art et voit le monde dans l'art. Tout à coup, il sent une main se poser gravement sur son épaule. Il se retourne. C'était son ancien ami, son ancien maître, Monsieur l'archidiacre.

Il resta stupéfait. Il y avait longtemps qu'il n'avait vu l'archidiacre, et dom Claude était un de ces hommes solennels et passionnés dont la rencontre dérange toujours l'équilibre d'un philosophe sceptique.

L'archidiacre garda quelques instants un silence pendant lequel Gringoire eut le loisir de l'observer. Il trouva dom Claude bien changé, pâle comme un matin d'hiver, les yeux caves, les cheveux presque blancs. Ce fut le prêtre qui rompit enfin le silence en disant d'un ton tranquille, mais glacial : — Comment vous portez-vous, maître Pierre ?

— Ma santé ? répondit Gringoire. Hé ! hé ! on en peut dire ceci et cela. Toutefois l'ensemble est bon. Je ne prends trop de rien. Vous savez, maître ? le secret de se bien porter, selon Hippocrates, *id est : cibi, potus, somni, Venus, omnia moderata sint.*

— Vous n'avez donc aucun souci, maître Pierre ? reprit l'archidiacre en regardant fixement Gringoire.

— Ma foi, non.

— Et que faites-vous maintenant ?

— Vous le voyez, mon maître. J'examine la coupe de ces pierres, et la façon dont est fouillé ce bas-relief.

Le prêtre se mit à sourire, de ce sourire amer qui ne relève qu'une des extrémités de la bouche. — Et cela vous amuse ?

— C'est le paradis ! s'écria Gringoire. Et se penchant sur les sculptures avec la mine éblouie d'un démonstrateur de phénomènes vivants : Est-ce donc que vous ne trouvez pas, par exemple, cette métamorphose de basse-taille exécutée avec beaucoup d'adresse, de mignardise et de patience ? Regardez cette colonnette. Autour de quel chapiteau avez-vous vu feuilles plus tendres et mieux caressées du ciseau ? Voici trois rondes-bosses de Jean Maillevin. Ce ne sont pas les plus belles œuvres de ce grand génie. Néanmoins, la naïveté, la douceur des visages, la gaieté des attitudes et des draperies, et cet agrément inexplicable qui se mêle dans tous les défauts, rendent les figurines bien égayées et bien délicates, peut-être même trop. — Vous trouvez que ce n'est pas divertissant ?

— Si fait ! dit le prêtre.

— Et si vous voyiez l'intérieur de la chapelle ! reprit le poète avec son enthousiasme bavard. Partout des sculptures. C'est touffu comme un cœur de chou ! L'abside est d'une façon fort dévote et si particulière que je n'ai rien vu de même ailleurs !

Dom Claude l'interrompit : — Vous êtes donc heureux ?

Gringoire répondit avec feu :

— En honneur, oui ! J'ai d'abord aimé des femmes, puis des bêtes. Maintenant j'aime des pierres. C'est tout aussi amusant que les bêtes et les femmes, et c'est moins perfide.

Le prêtre mit sa main sur son front. C'était son geste habituel. — En vérité !

— Tenez ! dit Gringoire, on a des jouissances ! — Il prit le bras du prêtre qui se laissait aller, et le fit entrer sous la tourelle de l'escalier du For-l'Évêque. — Voilà un escalier ! chaque fois que je le vois, je suis heureux. C'est le degré de la manière la plus simple et la plus rare de Paris. Toutes les marches sont par-dessous délardées. Sa beauté et sa simplicité consistent dans les girons de l'une et de l'autre, portant un pied ou environ, qui sont entrelacés, enclavés, emboîtés, enchaînés, enchâssés, entretaillés l'un dans l'autre, et s'entre-mordent d'une façon vraiment ferme et gentille !

— Et vous ne désirez rien ?

— Non.

— Et vous ne regrettez rien ?

— Ni regret ni désir. J'ai arrangé ma vie.

— Ce qu'arrangent les hommes, dit Claude, les choses le dérangent.

— Je suis un philosophe pyrrhonien, répondit Gringoire, et je tiens tout en équilibre.

— Et comment la gagnez-vous, votre vie ?

— Je fais encore çà et là des épopées et des tragédies ; mais ce qui me rapporte le plus, c'est l'industrie que vous me connaissez, mon maître. Porter des pyramides de chaises sur mes dents.

— Le métier est grossier pour un philosophe.

— C'est encore de l'équilibre, dit Gringoire. Quand on a une pensée, on la retrouve en tout.

— Je le sais, répondit l'archidiacre.

Après un silence, le prêtre reprit : — Vous êtes néanmoins assez misérable ?

— Misérable, oui ; malheureux, non.

En ce moment, un bruit de chevaux se fit entendre, et nos deux interlocuteurs virent défiler au bout de la rue une compagnie des archers de l'ordonnance du roi, les lances hautes, l'officier en tête. La cavalcade était brillante et résonnait sur le pavé.

— Comme vous regardez cet officier ! dit Gringoire à l'archidiacre.

— C'est que je crois le connaître.

— Comment le nommez-vous ?

— Je crois, dit Claude, qu'il s'appelle Phœbus de Châteaupers.

— Phœbus ! un nom de curiosité ! Il y a aussi Phœbus, comte de Foix. J'ai souvenir d'avoir connu une fille qui ne jurait que par Phœbus.

— Venez-vous-en, dit le prêtre. J'ai quelque chose à vous dire.

Depuis le passage de cette troupe, quelque agitation perçait sous l'enveloppe glaciale de l'archidiacre. Il se mit à marcher. Gringoire le suivait, habitué à lui obéir, comme tout ce qui avait approché une fois cet homme plein d'ascendant Ils arrivèrent en silence jusqu'à la rue des Bernardins qui était assez déserte. Dom Claude s'y arrêta.

— Qu'avez-vous à me dire, mon maître ? lui demanda Gringoire.

— Est-ce que vous ne trouvez pas, répondit l'archidiacre d'un air de profonde réflexion, que l'habit de ces cavaliers que nous venons de voir est plus beau que le vôtre et que le mien ?

Gringoire hocha la tête. — Ma foi ! j'aime mieux ma gonelle jaune et rouge que ces écailles de fer et d'acier. Beau plaisir, de faire en marchant le même bruit que le quai de la Ferraille par un tremblement de terre !

— Donc, Gringoire, vous n'avez jamais porté envie à ces beaux fils en hoquetons de guerre ?

— Envie de quoi, monsieur l'archidiacre ? de leur force, de leur armure, de leur discipline ? Mieux valent la philosophie et l'indépendance en guenilles. J'aime mieux être tête de mouche que queue de lion.

— Cela est singulier, dit le prêtre rêveur. Une belle livrée est pourtant belle.

Gringoire, le voyant pensif, le quitta pour aller admirer le porche d'une maison voisine. Il revint en frappant des mains. — Si vous étiez moins occupé des beaux habits des gens de guerre, monsieur l'archidiacre, je vous prierais d'aller voir cette porte. Je l'ai toujours dit, la maison du sieur Aubry a une entrée la plus superbe du monde.

— Pierre Gringoire, dit l'archidiacre, qu'avez-vous fait de cette petite danseuse égyptienne ?

— La Esmeralda ? Vous changez bien brusquement de conversation.

— N'était-elle pas votre femme ?

— Oui, au moyen d'une cruche cassée. Nous en avions pour quatre ans. — A propos, ajouta Gringoire en regardant l'archidiacre d'un air à demi goguenard, vous y pensez donc toujours ?

— Et vous, vous n'y pensez plus ?

— Peu. — J'ai tant de choses !... Mon Dieu, que la petite chèvre était jolie !

— Cette bohémienne ne vous avait-elle pas sauvé la vie ?

— C'est pardieu vrai.

— Eh bien ! qu'est-elle devenue ? qu'en avez-vous fait ?

— Je ne vous dirai pas. Je crois qu'ils l'ont pendue.

— Vous croyez ?

— Je ne suis pas sûr. Quand j'ai vu qu'ils voulaient pendre les gens, je me suis retiré du jeu.

— C'est là tout ce que vous en savez ?

— Attendez donc. On m'a dit qu'elle s'était réfugiée dans Notre-Dame, et qu'elle y était en sûreté, et j'en suis ravi, et je n'ai pu découvrir si la chèvre s'était sauvée avec elle, et c'est tout ce que j'en sais.

— Je vais vous en apprendre davantage, cria dom Claude, et sa voix, jusqu'alors basse, lente et presque sourde, était devenue tonnante. Elle est en effet réfugiée dans Notre-Dame. Mais dans trois jours la justice l'y reprendra, et elle sera pendue en Grève. Il y a arrêt du parlement.

— Voilà qui est fâcheux, dit Gringoire.

Le prêtre, en un clin d'œil, était redevenu froid et calme.

— Et qui diable, reprit le poète, s'est donc amusé à solliciter un arrêt de réintégration ? Est-ce qu'on ne pouvait pas laisser le parlement tranquille ? Qu'est-ce que cela fait qu'une pauvre fille s'abrite sous les arcs-boutants de Notre-Dame à côté des nids d'hirondelle ?

— Il y a des satans dans le monde, répondit l'archidiacre.

— Cela est diablement mal emmanché, observa Gringoire.

L'archidiacre reprit après un silence : — Donc, elle vous a sauvé la vie ?

— Chez mes bons amis les truandiers. Un peu plus, un peu moins, j'étais pendu. Ils en seraient fâchés aujourd'hui.

— Est-ce que vous ne voulez rien faire pour elle ?

— Je ne demande pas mieux, dom Claude. Mais si je vais m'entortiller une vilaine affaire autour du corps ?

— Qu'importe !

— Bah ! qu'importe ! Vous êtes bon, vous, mon maître ! J'ai deux grands ouvrages commencés.

Le prêtre se frappa le front. Malgré le calme qu'il affectait, de temps en temps un geste violent révélait ses convulsions intérieures. — Comment la sauver ?

Gringoire lui dit : — Mon maître, je vous répondrai : *Il padelt*, ce qui veut dire en turc : *Dieu est notre espérance.*

— Comment la sauver ? répéta Claude rêveur.

Gringoire à son tour se frappa le front.

— Écoutez, mon maître. J'ai de l'imagination. Je vais vous trouver des expédients. — Si on demandait la grâce au roi ?

— A Louis XI ? une grâce ?

— Pourquoi pas ?

— Va prendre son os au tigre !

Gringoire se mit à chercher de nouvelles solutions.

— Eh bien ! tenez ! — Voulez-vous que j'adresse aux matrones une requête avec déclaration que la fille est enceinte.

Cela fit étinceler la creuse prunelle du prêtre.

— Enceinte! drôle! est-ce que tu en sais quelque chose?

Gringoire fut effrayé de son air. Il se hâta de dire : — Oh! non pas moi! Notre mariage était un vrai *forismaritagium*. Je suis resté dehors. Mais enfin on obtiendrait un sursis.

— Folie! infamie! tais-toi!

— Vous avez tort de vous fâcher, grommela Gringoire. On obtient un sursis, cela ne fait de mal à personne, et cela fait gagner quarante deniers parisis aux matrones, qui sont de pauvres femmes.

Le prêtre ne l'écoutait pas. — Il faut pourtant qu'elle sorte de là! murmura-t-il. L'arrêt est exécutoire sous trois jours! D'ailleurs, il n'y aurait pas d'arrêt, ce Quasimodo! Les femmes ont des goûts bien dépravés! Il haussa la voix : — Maître Pierre, j'y ai bien réfléchi, il n'y a qu'un moyen de salut pour elle.

— Lequel? moi, je n'en vois plus.

— Écoutez, maître Pierre, souvenez-vous que vous lui devez la vie. Je vais vous dire franchement mon idée. L'église est guettée jour et nuit. On n'en laisse sortir que ceux qu'on y a vus entrer. Vous pourrez donc entrer. Vous viendrez. Je vous introduirai près d'elle. Vous changerez d'habits avec elle. Elle prendra votre pourpoint, vous prendrez sa jupe.

— Cela va bien jusqu'à présent, observa le philosophe. Et puis?

— Et puis? Elle sortira avec vos habits; vous resterez avec les siens. On vous pendra peut-être, mais elle sera sauvée.

Gringoire se gratta l'oreille avec un air très sérieux.

— Tiens! dit-il, voilà une idée qui ne me serait jamais venue toute seule.

A la proposition inattendue de dom Claude, la figure ouverte et bénigne du poète s'était brusquement rembrunie, comme un riant paysage d'Italie quand il survient un coup de vent malencontreux qui écrase un nuage sur le soleil.

— Hé bien, Gringoire! que dites-vous du moyen?

— Je dis, mon maître, qu'on ne me pendra pas peut-être, mais qu'on me pendra indubitablement.

— Cela ne nous regarde pas.

— La peste! dit Gringoire.

— Elle vous a sauvé la vie. C'est une dette que vous payez.

— Il y en a bien d'autres que je ne paie pas !

— Maître Pierre, il le faut absolument.

L'archidiacre parlait avec empire.

— Écoutez, dom Claude, répondit le poète tout consterné. Vous tenez à cette idée et vous avez tort. Je ne vois pas pourquoi je me ferais pendre à la place d'un autre.

— Qu'avez-vous donc tant qui vous attache à la vie ?

— Ah ! mille raisons !

— Lesquelles, s'il vous plaît ?

— Lesquelles ? L'air, le ciel, le matin, le soir, le clair de lune, mes bons amis les truands, nos gorges chaudes avec les vilotières, les belles architectures de Paris à étudier, trois gros livres à faire, dont un contre l'évêque et ses moulins, que sais-je, moi ? Anaxagoras disait qu'il était au monde pour admirer le soleil. Et puis, j'ai le bonheur de passer toutes mes journées du matin au soir avec un homme de génie qui est moi, et c'est fort agréable.

— Tête à faire un grelot ! grommela l'archidiacre. — Eh ! parle, cette vie que tu te fais si charmante, qui te l'a conservée ? A quoi dois-tu de respirer cet air, de voir ce ciel, et de pouvoir encore amuser ton esprit d'alouette de billevesées et de folies ? Sans elle, où serais-tu ? Tu veux donc qu'elle meure, elle par qui tu es vivant ? qu'elle meure, cette créature, belle, douce, adorable, nécessaire à la lumière du monde, plus divine que Dieu ! tandis que toi, demi-sage et demi-fou, vaine ébauche de quelque chose, espèce de végétal qui crois marcher et qui crois penser, tu continueras à vivre avec la vie que tu lui as volée, aussi inutile qu'une chandelle en plein midi ? Allons, un peu de pitié, Gringoire ! sois généreux à ton tour. C'est elle qui a commencé.

Le prêtre était véhément. Gringoire l'écouta d'abord avec un air indéterminé, puis il s'attendrit, et finit par faire une grimace tragique qui fit ressembler sa blême figure à celle d'un nouveau-né qui a la colique.

— Vous êtes pathétique, dit-il en essuyant une larme. — Eh bien ! j'y réfléchirai. — C'est une drôle d'idée que vous avez eue là. — Après tout, poursuivit-il après un silence, qui sait ? peut-être ne me pendront-ils pas. N'épouse pas toujours qui fiance. Quand ils me trouveront dans cette logette, si grotesquement affublé, en jupe et en coiffe, peut-être éclateront-ils de rire. — Et puis, s'ils me pendent, eh bien ! la corde, c'est une mort comme une autre, ou, pour mieux dire, ce n'est pas une mort comme une autre. C'est une mort digne du sage qui a oscillé toute sa vie, une mort qui n'est ni chair ni poisson, comme l'esprit du véritable sceptique, une mort tout empreinte de pyrrhonisme et d'hésitation, qui tient le milieu entre le ciel et la terre, qui vous laisse en suspens. C'est une mort de philosophe, et j'y étais prédestiné peut-être. Il est magnifique de mourir comme on a vécu.

Le prêtre l'interrompit : — Est-ce convenu ?

— Qu'est-ce que la mort, à tout prendre ? poursuivit Gringoire avec exaltation. Un mauvais moment, un péage, le passage de peu de chose à rien. Quelqu'un ayant demandé à Cercidas, mégalopolitain, s'il mourrait volontiers : Pourquoi non ? répondit-il ; car après ma mort je verrai ces-grands hommes, Pythagoras entre les philosophes, Hecataeus entre les historiens, Homère entre les poètes, Olympe entre les musiciens.

L'archidiacre lui présenta la main. — Donc c'est dit ? vous viendrez demain.

Ce geste ramena Gringoire au positif.

— Ah ! ma foi non ! dit-il du ton d'un homme qui se réveille. Être pendu ! c'est trop absurde. Je ne veux pas.

— Adieu alors ! Et l'archidiacre ajouta entre ses dents : Je te retrouverai !

— Je ne veux pas que ce diable d'homme me retrouve, pensa Gringoire ; et il courut après dom Claude. — Tenez, monsieur l'archidiacre, pas d'humeur entre vieux amis ! Vous vous intéressez à cette fille, à ma femme, veux-je dire, c'est bien. Vous avez imaginé un stratagème pour la faire sortir sauve de Notre-Dame, mais votre moyen est extrêmement désagréable pour moi, Gringoire. — Si j'en avais un autre, moi ! — Je vous préviens qu'il vient de me survenir à l'instant une inspiration très lumineuse. — Si j'avais une idée expédiente pour la tirer du mauvais pas sans compromettre mon cou avec le moindre nœud coulant ? qu'est-ce que vous diriez ? cela ne vous suffirait-il point ? Est-il absolument nécessaire que je sois pendu pour que vous soyez content ?

Le prêtre arrachait d'impatience les boutons de sa soutane. — Ruisseau de paroles ! — Quel est ton moyen ?

— Oui, reprit Gringoire se parlant à lui-même et touchant son nez avec son index en signe de méditation, — c'est cela! — Les truands sont de braves fils. — La tribu d'Égypte l'aime. — Ils se lèveront au premier mot. — Rien de plus facile. — Un coup de main. — A la faveur du désordre, on l'enlèvera aisément. — Dès demain soir... — Ils ne demanderont pas mieux.

— Le moyen! parle, dit le prêtre en le secouant. Gringoire se tourna majestueusement vers lui : — Laissez-moi donc! vous voyez bien que je compose. Il réfléchit encore quelques instants. Puis il se mit à battre des mains à sa pensée en criant : — Admirable! réussite sûre!

— Le moyen! reprit Claude en colère.

Gringoire était radieux.

— Venez, que je vous dise cela tout bas. C'est une contre-mine vraiment gaillarde et qui nous tire tous d'affaire. Pardieu! il faut convenir que je ne suis pas un imbécile.

Il s'interrompit : — Ah çà! la petite chèvre est-elle avec la fille?

— Oui. Que le diable t'emporte!

— C'est qu'ils l'auraient pendue aussi, n'est-ce pas?

— Qu'est-ce que cela me fait?

— Oui, ils l'auraient pendue. Ils ont bien pendu une truie le mois passé. Le bourrel aime cela. Il mange la bête après. Pendre ma jolie Djali! Pauvre petit agneau!

— Malédiction! s'écria dom Claude. Le bourreau, c'est toi. Quel moyen de salut as-tu donc trouvé, drôle? faudra-t-il t'accoucher ton idée avec le forceps?

— Tout beau, maître! voici.

Gringoire se pencha à l'oreille de l'archidiacre et lui parla très bas, en jetant un regard inquiet d'un bout à l'autre de la rue où il ne passait pourtant personne. Quand il eut fini, dom Claude lui prit la main et lui dit froidement : — C'est bon. A demain.

— A demain, répéta Gringoire. Et tandis que l'archidiacre s'éloignait d'un côté, il s'en alla de l'autre en se disant à demi-voix : — Voilà une fière affaire, monsieur Pierre Gringoire. N'importe. Il n'est pas dit, parce qu'on est petit, qu'on s'effraiera d'une grande entreprise. Biton porta un grand taureau sur ses épaules; les hochequeues, les fauvettes et les traquets traversent l'océan.

II

L'archidiacre, en rentrant au cloître, trouva à la porte de sa cellule son frère Jehan du Moulin qui l'attendait et qui avait charmé les ennuis de l'attente en dessinant avec un charbon sur le mur un profil de son frère aîné enrichi d'un nez démesuré.

Dom Claude regarda à peine son frère. Il avait d'autres songes. Ce joyeux visage de vaurien dont le rayonnement avait tant de fois rasséréné la sombre physionomie du prêtre était maintenant impuissant à fondre la brume qui s'épaississait chaque jour davantage sur cette âme corrompue, méphitique et stagnante.

— Mon frère, dit timidement Jehan, je viens vous voir.

L'archidiacre ne leva seulement pas les yeux sur lui. — Après ?

— Mon frère, reprit l'hypocrite, vous êtes si bon pour moi, et vous me donnez de si bons conseils que je reviens toujours à vous.

— Ensuite ?

— Hélas ! mon frère, c'est que vous aviez bien raison quand vous me disiez : — Jehan ! Jehan ! *cessat doctorum doctrina, discipulorum discplina.* Jehan, soyez sage, Jehan, soyez docte, Jehan, ne pernoctez pas hors le collège sans occasion légitime et congé du maître. Ne battez pas les picards, *noli, Joannes, verberare picardos.* Ne pourrissiez pas comme un âne illettré, *quasi asinus illitteratus,* sur le feurre de l'école. Jehan, laissez-vous punir à la discrétion du maître. Jehan, allez tous les soirs à la chapelle et chantez-y une antienne avec verset et oraison à madame la glorieuse Vierge Marie. Hélas ! que c'étaient là de très excellents avis !

— Et puis ?

— Mon frère, vous voyez un coupable, un criminel ; un misérable, un libertin, un homme énorme ! Mon cher frère Jehan a fait de vos gracieux conseils paille et fumier à fouler aux pieds. J'en suis bien châtié, et le bon Dieu est extraordinairement juste. Tant que j'ai eu de l'argent, j'ai fait ripaille, folie et vie joyeuse. Oh ! que la débauche, si charmante de face, est laide et rechignée par derrière ! Maintenant je n'ai plus un blanc, j'ai vendu ma nappe, ma chemise et ma touaille, plus de joyeuse vie ! la belle chandelle est éteinte, et je n'ai plus que la vilaine mèche de suif qui me fume dans le nez. Les filles se moquent de moi. Je bois de l'eau. Je suis bourrelé de remords et de créanciers.

— Le reste ? dit l'archidiacre.

— Hélas ! très cher frère, je voudrais bien me ranger à une meilleure vie. Je viens à vous, plein de contrition. Je suis pénitent. Je me confesse. Je me frappe la poitrine à grands coups de poing. Vous avez bien raison de vouloir que je devienne un jour licencié et sous-moniteur du collège de Torchi. Voici que je me sens à présent une vocation magnifique pour cet état. Mais je n'ai plus d'encre, il faut que j'en rachète ; je n'ai plus de plumes, il faut que j'en rachète ; je n'ai plus de papier, je n'ai plus de livres, il faut que j'en rachète. J'ai grand besoin pour cela d'un peu de finance. Et je viens à vous, mon frère, le cœur plein de contrition.

— Est-ce tout ?

— Oui, dit l'écolier. Un peu d'argent.

— Je n'en ai pas.

L'écolier dit alors d'un air grave et résolu en même temps : — Eh bien, mon frère, je suis fâché d'avoir à vous dire qu'on me fait d'autre part de très belles offres et propositions. Vous ne voulez pas me donner d'argent ? — Non ? — En ce cas, je vais me faire truand.

En prononçant ce mot monstrueux, il prit une mine d'Ajax, s'attendant à voir tomber la foudre sur sa tête.

L'archidiacre lui fit froidement : — Faites-vous truand. Jehan le salua profondément et redescendit l'escalier du cloître en sifflant.

Au moment où il passait dans la cour du cloître sous la fenêtre de la cellule de son frère, il entendit cette fenêtre s'ouvrir, leva le nez et vit passer par l'ouverture la tête sévère de l'archidiacre. — Va-t'en au diable ! disait dom Claude ; voici le dernier argent que tu auras de moi.

En même temps, le prêtre jeta à Jehan une bourse qui fit à l'écolier une grosse bosse au front, et dont Jehan s'en alla à la fois fâché et content, comme un chien qu'on lapiderait avec des os à moelle.

Le lecteur n'a peut-être pas oublié qu'une partie de la Cour des Miracles en était close par l'ancien mur d'enceinte de la ville, dont bon nombre de tours commençaient dès cette époque à tomber en ruine. L'une de ces tours avait été convertie en lieu de plaisir par les truands. Il y avait cabaret dans la salle basse, et le reste dans les étages supérieurs. Cette tour était le point le plus vivant et par conséquent le plus hideux de la truanderie. C'était une sorte de ruche monstrueuse qui y bourdonnait nuit et jour. La nuit, quand tout le surplus de la gueuserie dormait, quand il n'y avait plus une fenêtre allumée sur les façades terreuses de la place, quand on n'entendait plus sortir un cri de ces innombrables maisonnées, de ces fourmilières de voleurs, de filles et d'enfants volés ou bâtards, on reconnaissait toujours la joyeuse tour au bruit qu'elle faisait, à la lumière écarlate qui, rayonnant à la fois aux soupiraux, aux fenêtres, aux fissures des murs lézardés, s'échappait pour ainsi dire de tous ses pores.

La cave était donc le cabaret. On y descendait par une porte basse et par un escalier aussi roide qu'un alexandrin classique. Sur la porte il y avait en guise d'enseigne un merveilleux barbouillage représentant des sols neufs et des poulets tués, avec ce calembour au-dessous : *Aux sonneurs pour les trépassés.*

Un soir, au moment où le couvre-feu sonnait à tous les beffrois de Paris, les sergents du guet, s'il leur eût été donné d'entrer dans la redoutable Cour des Miracles, auraient pu remarquer qu'il se faisait dans la taverne des truands plus de tumulte encore qu'à l'ordinaire, qu'on y buvait plus et qu'on y jurait mieux. Au dehors, il y avait dans la place force groupes qui s'entretenaient à voix basse, comme lorsqu'il se trame un grand dessein, et çà et là un drôle accroupi qui aiguisait une méchante lame de fer sur un pavé.

Cependant dans la taverne même, le vin et le jeu étaient une si puissante diversion aux idées qui occupaient ce soir-là la truanderie, qu'il eût été difficile de deviner aux propos des buveurs de quoi il s'agissait. Seulement ils avaient l'air plus gai que de coutume, et on leur voyait à tous reluire quelque arme entre les jambes, une serpe, une cognée, un gros estramaçon, ou le croc d'une vieille hacquebute.

La salle, de forme ronde, était très vaste, mais les tables étaient si pressées et les buveurs si nombreux, que tout ce que contenait la taverne, hommes, femmes, bancs, cruches à bière, ce qui buvait, ce qui dormait, ce qui jouait, les bienportants, les éclopés, semblaient entassés pêle-mêle avec autant d'ordre et d'harmonie qu'un tas d'écailles d'huîtres. Il y avait quelques suifs allumés sur les tables ; mais le véritable luminaire de la taverne, ce qui remplissait dans le cabaret le rôle du lustre dans une salle d'opéra, c'était le feu. Cette cave était si humide qu'on n'y laissait jamais éteindre la cheminée, même en plein été ; une cheminée immense à manteau sculpté. toute hérissée de lourds chenets de fer et d'appareils de cuisine, avec un de ces gros feux mêlés de bois et de tourbe qui, la nuit, dans les rues de village, font saillir si rouge sur les murs d'en face le spectre des fenêtres de forge. Un grand chien, gravement assis dans la cendre, tournait devant la braise une broche chargée de viandes.

Quelle que fût la confusion, après le premier coup d'œil, on pouvait distinguer dans cette multitude trois groupes principaux, qui se pressaient autour de trois personnages que le lecteur connaît déjà. L'un de ces personnages, bizarrement accoutré de maint oripeau oriental, était Mathias Hungadi Spicali, duc d'Égypte et de Bohême. Le maraud était assis sur une table, les jambes croisées, le doigt en l'air, et faisait d'une voix haute distribution de sa science en magie blanche et noire à mainte face béante qui l'entourait. Une autre cohue s'épaississait autour de notre ancien ami, le vaillant roi de Thunes, armé jusqu'aux dents. Clopin Trouillefou, d'un air très sérieux et à voix basse, réglait le pillage d'une énorme futaille pleine d'armes, largement défoncée devant lui, d'où se dégorgeaient en foule haches, épées, bassinets, cottes de mailles, platers, fers de lance et d'archegayes, sagettes et viretons, comme pommes et raisins d'une corne d'abondance. Chacun prenait au tas, qui le morion, qui l'estoc, qui la miséricorde à poignée en croix. Les enfants eux-mêmes s'armaient, et il y avait jusqu'à des culs-de-jatte qui, bardés et cuirassés, passaient entre les jambes des buveurs comme de gros scarabées.

Enfin un troisième auditoire, le plus bruyant, le plus jovial et le plus nombreux, encombrait les bancs et les tables au milieu desquels pérorait et jurait une voix en flûte qui s'échappait de dessous une pesante armure complète du casque aux éperons. L'individu qui s'était ainsi vissé une panoplie sur le corps disparaissait tellement sous l'habit de guerre qu'on ne voyait plus de sa personne qu'un nez effronté, rouge, retroussé, une boucle de cheveux blonds, une bouche rose et des yeux hardis. Il avait la ceinture pleine de dagues et de poignards, une grande épée au flanc, une arbalète rouillée à sa gauche, et un vaste broc de vin devant lui, sans compter à sa droite une épaisse fille débraillée. Toutes les bouches à l'entour de lui riaient, sacraient et buvaient.

Qu'on ajoute vingt groupes secondaires, et les filles et les garçons de service courant avec des brocs en tête, les joueurs accroupis sur les billes, sur les merelles, sur les dés, sur les vachettes, sur le jeu passionné du tringlet, les querelles dans un coin, les baisers dans l'autre, et l'on aura quelque idée de cet ensemble, sur lequel vacillait la clarté d'un grand feu flambant qui faisait danser sur les murs du cabaret mille ombres démesurées et grotesques.

Quant au bruit, c'était l'intérieur d'une cloche en grande volée.

La lèchefrite, où pétillait une pluie de graisse, emplissait de son glapissement continu les intervalles de ces mille dialogues qui se croisaient d'un bout à l'autre de la salle.

Il y avait parmi ce vacarme, au fond de la taverne, sur le banc intérieur de la cheminée, un philosophe qui méditait, les pieds dans la cendre et l'œil sur les tisons. C'était Pierre Gringoire.

— Allons, vite, dépêchons, armez-vous ! on se met en marche dans une heure ! disait Clopin Trouillefou à ses argotiers.

Une fille fredonnait :

> Bonsoir, mon père et ma mère !
> Les derniers couvrent le feu.

Deux joueurs de cartes se disputaient. — Valet ! criait le

plus empourpré des deux, en montrant le poing à l'autre je vais te marquer au trèfle. Tu pourras remplacer Mistigri dans le jeu de cartes de monseigneur le roi.

— Ouf! hurlait un normand, reconnaissable à son accent nasillard, on est ici tassé comme les saints de Caillouville!

— Fils, disait à son auditoire le duc d'Égypte parlant en fausset, les sorcières de France vont au sabbat sans balai, ni graisse, ni monture, seulement avec quelques paroles magiques. Les sorcières d'Italie ont toujours un bouc qui les attend à leur porte. Toutes sont tenues de sortir par la cheminée.

La voix du jeune drôle armé de pied en cap dominait le brouhaha. — Noël! Noël! criait-il. Mes premières armes aujourd'hui! Truand! je suis truand, ventre de Christ! versez-moi à boire! — Mes amis. Je m'appelle Jehan Frollo du Moulin, et je suis gentilhomme. Je suis d'avis que, si Dieu était gendarme, il se ferait pillard. Frères, nous allons faire une belle expédition. Nous sommes des vaillants. Assiéger l'église, enfoncer les portes, en tirer la belle fille, la sauver des juges, la sauver des prêtres, démanteler le cloître, brûler l'évêque dans l'évêché, nous ferons cela en moins de temps qu'il n'en faut à un bourgmestre pour manger une cuillerée de soupe. Notre cause est juste, nous pillerons Notre-Dame, et tout sera dit. Nous pendrons Quasimodo. Connaissez-vous Quasimodo, mesdamoiselles? L'avez-vous vu s'essouffler sur le bourdon un jour de grande Pentecôte? Corne du Père! c'est très beau! on dirait un diable à cheval sur une gueule. — Mes amis, écoutez-moi, je suis truand au fond du cœur, je suis argotier dans l'âme, je suis né cagou. J'ai été très riche, et j'ai mangé mon bien. Ma mère voulait me faire officier, mon père sous-diacre, ma tante conseiller aux enquêtes, ma grand'mère protonotaire du roi, ma grand'tante trésorier de robe courte. Moi, je me suis fait truand. J'ai dit cela à mon père qui m'a craché sa malédiction au visage, à ma mère qui s'est mise, la vieille dame, à pleurer et à baver comme cette bûche sur ce chenet. Vive la joie! je suis un vrai Bicêtre! Tavernière ma mie, d'autre vin! j'ai encore de quoi payer. Je ne veux plus de vin de Suresnes. Il me chagrine le gosier. J'aimerais autant, corbœuf! me gargariser d'un panier!

Cependant la cohue applaudissait avec des éclats de rire et, voyant que le tumulte redoublait autour de lui, l'écolier s'écria : — Oh! le beau bruit! *Populi debacchantis populosa debacchatio!* Alors il se mit à chanter, l'œil comme noyé dans l'extase, du ton d'un chanoine qui entonne vêpres : — *Quæ cantica! quæ organa! quæ cantilenæ! quæ melodiæ hic sine fine decantantur! sonant melliflua hymnorum organa, suavissima angelorum melodia, cantica canticorum mira!* Il s'interrompit : — Buvetière du diable, donne-moi à souper.

Il y eut un moment de quasi-silence pendant lequel s'éleva à son tour la voix aigre du duc d'Égypte, enseignant ses bohémiens — ... La belette s'appelle Aduine, le renard Pied-Bleu ou le Coureur-des-Bois, le loup Pied-Gris ou Pied-Doré, l'ours le Vieux ou le Grand-Père. — Le bonnet d'un gnome rend invisible, et fait voir les choses invisibles. — Tout crapaud qu'on baptise doit être vêtu de velours rouge ou noir, une sonnette au cou, une sonnette aux pieds. Le parrain tient la tête, la marraine le derrière. — C'est le démon Sidragasum qui a le pouvoir de faire danser les filles toutes nues.

— Par la messe! interrompit Jehan, je voudrais être le démon Sidragasum.

Cependant les truands continuaient de s'armer en chuchotant à l'autre bout du cabaret.

— Cette pauvre Esmeralda! disait un bohémien. — C'est notre sœur. — Il faut la tirer de là.

— Est-elle donc toujours à Notre-Dame? reprenait un marcandier à mine de juif.

— Oui, pardieu!

— Eh bien! camarades, s'écria le marcandier, à Notre-Dame! D'autant mieux qu'il y a à la chapelle des saints Féréol et Ferrution deux statues, l'une de saint Jean-Baptiste, l'autre de saint Antoine, toutes d'or, pesant ensemble dix-sept marcs d'or et quinze estellins, et les sous-pieds d'argent doré dix-sept marcs cinq onces. Je sais cela. Je suis orfèvre.

Ici on servit à Jehan son souper. Il s'écria, en s'étalant sur la gorge de la fille sa voisine :

— Par saint Voult-de-Lucques, que le peuple appelle saint Goguelu, je suis parfaitement heureux. J'ai là devant moi un imbécile qui me regarde avec la mine glabre d'un archiduc. En voici un à ma gauche qui a les dents si longues qu'elles lui cachent le menton. Et puis je suis comme le maréchal de Gié au siège de Pontoise, j'ai ma droite appuyée à un mamelon. — Ventre-Mahom ! camarade ! tu as l'air d'un marchand d'esteufs, et tu viens t'asseoir auprès de moi ! Je suis noble, l'ami. La marchandise est incompatible avec la noblesse. Va-t'en de là. — Holàhée ! vous autres ! ne vous battez pas ! Comment, Baptiste Croque-Oison, toi qui as un si beau nez, tu vas le risquer contre les gros poings de ce butor ! Imbécile ! *Non cuiquam datum est habere nasum.* — Tu es vraiment divine, Jacqueline Ronge-Oreille ! c'est dommage que tu n'aies pas de cheveux. — Holà ! je m'appelle Jehan Frollo, et mon frère est archidiacre. Que le diable l'emporte ! Tout ce que je vous dis est la vérité. En me faisant truand, j'ai renoncé de gaieté de cœur à la moitié d'une maison située dans le paradis que mon frère m'avait promise. *Dimidiam domum in paradiso.* Je cite le texte. J'ai un fief rue Tirechappe, et toutes les femmes sont amoureuses de moi, aussi vrai qu'il est vrai que saint Eloy était un excellent orfèvre, et que les cinq métiers de la bonne ville de Paris sont les tanneurs, les mégissiers, les baudroyeurs, les boursiers et les sueurs, et que saint Laurent a été brûlé avec des coquilles d'œufs. Je vous jure, camarades,

> Que je ne beuvrai de piment
> Devant un an, si je cy ment !

Ma charmante, il fait clair de lune, regarde donc là-bas par le soupirail comme le vent chiffonne les nuages ! Ainsi je fais ta gorgerette. — Les filles ! mouchez les enfants et les chandelles. — Christ et Mahom ! qu'est-ce que je mange là, Jupiter ! Ohé ! la matrulle ! les cheveux qu'on ne trouve pas sur la tête de tes ribaudes, on les retrouve dans tes omelettes. La vieille ! j'aime les omelettes chauves. Que le diable te fasse camuse ! — Belle hôtellerie de Belzébuth où les ribaudes se peignent avec les fourchettes !

Cela dit, il brisa son assiette sur le pavé et se mit à chanter à tue-tête :

> Et je n'ai, moi,
> Par la sang-Dieu !
> Ni foi, ni loi,
> Ni feu, ni lieu,
> Ni roi,
> Ni Dieu !

Cependant, Clopin Trouillefou avait fini sa distribution d'armes. Il s'approcha de Gringoire qui paraissait plongé dans une profonde rêverie, les pieds sur un chenet. — L'ami Pierre, dit le roi de Thunes, à quoi diable penses-tu ?

Gringoire se retourna vers lui avec un sourire mélancolique : — J'aime le feu, mon cher seigneur. Non par la raison triviale que le feu réchauffe nos pieds ou cuit notre soupe, mais parce qu'il a des étincelles. Quelquefois je passe des heures à regarder les étincelles. Je découvre mille choses dans ces étoiles qui saupoudrent le fond noir de l'âtre. Ces étoiles-là aussi sont des mondes.

— Tonnerre si je te comprends ! dit le truand. Sais-tu quelle heure il est ?

— Je ne sais pas, répondit Gringoire.

Clopin s'approcha alors du duc d'Égypte.

— Camarade Mathias, le quart d'heure n'est pas bon. On dit le roi Louis onzième à Paris.

— Raison de plus pour lui tirer notre sœur des griffes, répondit le vieux bohémien.

— Tu parles en homme, Mathias, dit le roi de Thunes. D'ailleurs nous ferons lestement. Pas de résistance à craindre dans l'église. Les chanoines sont des lièvres, et nous sommes en force. Les gens du parlement seront bien attrapés demain quand ils viendront la chercher ! Boyaux du pape ! je ne veux pas qu'on pende la jolie fille !

Clopin sortit du cabaret.

Pendant ce temps-là, Jehan s'écriait d'une voix enrouée : — Je bois, je mange, je suis ivre, je suis Jupiter ! — Eh ! Pierre l'Assommeur, si tu me regardes encore comme cela, je vais t'épousseter le nez avec des chiquenaudes.

De son côté Gringoire, arraché de ses méditations, s'était mis à considérer la scène fougueuse et criarde qui l'environnait en murmurant entre ses dents : *Luxuriosa res vinum et tumultuosa ebrietas*. Hélas ! que j'ai bien raison de ne pas boire, et que saint Benoît dit excellemment : *Vinum apostatare facit etiam sapientes*.

En ce moment Clopin rentra et cria d'une voix de tonnerre : Minuit !

A ce mot, qui fit l'effet du boute-selle sur un régiment en halte, tous les truands, hommes, femmes, enfants, se précipitèrent en foule hors de la taverne avec un grand bruit d'armes et de ferrailles.

La lune s'était voilée.

La Cour des Miracles était tout à fait obscure. Il n'y avait pas une lumière. Elle était pourtant loin d'être déserte. On y distinguait une foule d'hommes et de femmes qui se parlaient bas. On les entendait bourdonner, et l'on voyait reluire toutes sortes d'armes dans les ténèbres. Clopin monta sur une grosse pierre. — A vos rangs, l'Argot! cria-t-il. A vos rangs, l'Égypte! A vos rangs, Galilée! Un mouvement se fit dans l'ombre. L'immense multitude parut se former en colonne. Après quelques minutes, le roi de Thunes éleva encore la voix : — Maintenant, silence pour traverser Paris! Le mot de passe est : *Petite flambe en baguenaud!* On n'allumera les torches qu'à Notre-Dame! En marche *!*

Dix minutes après, les cavaliers du guet s'enfuyaient épouvantés devant une longue procession d'hommes noirs et silencieux qui descendait vers le Pont-au-Change, à travers les rues tortueuses qui percent en tous sens le massif quartier des Halles.

IV

UN MALADROIT AMI

Cette même nuit, Quasimodo ne dormait pas. Il venait de faire sa dernière ronde dans l'église. Il n'avait pas remarqué, au moment où il en fermait les portes, que l'archidiacre était passé près de lui et avait témoigné quelque humeur en le voyant verrouiller et cadenasser avec soin l'énorme armature de fer qui donnait à leurs larges battants la solidité d'une muraille. Dom Claude avait l'air encore plus préoccupé qu'à l'ordinaire. Du reste, depuis l'aventure nocturne de la cellule, il maltraitait constamment Quasimodo; mais il avait beau le rudoyer, le frapper même quelquefois, rien n'ébranlait la soumission, la patience, la résignation dévouée du fidèle sonneur. De la part de l'archidiacre il souffrait tout, injures, menaces, coups, sans murmurer un reproche, sans pousser une plainte. Tout au plus le suivait-il des yeux avec inquiétude quand dom Claude montait l'escalier de la tour, mais l'archidiacre s'était de lui-même abstenu de reparaître aux yeux de l'égyptienne.

Cette nuit-là donc, Quasimodo, après avoir donné un coup d'œil à ses pauvres cloches si délaissées, à Jacqueline, à Marie, à Thibauld, était monté jusque sur le sommet de la tour septentrionale, et là, posant sur les plombs sa lanterne sourde bien fermée, il s'était mis à regarder Paris. La nuit, nous l'avons déjà dit, était fort obscure. Paris, qui n'était pour ainsi dire, pas éclairé à cette époque, présentait à l'œil un amas confus de masses noires, coupé çà et là par la courbe blanchâtre de la Seine. Quasimodo n'y voyait plus de lumière qu'à une fenêtre d'un édifice éloigné dont le vague et sombre profil se dessinait bien au-dessus des toits, du côté de la Porte Saint-Antoine. Là aussi il y avait quelqu'un qui veillait.

Tout en laissant flotter dans cet horizon de brume et de nuit son unique regard, le sonneur sentait au-dedans de lui-même une inexprimable inquiétude. Depuis plusieurs jours il était sur ses gardes. Il voyait sans cesse rôder autour de l'église des hommes à mine sinistre qui ne quittaient pas des yeux l'asile de la jeune fille. Il songeait qu'il se tramait peut-être quelque complot contre la malheureuse réfugiée. Il se figurait qu'il y avait une haine populaire sur elle comme il y en avait une sur lui, et qu'il se pourrait bien qu'il arrivât bientôt quelque chose. Aussi se tenait-il sur son clocher, aux aguets, *rêvant dans son rêvoir*, comme dit Rabelais, l'œil tour à tour sur la cellule et sur Paris, faisant sûre garde, comme un bon chien, avec mille défiances dans l'esprit.

Tout à coup, tandis qu'il scrutait la grande ville de cet œil que la nature, par une sorte de compensation, avait fait si perçant qu'il pouvait presque suppléer aux autres organes qui manquaient à Quasimodo, il lui parut que la silhouette du quai de la Vieille-Pelleterie avait quelque chose de singulier, qu'il y avait un mouvement sur ce point, que la ligne du parapet détachée en noir sur la blancheur de l'eau n'était pas droite et tranquille semblablement à celle des autres quais, mais qu'elle ondulait au regard comme les vagues d'un fleuve ou comme les têtes d'une foule en marche.

Cela lui parut étrange. Il redoubla d'attention. Le mouvement semblait venir vers la Cité. Aucune lumière d'ailleurs.

Il dura quelque temps sur le quai, puis il s'écoula peu à peu, comme si ce qui passait entrait dans l'intérieur de l'île, puis il cessa tout à fait, et la ligne du quai redevint droite et immobile.

Au moment où Quasimodo s'épuisait en conjectures, il lui sembla que le mouvement reparaissait dans la rue du Parvis qui se prolonge dans la Cité perpendiculairement à la façade de Notre-Dame. Enfin, si épaisse que fût l'obscurité, il vit une tête de colonne déboucher par cette rue et en un instant se répandre dans la place une foule dont on ne pouvait rien distinguer dans les ténèbres sinon que c'était une foule.

Ce spectacle avait sa terreur. Il est probable que cette procession singulière, qui semblait si intéressée à se dérober sous une profonde obscurité, ne gardait pas un silence moins profond. Cependant un bruit quelconque devait s'en échapper, ne fût-ce qu'un piétinement. Mais ce bruit n'arrivait même pas à notre sourd, et cette grande multitude, dont il voyait à peine quelque chose et dont il n'entendait rien, s'agitant et marchant néanmoins si près de lui, lui faisait l'effet d'une cohue de morts, muette, impalpable, perdue dans une fumée. Il lui semblait voir s'avancer vers lui un brouillard plein d'hommes, voir remuer des ombres dans l'ombre.

Alors ses craintes lui revinrent, l'idée d'une tentative contre l'égyptienne se représenta à son esprit. Il sentit confusément qu'il approchait d'une situation violente. En ce moment critique, il tint conseil en lui-même avec un raisonnement meilleur et plus prompt qu'on ne l'eût attendu d'un cerveau si mal organisé. Devait-il éveiller l'égyptienne ? la faire évader ? Par où ? les rues étaient investies, l'église était acculée à la rivière. Pas de bateau ! pas d'issue ! — Il n'y avait qu'un parti, se faire tuer au seuil de Notre-Dame, résister du moins jusqu'à ce qu'il vînt un secours, s'il en devait venir, et ne pas troubler le sommeil de la Esmeralda. La malheureuse serait toujours éveillée assez tôt pour mourir. Cette résolution une fois arrêtée, il se mit à examiner l'*ennemi* avec plus de tranquillité.

La foule semblait grossir à chaque instant dans le Parvis. Seulement il présuma qu'elle ne devait faire que fort peu de bruit, puisque les fenêtres des rues et de la place restaient fermées. Tout à coup une lumière brilla, et en un instant sept ou huit torches allumées se promenèrent sur les têtes, en secouant dans l'ombre leurs touffes de flammes. Quasimodo vit alors distinctement moutonner dans le Parvis un effrayant troupeau d'hommes et de femmes en haillons, armés de faulx, de piques, de serpes, de pertuisanes dont les mille pointes étincelaient. Çà et là, des fourches noires faisaient des cornes à ces faces hideuses. Il se ressouvint vaguement de cette populace, et crut reconnaître toutes les têtes qui l'avaient, quelques mois auparavant, salué pape des fous. Un homme qui tenait une torche d'une main et une boullaye de l'autre monta sur une borne et parut haranguer. En même temps l'étrange armée fit quelques évolutions comme si elle prenait poste autour de l'église. Quasimodo ramassa sa lanterne et descendit sur la plate-forme d'entre les tours pour voir de plus près et aviser aux moyens de défense.

Clopin Trouillefou, arrivé devant le haut portail de Notre-Dame, avait en effet rangé sa troupe en bataille Quoiqu'il ne s'attendît à aucune résistance, il voulait, en général prudent, conserver un ordre qui lui permît de faire front au besoin contre une attaque subite du guet ou des onze-vingts. Il avait donc échelonné sa brigade de telle façon que, vue de haut et de loin, vous eussiez dit le triangle romain de la bataille d'Ecnome, la tête-de-porc d'Alexandre, ou le fameux coin de Gustave-Adolphe. La base de ce triangle s'appuyait au fond de la place, de manière à barrer la rue du Parvis; un des côtés regardait l'Hôtel-Dieu, l'autre la rue Saint-Pierre-aux-Bœufs. Clopin Trouillefou s'était placé au sommet, avec le duc d'Égypte, notre ami Jehan, et les sabouleux les plus hardis.

Ce n'était point chose très rare dans les villes du Moyen Age qu'une entreprise comme celle que les truands tentaient en ce moment sur Notre-Dame. Ce que nous nommons aujourd'hui *police* n'existait pas alors. Dans les cités populeuses, dans les capitales surtout, pas de pouvoir central, un, régulateur. La féodalité avait construit ces grandes communes d'une façon bizarre. Une cité était un assemblage de mille seigneuries qui la divisaient en compartiments de toutes formes et de toutes grandeurs. De là mille polices contradictoires, c'est-à-dire pas de police. A Paris, par exemple, indépendamment des cent quarante et un seigneurs prétendant censive, il y en avait vingt-cinq prétendant justice et censive, depuis l'évêque de Paris, qui avait cent cinq rues, jusqu'au prieur de Notre-Dame-des Champs, qui en avait quatre. Tous ces justiciers féodaux ne reconnaissaient que nominalement l'autorité suzeraine du roi. Tous avaient droit de voirie. Tous étaient chez eux. Louis XI, cet infatigable ouvrier qui a si largement commencé la démolition de l'édifice féodal, continuée par Richelieu et Louis XIV au profit de la royauté, et achevée par Mirabeau au profit du peuple, Louis XI avait bien essayé de crever ce réseau de seigneuries qui recouvrait Paris, en jetant violemment tout au travers deux ou trois ordonnances de police générale. Ainsi, en 1465, ordre aux habitants, la nuit venue, d'illuminer de chandelles leurs croisées, et d'enfermer leurs chiens, sous peine de la hart ; même année, ordre de fermer le soir les rues avec des chaînes de fer, et défense de porter dagues ou armes offensives la nuit dans les rues. Mais, en peu de ternps, tous ces essais de législation communale tombèrent en désuétude. Les bourgeois laissèrent le vent éteindre leurs chandelles à leurs fenêtres, et leurs chiens errer ; les chaînes de fer ne se tendirent qu'en état de siège ; la défense de porter dagues n'amena d'autres changements que le nom de la *rue Coupe-Gueule* au nom de *rue Coupe-Gorge,* ce qui est un progrès évident. Le vieil échafaudage des juridictions féodales resta debout ; immense entassement de bailliages et de seigneuries se croisant sur la ville, se gênant, s'enchevêtrant, s'emmaillant de travers, s'échancrant les uns les autres ; inutile taillis de guets, de sous-guets et de contreguets, à travers lequel passaient à main armée le brigandage, la rapine et la sédition. Ce n'était donc pas, dans ce désordre, un événement inouï que ces coups de main d'une partie de la populace sur un palais, sur un hôtel, sur une maison, dans les quartiers les plus peuplés. Dans la plupart des cas, les voisins ne se mêlaient de l'affaire que si le pillage arrivait jusque chez eux. Ils se bouchaient les oreilles à la mousquetade, fermaient leurs volets, barricadaient leurs portes, laissaient le débat se vider avec ou sans le guet, et le lendemain on se disait dans Paris : — Cette nuit, Étienne Barbette a été forcé. — Le maréchal de Clermont a eté pris au corps, etc. — Aussi, non seulement les habitations royales, le Louvre, le Palais, la Bastille, les Tournelles, mais les résidences simplement seigneuriales, le Petit-Bourbon, l'Hôtel de Sens, l'Hôtel d'Angoulême, etc., avaient leurs créneaux aux murs et leurs mâchicoulis au-dessus des portes. Les églises se gardaient par leur sainteté. Quelques-unes pourtant, du nombre desquelles n'était pas Notre-Dame, étaient fortifiées. L'abbé de Saint-Germain-des-Prés était crénelé comme un baron, et il y avait chez lui encore plus de cuivre dépensé en bombardes qu'en cloches. On voyait encore sa forteresse en 1610. Aujourd'hui il reste à peine son église.

Revenons à Notre-Dame.

Quand les premières dispositions furent terminées, et nous devons dire à l'honneur de la discipline truande que les ordres de Clopin furent exécutés en silence et avec une admirable précision, le digne chef de la bande monta sur le parapet du Parvis et éleva sa voix rauque et bourrue, se tenant tourné vers Notre-Dame et agitant sa torche dont la lumière, tourmentée par le vent et voilée à tout moment de sa propre fumée, faisait paraître et disparaître aux yeux la rougeâtre façade de l'église.

— A toi, Louis de Beaumont, évêque de Paris, conseiller en la cour de parlement, moi Clopin Trouillefou, roi de Thunes, grand coësre, prince de l'argot, évêque des fous, je dis : — Notre sœur, faussement condamnée pour magie, s'est réfugiée dans ton église ; tu lui dois asile et sauvegarde ; or la cour de parlement l'y veut reprendre, et tu y consens ; si bien qu'on la pendrait demain en Grève si Dieu et les truands n'étaient pas là. Donc nous venons à toi, évêque. Si ton église est sacrée, notre sœur l'est aussi ; si notre sœur n'est pas sacrée, ton église ne l'est pas non plus. C'est pour-quoi nous te sommons de nous rendre la fille si tu veux sau-ver ton église, ou que nous reprendrons la fille et que nous pillerons l'église. Ce qui sera bien. En foi de quoi, je plante cy ma banniere, et Dieu te soit en garde, évêque de Paris !

Quasimodo malheureusement ne put entendre ces paroles prononcées avec une sorte de majesté sombre et sauvage. Un truand présenta sa bannière à Clopin, qui la planta solennel-lement entre deux pavés. C'était une fourche aux dents de laquelle pendait, saignant, un quartier de charogne.

Cela fait, le roi de Thunes se retourna et promena ses yeux sur son armée, farouche multitude où les regards bril-laient presque autant que les piques. Après une pause d'un instant : — En avant, fils ! cria-t-il. A la besogne, les hutins !

Trente hommes robustes, à membres carrés, à face de serruriers, sortirent des rangs, avec des marteaux, des pinces et des barres de fer sur leurs épaules. Ils se dirigèrent vers la principale porte de l'église, montèrent le degré, et bientôt on les vit tous accroupis sous l'ogive, travaillant la porte de pinces et de leviers. Une foule de truands les suivit pour les aider ou les regarder. Les onze marches du portail en étaient encombrées.

Cependant la porte tenait bon. — Diable ! elle est dure et têtue ! disait l'un. — Elle est vieille, et elle a les cartilages racornis, disait l'autre. — Courage, camarades ! reprenait Clopin. Je gage ma tête contre une pantoufle que vous aurez ouvert la porte, pris la fille et déshabillé le maître-autel avant qu'il y ait un bedeau de réveillé. Tenez ! je crois que la serrure se détraque.

Clopin fut interrompu par un fracas effroyable qui retentit en ce moment derrière lui. Il se retourna. Une énorme poutre venait de tomber du ciel, elle avait écrasé une douzaine de truands sur le degré de l'église, et rebondissait sur le pavé avec le bruit d'une pièce de canon, en cassant encore çà et là des jambes dans la foule des gueux qui s'écartaient avec des cris d'épouvante. En un clin d'œil l'enceinte réservée du Parvis fut vide. Les hutins, quoique protégés par les profondes voussures du portail, abandonnèrent la porte, et Clopin lui-même se replia à distance respectueuse de l'église.

— Je l'ai échappé belle ! criait Jehan. J'en ai senti le vent, tête-bœuf ! Mais Pierre l'Assommeur est assommé !

Il est impossible de dire quel étonnement mêlé d'effroi tomba avec cette poutre sur les bandits. Ils restèrent quelques minutes les yeux fixés en l'air, plus consternés de ce morceau de bois que de vingt mille archers du roi. — Satan ! grommela le duc d'Égypte, voilà qui flaire la magie ! — C'est la lune qui nous jette cette bûche, dit Andry le Rouge. — Avec cela, reprit François Chanteprune, qu'on dit la lune amie de la Vierge ! — Mille papes ! s'écria Clopin, vous êtes tous des imbéciles ! — Mais il ne savait comment expliquer la chute du madrier.

Cependant on ne distinguait rien sur la façade, au sommet de laquelle la clarté des torches n'arrivait pas. Le pesant madrier gisait au milieu du Parvis, et l'on entendait les gémissements des misérables qui avaient reçu son premier choc et qui avaient eu le ventre coupé en deux sur l'angle des marches de pierre.

Le roi de Thunes, le premier étonnement passé, trouva enfin une explication qui sembla plausible à ses compagnons. — Gueule-Dieu ! est-ce que les chanoines se défendent ? Alors à sac ! à sac !

— A sac ! répéta la cohue avec un hourra furieux. Et il se fit une décharge d'arbalètes et de hacquebutes sur la façade de l'église.

A cette détonation, les paisibles habitants des maisons circonvoisines se réveillèrent, on vit plusieurs fenêtres s'ouvrir, et des bonnets de nuit et des mains tenant des chandelles apparurent aux croisées. — Tirez aux fenêtres ! cria Clopin. — Les fenêtres se refermèrent sur-le-champ, et les pauvres bourgeois, qui avaient à peine eu le temps de ieter un regard effaré sur cette scène de lueurs et de tumul tes, s'en revinrent suer de peur près de leurs femmes, se demandant si le sabbat se tenait maintenant dans le Parvis Notre-Dame, ou s'il y avait assaut de bourguignons comme en 64. Alors les maris songeaient au vol, les femmes au viol, et tous tremblaient.

— A sac ! répétaient les argotiers. Mais ils n'osaient approcher. Ils regardaient l'église, ils regardaient le madrier. Le madrier ne bougeait pas. L'édifice conservait son air calme et désert, mais quelque chose glaçait les truands.

— A l'œuvre donc, les hutins ! cria Trouillefou. Qu'on force la porte.

Personne ne fit un pas.

— Barbe et ventre ! dit Clopin, voilà des hommes qui ont peur d'une solive.

Un vieux hutin lui adressa la parole.

— Capitaine, ce n'est pas la solive qui nous ennuie, c'est la porte qui est toute cousue de barres de fer. Les pinces n'y peuvent rien.

— Que vous faudrait-il donc pour l'enfoncer ? demanda Clopin.

— Ah ! il nous faudrait un bélier.

Le roi de Thunes courut bravement au formidable madrier et mit le pied dessus. — En voilà un, cria-t-il ; ce sont les chanoines qui vous l'envoient. — En faisant un salut dérisoire du côté de l'église : — Merci, chanoines !

Cette bravade fit bon effet, le charme du madrier était rompu. Les truands reprirent courage ; bientôt la lourde poutre, enlevée comme une plume par deux cents bras vigoureux, vint se jeter avec furie sur la grande porte qu'on avait déjà essayé d'ébranler. A voir ainsi, dans le demi-jour que les rares torches des truands répandaient sur la place, ce long madrier porté par cette foule d'hommes qui le précipitaient en courant sur l'église, on eût cru voir une monstrueuse bête à mille pieds attaquant tête baissée la géante de pierre.

Au choc de la poutre, la porte à demi métallique résonna comme un immense tambour ; elle ne se creva point, mais la cathédrale tout entière tressaillit, et l'on entendit gronder les profondes cavités de l'édifice. Au même instant, une pluie de grosses pierres commença à tomber du haut de la façade sur les assaillants. — Diable ! cria Jehan, est-ce que les tours nous secouent leurs balustrades sur la tête ? Mais l'élan était donné, le roi de Thunes payait d'exemple, c'était décidément l'évêque qui se défendait, et l'on n'en battit la porte qu'avec plus de rage, malgré les pierres qui faisaient éclater les crânes à droite et à gauche.

Il est remarquable que ces pierres tombaient toutes une à une ; mais elles se suivaient de près. Les argotiers en sentaient toujours deux à la fois, une dans leurs jambes, une sur leurs têtes. Il y en avait peu qui ne portassent coup, et déjà une large couche de morts et de blessés saignait et palpitait sous les pieds des assaillants qui, maintenant furieux, se renouvelaient sans cesse. La longue poutre continuait de battre la porte à temps réguliers comme le mouton d'une cloche, les pierres de pleuvoir, la porte de mugir.

Le lecteur n'en est sans doute point à deviner que cette résistance inattendue qui avait exaspéré les truands venait de Quasimodo.

Le hasard avait par malheur servi le brave sourd.

Quand il était descendu sur la plate-forme d'entre les tours, ses idées étaient en confusion dans sa tête. Il avait couru quelques minutes le long de la galerie, allant et venant, comme fou, voyant d'en haut la masse compacte des truands prête à se ruer sur l'église, demandant au diable ou à Dieu de sauver l'égyptienne. La pensée lui était venue de monter au beffroi méridional et de sonner le tocsin ; mais avant qu'il eût pu mettre la cloche en branle, avant que la grosse voix de Marie eût pu jeter une seule clameur, la porte de l'église n'avait-elle pas dix fois le temps d'être enfoncée ? C'était précisément l'instant où les hutins s'avançaient vers elle avec leur serrurerie. Que faire ?

Tout d'un coup, il se souvint que des maçons avaient travaillé tout le jour à réparer le mur, la charpente et la toiture de la tour méridionale. Ce fut un trait de lumière. Le mur était en pierre, la toiture en plomb, la charpente en bois. Cette charpente prodigieuse, si touffue qu'on appelait *la forêt*.

Quasimodo courut à cette tour. Les chambres inférieures étaient en effet pleines de matériaux. Il y avait des piles de moellons, des feuilles de plomb en rouleaux, des faisceaux de lattes, de fortes solives déjà entaillées par la scie, des tas de gravats. Un arsenal complet.

L'instant pressait. Les pinces et les marteaux travaillaient en bas. Avec une force que décuplait le sentiment du danger, il souleva une des poutres, la plus lourde, la plus longue, il la fit sortir par une lucarne, puis, la ressaisissant du dehors de la tour, il la fit glisser sur l'angle de la balustrade qui entoure la plate-forme, et la lâcha sur l'abîme. L'énorme charpente, dans cette chute de cent soixante pieds, raclant la muraille, cassant les sculptures, tourna plusieurs fois sur elle-même comme une aile de moulin qui s'en irait toute seule à travers l'espace. Enfin elle toucha le sol, l'horrible cri s'éleva, et la noire poutre, en rebondissant sur le pavé, ressemblait à un serpent qui saute.

Quasimodo vit les truands s'éparpiller à la chute du madrier, comme la cendre au souffle d'un enfant. Il profita de leur épouvante, et tandis qu'ils fixaient un regard superstitieux sur la massue tombée du ciel, et qu'ils éborgnaient les saints de pierre du portail avec une décharge de sagettes et de chevrotines, Quasimodo entassait silencieusement des gravats, des pierres, des moellons, jusqu'aux sacs d'outils des maçons, sur le rebord de cette balustrade d'où la poutre s'était déjà élancée.

Aussi, dès qu'ils se mirent à battre la grande porte, la grêle de moellons commença à tomber, et il leur sembla que l'église se démolissait d'elle-même sur leur tête.

Qui eût pu voir Quasimodo en ce moment eût été effrayé.

Indépendamment de ce qu'il avait empilé de projectiles sur la balustrade, il avait amoncelé un tas de pierres sur la plate-forme même. Dès que les moellons amassés sur le rebord extérieur furent épuisés, il prit au tas. Alors il se baissait, se relevait, se baissait et se relevait encore, avec une activité incroyable. Sa grosse tête de gnome se penchait par-dessus la balustrade, puis une pierre énorme tombait, puis une autre, puis une autre. De temps en temps il suivait une belle pierre de l'œil, et, quand elle tuait bien, il disait : Hun !

Cependant les gueux ne se décourageaient pas. Déjà plus de vingt fois l'épaisse porte sur laquelle ils s'acharnaient avait tremblé sous la pesanteur de leur bélier de chêne multipliée par la force de cent hommes. Les panneaux craquaient, les ciselures volaient en éclats, les gonds à chaque secousse sautaient en sursaut sur leurs pitons, les ais se détraquaient, le bois tombait en poudre broyé entre les nervures de fer. Heureusement pour Quasimodo, il y avait plus de fer que de bois.

Il sentait pourtant que la grande porte chancelait. Quoiqu'il n'entendît pas, chaque coup de bélier se répercutait à la fois dans les cavernes de l'église et dans ses entrailles. Il voyait d'en haut les truands, pleins de triomphe et de rage, montrer le poing à la ténébreuse façade, et il enviait, pour l'égyptienne et pour lui, les ailes des hiboux qui s'enfuyaient au-dessus de sa tête par volées.

Sa pluie de moellons ne suffisait pas à repousser les assaillants.

En ce moment d'angoisse, il remarqua, un peu plus bas que la balustrade d'où il écrasait les argotiers, deux longues gouttières de pierre qui se dégorgeaient immédiatement au-dessus de la grande porte. L'orifice interne de ces gouttières aboutissait au pavé de la plate-forme. Une idée lui vint. Il courut chercher un fagot dans son bouge de sonneur, posa sur ce fagot force bottes de lattes et force rouleaux de plomb, munitions dont il n'avait pas encore usé, et, ayant bien disposé ce bûcher devant le trou des deux gouttières, il y mit le feu avec sa lanterne.

Pendant ce temps-là, les pierres ne tombant plus, les truands avaient cessé de regarder en l'air. Les bandits, haletant comme une meute qui force le sanglier dans sa bauge, se pressaient en tumulte autour de la grande porte, toute déformée par le bélier, mais debout encore. Ils attendaient avec un frémissement le grand coup, le coup qui allait l'éventrer. C'était à qui se tiendrait le plus près pour pouvoir s'élancer des premiers, quand elle s'ouvrirait, dans cette opulente cathédrale, vaste réservoir où étaient venues s'amonceler les richesses de trois siècles. Ils se rappelaient les uns aux autres, avec des rugissements de joie et d'appétit, les belles croix d'argent, les belles chapes de brocart, les belles tombes de vermeil, les grandes magnificences du chœur, les fêtes éblouissantes, les Noëls étincelantes de flambeaux, les Pâques éclatantes de soleil, toutes ces solennités splendides où châsses, chandeliers, ciboires, tabernacles, reliquaires, bosselaient les autels d'une croûte d'or et de diamants. Certes, en ce beau moment, cagoux et malingreux, archisuppôts et rifodés, songeaient beaucoup moins à la délivrance de l'égyptienne qu'au pillage de Notre-Dame. Nous croirions même volontiers que pour bon nombre d'entre eux la Esmeralda n'était qu'un prétexte, si des voleurs avaient besoin de prétextes.

Tout à coup, au moment où ils se groupaient pour un dernier effort autour du bélier, chacun retenant son haleine et roidissant ses muscles afin de donner toute sa force au coup décisif, un hurlement, plus épouvantable encore que celui qui avait éclaté et expiré sous le madrier, s'éleva au milieu d'eux. Ceux qui ne criaient pas, ceux qui vivaient encore, regardèrent. — Deux jets de plomb fondu tombaient du haut de l'édifice au plus épais de la cohue. Cette mer d'hommes venait de s'affaisser sous le métal bouillant qui avait fait, aux deux points où il tombait, deux trous noirs et fumants dans la foule, comme ferait de l'eau chaude dans la neige. On y voyait remuer des mourants à demi calcinés et mugissant de douleur. Autour de ces deux jets principaux, il y avait des gouttes de cette pluie horrible qui s'éparpillaient sur les assaillants et entraient dans les crânes comme des vrilles de flamme. C'était un feu pesant qui criblait ces misérables de mille grêlons.

La clameur fut déchirante. Ils s'enfuient pêle-mêle, jetant le madrier sur les cadavres, les plus hardis comme les plus timides, et le Parvis fut vide une seconde fois.

Tous les yeux s'étaient levés vers le haut de l'église. Ce qu'ils voyaient était extraordinaire. Sur le sommet de la galerie la plus élevée, plus haut que la rosace centrale, il y avait une grande flamme qui montait entre les deux clochers avec des tourbillons d'étincelles, une grande flamme désordonnée et furieuse dont le vent emportait par moments un lambeau dans la fumée. Au-dessous de cette flamme, au-dessous de la sombre balustrade à trèfles de braise, deux gouttières en gueules de monstres vomissaient sans relâche cette pluie ardente qui détachait son ruissellement argenté sur les ténèbres de la façade inférieure. A mesure qu'ils approchaient du sol, les deux jets de plomb liquide s'élargissaient en gerbes, comme l'eau qui jaillit des mille trous de l'arrosoir. Au-dessus de la flamme, les énormes tours, de chacune desquelles on voyait deux faces crues et tranchées, l'une toute noire, l'autre toute rouge, semblaient plus grandes encore de toute l'immensité de l'ombre qu'elles projetaient jusque dans le ciel. Leurs innombrables sculptures de diables et de dragons prenaient un aspect lugubre. La clarté inquiète de la flamme les faisait remuer à l'œil. Il y avait des guivres qui avaient l'air de rire, des gargouilles qu'on croyait entendre japper, des salamandres qui soufflaient dans le feu, des tarasques qui éternuaient dans la fumée. Et parmi ces monstres ainsi réveillés de leur sommeil de pierre par cette flamme, par ce bruit, il y en avait un qui marchait et qu'on voyait de temps en temps passer sur le front ardent du bûcher comme une chauve-souris devant une chandelle.

Sans doute ce phare étrange allait éveiller au loin le bûcheron des collines de Bicêtre, épouvanté de voir chanceler sur ses bruyères l'ombre gigantesque des tours de Notre-Dame.

Il se fit un silence de terreur parmi les truands, pendant lequel on n'entendit que les cris d'alarme des chanoines enfermés dans leur cloître et plus inquiets que des chevaux dans une écurie qui brûle, le bruit furtif des fenêtres vite ouvertes et plus vite fermées, le remue-ménage intérieur des maisons et de l'Hôtel-Dieu, le vent dans la flamme, le dernier râle des mourants, et le pétillement continu de la pluie de plomb sur le pavé.

Cependant les principaux truands s'étaient retirés sous le porche du logis Gondelaurier, et tenaient conseil. Le duc d'Égypte, assis sur une borne, contemplait avec une crainte religieuse le bûcher fantasmagorique resplendissant à deux cents pieds en l'air. Clopin Trouillefou se mordait ses gros poings avec rage. — Impossible d'entrer ! murmurait-il dans ses dents.

— Une vieille église fée ! grommelait le vieux bohémien Mathias Hungadi Spicali.

— Par les moustaches du pape ! reprenait un narquois grisonnant qui avait servi, voilà des gouttières d'églises qui vous crachent du plomb fondu mieux que les mâchicoulis de Lectoure.

— Voyez-vous ce démon qui passe et repasse devant le feu ? s'écriait le duc d'Égypte.

— Pardieu, dit Clopin, c'est le damné sonneur, c'est Quasimodo.

Le bohémien hochait la tête. — Je vous dis, moi, que c'est l'esprit Sabnac, le grand marquis, le démon des fortifications. Il a forme d'un soldat armé, une tête de lion. Quelquefois il monte un cheval hideux. Il change les hommes en pierres dont il bâtit des tours. Il commande à cinquante légions. C'est bien lui. Je le reconnais. Quelquefois il est habillé d'une belle robe d'or figurée à la façon des turcs.

— Où est Bellevigne de l'Étoile ? demanda Clopin.

— Il est mort, répondit une truande.

Andry le Rouge riait d'un rire idiot : — Notre-Dame donne de la besogne à l'Hôtel-Dieu, disait-il.

— Il n'y a donc pas moyen de forcer cette porte ? s'écria le roi de Thunes en frappant du pied.

Le duc d'Égypte lui montra tristement les deux ruisseaux de plomb bouillant qui ne cessaient de rayer la noire façade, comme deux longues quenouilles de phosphore. — On a vu des églises qui se défendaient ainsi d'elles-mêmes, observat-il en soupirant. Sainte-Sophie, de Constantinople, il y a quarante ans de cela, a trois fois de suite jeté à terre le croissant de Mahom en secouant ses dômes, qui sont ses têtes. Guillaume de Paris, qui a bâti celle-ci, était un magicien.

— Faut-il donc s'en aller piteusement comme des laquais de grand'route ? dit Clopin. Laisser là notre sœur que ces loups chaperonnés pendront demain !

— Et la sacristie, où il y a des charretées d'or ! ajouta un truand dont nous regrettons de ne pas savoir le nom.

— Barbe-Mahom ! cria Trouillefou.

— Essayons encore une fois, reprit le truand.

Mathias Hungadi hocha la tête. — Nous n'entrerons pas par la porte. Il faut trouver le défaut de l'armure de la vieille fée. Un trou, une fausse poterne, une jointure quelconque.

— Qui en est ? dit Clopin. J'y retourne. — A propos, où est donc le petit écolier Jehan qui était si enferraillé ?

— Il est sans doute mort, répondit quelqu'un. On ne l'entend plus rire.

Le roi de Thunes fronça le sourcil.

— Tant pis. Il y avait un brave cœur sous cette ferraille. — Et maître Pierre Gringoire ?

— Capitaine Clopin, dit Andry le Rouge, il s'est esquivé que nous n'étions encore qu'au Pont-aux-Changeurs.

Clopin frappa du pied. — Gueule-Dieu ! c'est lui qui nous pousse céans, et il nous plante là au beau milieu de la besogne ! — Lâche bavard, casqué d'une pantoufle !

— Capitaine Clopin, cria Andry le Rouge, qui regardait dans la rue du Parvis, voilà le petit écolier.

— Loué soit Pluto ! dit Clopin. Mais que diable tire-t-il après lui ?

C'était Jehan, en effet, qui accourait aussi vite que le lui permettaient ses lourds habits de paladin et une longue échelle qu'il traînait bravement sur le pavé, plus essoufflé qu'une fourmi attelée à un brin d'herbe vingt fois plus long qu'elle.

— Victoire ! *Te Deum* ! criait l'écolier. Voilà l'échelle des déchargeurs du port Saint-Landry.

Clopin s'approcha de lui.

— Enfant ! que veux-tu faire, corne-Dieu ! de cette échelle ?

— Je l'ai, répondit Jehan haletant. Je savais où elle était. — Sous le hangar de la maison du lieutenant. — Il y a là une fille que je connais, qui me trouve beau comme un Cupido. — Je m'en suis servi pour avoir l'échelle, et j'ai l'échelle, Pasque-Mahom ! — La pauvre fille est venue m'ouvrir toute en chemise.

— Oui, dit Clopin, mais que veux-tu faire de cette échelle ?

Jehan le regarda d'un air malin et capable, et fit claquer ses doigts comme des castagnettes. Il était sublime en ce moment. Il avait sur la tête un de ces casques surchargés du quinzième siècle, qui épouvantaient l'ennemi de leurs

202

cimiers chimériques. Le sien était hérissé de dix becs de fer, de sorte que Jehan eût pu disputer la redoutable épithète de dekém——boloç au navire homérique de Nestor.

— Ce que j'en veux faire, auguste roi de Thunes ? Voyez-vous cette rangée de statues qui ont des mines d'imbéciles là-bas au-dessus des trois portails ?

— Oui. Eh bien ?

— C'est la galerie des rois de France.

— Qu'est-ce que cela me fait ? dit Clopin.

— Attendez donc ! Il y a au bout de cette galerie une porte qui n'est jamais fermée qu'au loquet, avec cette échelle j'y monte, et je suis dans l'église.

— Enfant, laisse-moi monter le premier.

— Non pas, camarade, c'est à moi l'échelle. Venez, vous serez le second.

— Que Belzébuth t'étrangle ! dit le bourru Clopin. Je ne veux être après personne.

— Alors, Clopin, cherche une échelle !

Jehan se mit à courir par la place, tirant son échelle et criant : — A moi les fils !

En un instant l'échelle fut dressée et appuyée à la balustrade de la galerie inférieure, au-dessus d'un des portails latéraux. La foule des truands poussant de grandes acclamations se pressa au bas pour y monter. Mais Jehan maintint son droit et posa le premier le pied sur les échelons. Le trajet était assez long. La galerie des rois de France est élevée aujourd'hui d'environ soixante pieds au-dessus du pavé. Les onze marches du perron l'exhaussaient encore. Jehan montait lentement, assez empêché de sa lourde armure, d'une main tenant l'échelon, de l'autre son arbalète. Quand il fut au milieu de l'échelle il jeta un coup d'œil mélancolique sur les pauvres argotiers morts, dont le degré était jonché. — Hélas ! dit-il, voilà un monceau de cadavres digne du cinquième chant de l'*Iliade* ! — Puis il continua de monter. Les truands le suivaient. Il y en avait un sur chaque échelon. A voir s'élever en ondulant dans l'ombre cette ligne de dos cuirassés, on eût dit un serpent à écailles d'acier qui se dressait contre l'église. Jehan qui faisait la tête et qui sifflait complétait l'illusion.

L'écolier toucha enfin au balcon de la galerie, et l'enjamba assez lestement aux applaudissements de toute la truanderie. Ainsi maître de la citadelle, il poussa un cri de joie, et tout à coup s'arrêta pétrifié. Il venait d'apercevoir derrière une statue de roi, Quasimodo caché dans les ténèbres, l'œil étincelant.

Avant qu'un second assiégeant eût pu prendre pied sur la galerie, le formidable bossu sauta à la tête de l'échelle, saisit sans dire une parole le bout des deux montants de ses mains puissantes, les souleva, les éloigna du mur, balança un moment, au milieu des clameurs d'angoisse, la longue et pliante échelle encombrée de truands du haut en bas, et subitement, avec une force surhumaine, rejeta cette grappe d'hommes dans la place. Il y eut un instant où les plus détermines palpitèrent. L'échelle, lancée en arrière, resta un moment droite et debout et parut hésiter, puis oscilla, puis tout à coup, décrivant un effrayant arc de cercle de quatre-vingts pieds de rayon, s'abattit sur le pavé avec sa charge de bandits plus rapidement qu'un pont-levis dont les chaînes se cassent. Il y eut une immense imprécation, puis tout s'éteignit, et quelques malheureux mutilés se retirèrent en rampant de dessous le monceau de morts.

Une rumeur de douleur et de colère succéda parmi les assiégeants aux premiers cris de triomphe. Quasimodo impassible, les deux coudes appuyés sur la balustrade, regardait. Il avait l'air d'un vieux roi chevelu à sa fenêtre.

Jehan Frollo était, lui, dans une situation critique. Il se trouvait dans la galerie avec le redoutable sonneur, seul séparé de ses compagnons par un mur vertical de quatre-vingts pieds. Pendant que Quasimodo jouait avec l'échelle l'écolier avait couru à la poterne qu'il croyait ouverte. Point. Le sourd en entrant dans la galerie l'avait fermée derrière lui. Jehan alors s'était caché derrière un roi de pierre, n'osant souffler, et fixant sur le monstrueux bossu une mine effarée, comme cet homme qui, faisant la cour à la femme du gardien d'une ménagerie, alla un soir à un rendez-vous d'amour, se trompa de mur dans son escalade et se trouva brusquement tête à tête avec un ours blanc.

Dans les premiers moments le sourd ne prit pas garde à lui ; mais enfin il tourna la tête et se redressa tout d'un coup. Il venait d'apercevoir l'écolier.

Jehan se prépara à un rude choc, mais le sourd resta immobile ; seulement il était tourné vers l'écolier qu'il regardait.

— Ho! ho! dit Jehan, qu'as-tu à me regarder de cet œil borgne et mélancolique?

Et en parlant ainsi, le jeune drôle apprêtait sournoisement son arbalète.

— Quasimodo! cria-t-il, je vais changer ton surnom. On t'appellera l'aveugle.

Le coup partit. Le vireton empenné siffla et vint se ficher dans le bras gauche du bossu. Quasimodo ne s'en émut pas plus que d'une égratignure au roi Pharamond. Il porta la main à la sagette, l'arracha de son bras et la brisa tranquillement sur son gros genou. Puis il laissa tomber, plutôt qu'il ne jeta à terre les deux morceaux. Mais Jehan n'eut pas le temps de tirer une seconde fois. La flèche brisée, Quasimodo souffla bruyamment, bondit comme une sauterelle et retomba sur l'écolier, dont l'armature s'aplatit du coup contre la muraille.

Alors dans cette pénombre où flottait la lumière des torches, on entrevit une chose terrible.

Quasimodo avait pris de la main gauche les deux bras de Jehan qui ne se débattait pas, tant il se sentait perdu. De la droite le sourd lui détachait l'une après l'autre, en silence, avec une lenteur sinistre, toutes les pièces de son armure, l'épée, les poignards, le casque, la cuirasse, les brassards. On eût dit un singe qui épluche une noix. Quasimodo jetait à ses pieds, morceau à morceau, la coquille de fer de l'écolier.

Quand l'écolier se vit désarmé, déshabillé, faible et nu dans ces redoutables mains, il n'essaya pas de parler à ce sourd, mais il se mit à lui rire effrontément au visage, et à chanter, avec son intrépide insouciance d'enfant de seize ans, la chanson alors populaire :

> Elle est bien habillée,
> La ville de Cambrai.
> Marafin l'a pillée...

Il n'acheva pas. On vit Quasimodo debout sur le parapet de la galerie, qui d'une seule main tenait l'écolier par les pieds, en le faisant tourner sur l'abîme comme une fronde. Puis on entendit un bruit comme celui d'une boîte osseuse qui éclate contre un mur, et l'on vit tomber quelque chose qui s'arrêta au tiers de la chute à une saillie de l'architecture. C'était un corps mort qui resta accroché là, plié en deux, les reins brisés, le crâne vide.

Un cri d'horreur s'éleva parmi les truands. — Vengeance! cria Clopin. — A sac! répondit la multitude. — Assaut! assaut! Alors ce fut un hurlement prodigieux où se mêlaient toutes les langues, tous les patois, tous les accents. La mort du pauvre écolier jeta une ardeur furieuse dans cette foule. La honte la prit, et la colère d'avoir été si longtemps tenue en échec devant une église par un bossu. La rage trouva des échelles, multiplia les torches, et au bout de quelques minutes Quasimodo éperdu vit cette épouvantable fourmilière monter de toutes parts à l'assaut de Notre-Dame. Ceux qui n'avaient pas d'échelles avaient des cordes à nœuds, ceux qui n'avaient pas de corde grimpaient aux reliefs des sculptures. Ils se pendaient aux guenilles les uns des autres. Aucun moyen de résister à cette marée ascendante de faces épouvantables. La fureur faisait rutiler ces figures farouches; leurs fronts terreux ruisselaient de sueur; leurs yeux éclairaient. Toutes ces grimaces, toutes ces laideurs investissaient Quasimodo. On eût dit que quelque autre église avait envoyé à l'assaut de Notre-Dame ses gorgones, ses dogues, ses drées, ses démons, ses sculptures les plus fantastiques. C'était comme une couche de monstres vivants sur les monstres de pierre de la façade.

Cependant, la place s'était étoilée de mille torches. Cette scène désordonnée, jusqu'alors enfouie dans l'obscurité s'était subitement embrasée de lumière. Le Parvis resplendissait et jetait un rayonnement dans le ciel. Le bûcher allumé sur la haute plate-forme brûlait toujours, et illuminait au loin la ville. L'énorme silhouette des deux tours développée au loin sur les toits de Paris, faisait dans cette clarté une large échancrure d'ombre. La ville semblai s'être émue. Des tocsins éloignés se plaignaient. Les truands hurlaient, haletaient, juraient, montaient, et Quasimodo, impuissant contre tant d'ennemis, frissonnant pour l'égyptienne, voyant les faces furieuses se rapprocher de plus en plus de sa galerie, demandait un miracle au ciel, et se tordait les bras de désespoir.

V

LE RETRAIT OÙ DIT SES HEURES
MONSIEUR LOUIS DE FRANCE

Le lecteur n'a peut-être pas oublié qu'un moment avant d'apercevoir la bande nocturne des truands, Quasimodo, inspectant Paris du haut de son clocher, n'y voyait plus briller qu'une lumière, laquelle étoilait une vitre à l'étage le plus élevé d'un haut et sombre édifice, à côté de la Porte Saint-Antoine. Cet édifice, c'était la Bastille. Cette étoile, c'était la chandelle de Louis XI.

Le roi Louis XI était en effet à Paris depuis deux jours. Il devait repartir le surlendemain pour sa citadelle de Montilz-lès-Tours. Il ne faisait jamais que de rares et courtes apparitions dans sa bonne ville de Paris, n'y sentant pas autour de lui assez de trappes, de gibets et d'archers écossais.

Il était venu ce jour-là coucher à la Bastille. La grande chambre de cinq toises carrées qu'il avait au Louvre, avec sa grande cheminée chargée de douze grosses bêtes et des treize grands prophètes, et son grand lit de onze pieds sur douze, lui agréaient peu. Il se perdait dans toutes ces grandeurs. Ce roi bon bourgeois aimait mieux la Bastille avec une chambrette et une couchette. Et puis la Bastille était plus forte que le Louvre.

Cette *chambrette* que le roi s'était réservée dans la fameuse prison d'état était encore assez vaste et occupait l'étage le plus élevé d'une tourelle engagée dans le donjon. C'était un réduit de forme ronde, tapissé de nattes en paille luisante, plafonné à poutres rehaussées de fleurs de lys d'étain doré avec les entrevous de couleur, lambrissé à riches boiseries semées de rosettes d'étain blanc et peintes de beau vert-gai, fait d'orpin et de florée fine.

Il n'y avait qu'une fenêtre, une longue ogive treillissée de fil d'archal et de barreaux de fer, d'ailleurs obscurcie de belles vitres coloriées aux armes du roi et de la reine, dont le panneau revenait à vingt-deux sols.

Il n'y avait qu'une entrée, une porte moderne, à cintre surbaissé, garnie d'une tapisserie en dedans, et, au-dehors, d'un de ces porches de bois d'Irlande, frêles édifices de menuiserie curieusement ouvrée, qu'on voyait encore en quantité de vieux logis il y a cent cinquante ans. « Quoiqu'ils défigurent et embarrassent les lieux, dit Sauval avec désespoir, nos vieillards pourtant ne s'en veulent point défaire et les conservent en dépit d'un chacun. »

On ne trouvait dans cette chambre rien de ce qui meublait les appartements ordinaires, ni bancs, ni tréteaux, ni formes, ni escabelles communes en forme de caisse, ni belles escabelles soutenues de piliers et de contre-piliers à quatre sols la pièce. On n'y voyait qu'une chaise pliante à bras, fort magnifique : le bois en était peint de roses sur fond rouge, le siège de cordouan vermeil, garni de longues franges de soie et piqué de mille clous d'or. La solitude de cette chaise faisait voir qu'une seule personne avait droit de s'asseoir dans la chambre. A côté de la chaise et tout près de la fenêtre, il y avait une table recouverte d'un tapis à figures d'oiseaux. Sur cette table un gallemard taché d'encre, quelques parchemins, quelques plumes, et un hanap d'argent ciselé. Un peu plus loin, un chauffe-doux, un prie-Dieu de velours cramoisi, relevé de bossettes d'or. Enfin au fond un simple lit de damas jaune et incarnat, sans clinquant ni passement ; les franges sans façon. C'est ce lit, fameux pour avoir porté le sommeil ou l'insomnie de Louis XI, qu'on pouvait encore contempler, il y a deux cents ans, chez un conseiller d'état, où il a été vu par la vieille madame Pilou, célèbre dans le *Cyrus* sous le nom d'*Arricidie* et de *la Morale vivante*.

Telle était la chambre qu'on appelait « le retrait où dit ses heures monsieur Louis de France ».

Au moment où nous y avons introduit le lecteur, ce retrait était fort obscur. Le couvre-feu était sonné depuis une heure, il faisait nuit, et il n'y avait qu'une vacillante chandelle de cire posée sur la table pour éclairer cinq personnages diversement groupés dans la chambre.

Le premier sur lequel tombait la lumière était un seigneur superbement vêtu d'un haut-de-chausses et d'un justaucorps écarlate rayé d'argent, et d'une casaque à mahoîtres de drap d'or à dessins noirs. Ce splendide costume, où se jouait la lumière, semblait glacé de flamme à tous ses plis. L'homme qui le portait avait sur la poitrine ses armoiries brodées de vives couleurs : un chevron accompagné en pointe d'un daim passant. L'écusson était accosté à droite d'un rameau d'olivier, à gauche d'une corne de daim. Cet homme portait à sa ceinture une riche dague dont la poignée de vermeil était ciselée en forme de cimier et surmontée d'une couronne comtale. Il avait l'air mauvais, la mine fière et la tête haute. Au premier coup d'œil on voyait sur son visage l'arrogance, au second la ruse.

Il se tenait tête nue, une longue pancarte à la main, debout derrière la chaise à bras sur laquelle était assis, le corps disgracieusement plié en deux, les genoux chevauchant l'un sur l'autre, le coude sur la table, un personnage fort mal accoutré. Qu'on se figure en effet, sur l'opulent cuir de Cordoue, deux rotules cagneuses, deux cuisses maigres pauvrement habillées d'un tricot de laine noire, un torse enveloppé d'un surtout de futaine avec une fourrure dont on voyait moins de poil que de cuir ; enfin, pour couronner, un vieux chapeau gras du plus méchant drap noir bordé d'un cordon circulaire de figurines de plomb. Voilà, avec une sale calotte qui laissait à peine passer un cheveu, tout ce qu'on distinguait du personnage assis. Il tenait sa tête tellement courbée sur sa poitrine qu'on n'apercevait rien de son visage recouvert d'ombre, si ce n'est le bout de son nez sur lequel tombait un rayon de lumière, et qui devait être long. A la maigreur de sa main ridée on devinait un vieillard. C'était Louis XI.

A quelque distance derrière eux causaient à voix basse deux hommes vêtus à la coupe flamande, qui n'étaient pas assez perdus dans l'ombre pour que quelqu'un de ceux qui avaient assisté a la représentation du mystère de Gringoire n'eût pu reconnaître en eux deux des principaux envoyés flamands, Guillaume Rym, le sagace pensionnaire de Gand, et Jacques Coppenole, le populaire chaussetier. On se souvient que ces deux hommes étaient mêlés à la politique secrète de Louis XI.

Enfin, tout au fond, près de la porte, se tenait debout dans l'obscurité, immobile comme une statue, un vigoureux homme à membres trapus, à harnois militaire, à casaque armoriée, dont la face carrée, percée d'yeux à fleur de tête, fendue d'une immense bouche, dérobant ses oreilles sous deux larges abat-vent de cheveux plats, sans front, tenait à la fois du chien et du tigre.

Tous étaient découverts, excepté le roi.

Le seigneur qui était auprès du roi lui faisait lecture d'une espèce de long mémoire que sa majesté semblait écouter avec attention. Les deux flamands chuchotaient.

— Croix-Dieu ! grommelait Coppenole, je suis las d'être debout. Est-ce qu'il n'y a pas de chaise ici ?

Rym répondait par un geste négatif, accompagné d'un sourire discret.

— Croix-Dieu ! reprenait Coppenole tout malheureux d'être obligé de baisser ainsi la voix, l'envie me démange de m'asseoir à terre, jambes croisées, en chaussetier. Comme je fais dans ma boutique.

— Gardez-vous-en bien, maître Jacques !

— Ouais ! maître Guillaume ! ici l'on ne peut donc être que sur les pieds ?

— Ou sur les genoux, dit Rym.

En ce moment la voix du roi s'éleva. Ils se turent.

— Cinquante sols les robes de nos valets, et douze livres les manteaux des clercs de notre couronne ! C'est cela ! versez l'or à tonnes ! Êtes-vous fou, Olivier ?

En parlant ainsi, le vieillard avait levé la tête. On voyait reluire à son cou les coquilles d'or du collier de Saint-Michel. La chandelle éclairait en plein son profil décharné et morose. Il arracha le papier des mains de l'autre.

— Vous nous ruinez ! cria-t-il en promenant ses yeux creux sur le cahier. Qu'est-ce que tout cela ? qu'avons-nous besoin d'une si prodigieuse maison ? Deux chapelains à raison de dix livres par mois chacun, et un clerc de chapelle à cent sols ! Un valet de chambre à quatre-vingt-dix livres par an ! Quatre écuyers de cuisine à six vingts livres par an chacun ! Un hasteur, un potager, un saussier, un queux, un sommelier d'armures, deux valets de sommiers à raison de dix livres par mois chaque ! Deux galopins de cuisine à huit livres ! Un palefrenier et ses deux aides à vingt-quatre livres par mois ! Un porteur, un pâtissier, un boulanger, deux charretiers, chacun soixante livres par an ! Et le maréchal des forges, six vingts livres ! Et le maître de la chambre de nos deniers, douze cents livres, et le contrôleur, cinq cents ! — Que sais-je, moi ? C'est une furie ! Les gages de nos domestiques mettent la France au pillage ! Tous les mugots du Louvre fondront à un tel feu de dépense ! Nous y vendrons nos vaisselles ! Et l'an prochain, si Dieu et Notre-Dame (ici il souleva son chapeau) nous prêtent vie, nous boirons nos tisanes dans un pot d'étain !

En disant cela, il jetait un coup d'œil sur le hanap d'argent qui étincelait sur la table. Il toussa, et poursuivit :

— Maître Olivier, les princes qui règnent aux grandes seigneuries, comme rois et empereurs, ne doivent pas laisser engendrer la somptuosité en leurs maisons ; car de là ce feu court par la province. — Donc, maître Olivier, tiens-toi ceci pour dit. Notre dépense augmente tous les ans. La chose nous déplaît. Comment, pasque-Dieu ! jusqu'en 79 elle n'a point passé trente-six mille livres. En 80, elle a atteint quarante-trois mille six cent dix-neuf livres, — j'ai le chiffre en tête, — en 81, soixante-six mille six cent quatre-vingts livres ; et cette année, par la foi de mon corps ! elle atteindra quatre-vingt mille livres ! Doublée en quatre ans ! Monstrueux !

Il s'arrêta essoufflé, puis il reprit avec emportement : — Je ne vois autour de moi que gens qui s'engraissent de ma maigreur ! Vous me sucez des écus par tous les pores !

Tous gardaient le silence. C'était une de ces colères qu'on laisse aller. Il continua :

— C'est comme cette requête en latin de la seigneurie de France, pour que nous ayons à rétablir ce qu'ils appellent les grandes charges de la couronne ! Charges en effet ! charges qui écrasent ! Ah ! messieurs ! vous dites que nous ne sommes pas un roi, pour régner *dapifero nullo, buticulario nullo !* Nous vous le ferons voir, pasque-Dieu ! si nous ne sommes pas un roi !

Ici il sourit dans le sentiment de sa puissance, sa mauvaise humeur s'en adoucit, et il se tourna vers les flamands :

— Voyez-vous, compère Guillaume ? le grand panetier, le grand bouteillier, le grand chambellan, le grand sénéchal ne valent pas le moindre valet. — Retenez ceci, compère Coppenole ; — ils ne servent à rien. A se tenir ainsi inutiles autour du roi, ils me font l'effet des quatre évangélistes qui environnent le cadran de la grande horloge du Palais, et que Philippe Brille vient de remettre à neuf. Ils sont dorés, mais ils ne marquent pas l'heure ; et l'aiguille peut se passer d'eux. — Il demeura un moment pensif, et ajouta en hochant sa vieille tête : — Ho ! Ho ! par Notre-Dame, je ne suis pas Philippe Brille, et je ne redorerai pas les grands vassaux. Je suis de l'avis du roi Édouard : sauvez le peuple et tuez les seigneurs. — Continue, Olivier.

Le personnage qu'il désignait par ce nom reprit le cahier de ses mains, et se remit à lire à haute voix :

— « ... A Adam Tenon, commis à la garde des sceaux de « la prévôté de Paris, pour l'argent, façon et gravure desdits « sceaux qui ont été faits neufs pour ce que les autres précé- « dents, pour leur antiquité et caducqueté, ne pouvaient plus « bonnement servir. — Douze livres parisis.

« A Guillaume Frère, la somme de quatre livres quatre « sols parisis, pour ses peines et salaires d'avoir nourri et ali- « menté les colombes des deux colombiers de l'Hôtel des « Tournelles, durant les mois de janvier, février et mars de « cette année ; et pour ce a donné sept sextiers d'orge.

« A un cordelier, pour confession d'un criminel, quatre « sols parisis. »

Le roi écoutait en silence. De temps en temps il toussait. Alors il portait le hanap à ses lèvres et buvait une gorgée en faisant une grimace.

— « En cette année ont été faits par ordonnance de jus- « tice à son de trompe par les carrefours de Paris cinquante- « six cris. — Compte à régler.

« Pour avoir fouillé et cherché en certains endroits, tant « dans Paris qu'ailleurs, de la finance qu'on disait y avoir « été cachée, mais rien n'y a été trouvé ; — quarante-cinq « livres parisis. »

— Enterrer un écu pour déterrer un sou ! dit le roi.

— « ... Pour avoir mis à point, à l'Hôtel des Tournelles, « six panneaux de verre blanc à l'endroit où est la cage de « fer, treize sols. — Pour avoir fait et livré, par le comman- « dement. du roi, le jour des monstres, quatre écussons aux « armes dudit seigneur, enchapessés de chapeaux de roses « tout à l'entour, six livres. — Pour deux manches neuves au « vieil pourpoint du roi, vingt sols. — Pour une boîte de « graisse à graisser les bottes du roi, quinze deniers. — Une « étable faite de neuf pour loger les pourceaux noirs du roi, « trente livres parisis. — Plusieurs cloisons, planches et « trappes faites pour enfermer les lions d'emprès « Saint- « Paul, vingt-deux livres. »

— Voilà des bêtes qui sont chères, dit Louis XI. N'importe ! c'est une belle magnificence de roi. Il y a un grand lion roux que j'aime pour ses gentillesses. — L'avez-vous vu, maître Guillaume ? — Il faut que les princes aient de ces animaux mirifiques. A nous autres rois, nos chiens doivent être des lions, et nos chats des tigres. Le grand va aux couronnes. Du temps des païens de Jupiter, quand le peuple offrait aux églises cent bœufs et cent brebis, les empereurs donnaient cent lions et cent aigles. Cela était farouche et fort beau. Les rois de France ont toujours eu de ces rugissements autour de leur trône. Néanmoins on me rendra cette justice que j'y dépense encore moins d'argent qu'eux, et que j'ai une plus grande modestie de lions, d'ours, d'éléphants et de léopards. — Allez, maître Olivier. Nous voulions dire cela à nos amis les flamands.

Guillaume Rym s'inclina profondément, tandis que Coppenole, avec sa mine bourrue, avait l'air d'un de ces ours dont parlait sa majesté. Le roi n'y prit pas garde. Il venait de tremper ses lèvres dans le hanap, et recrachait le breuvage en disant : — Pouah ! la fâcheuse tisane ! — Celui qui lisait continua :

— « Pour nourriture d'un maraud piéton enverrouillé « depuis six mois dans la logette de l'écorcherie, en atten- « dant qu'on sache qu'en faire. — Six livres quatre sols. »

— Qu'est cela ? interrompit le roi. Nourrir ce qu'il faut pendre ! Pasque-Dieu ! je ne donnerai plus un sol pour cette nourriture. — Olivier, entendez-vous de la chose avec monsieur d'Estouteville, et dès ce soir faites-moi le préparatif des noces du galant avec une potence. — Reprenez.

Olivier fit une marque avec le pouce à l'article du *maraud piéton* et passa outre.

— « A Henriet Cousin, maître exécuteur des hautes « œuvres de la justice de Paris, la somme de soixante sols « parisis, à lui taxée et ordonnée par monseigneur le prévôt « de Paris, pour avoir acheté, de l'ordonnance de mondit « sieur le prévôt, une grande épée à feuille servant à exé- « cuter et décapiter les personnes qui par justice sont « condamnées pour leurs démérites, et icelle fait garnir de « fourreau et de tout ce qui y appartient ; et pareillement a « fait remettre à point et rhabiller la vieille épée, qui s'était « éclatée et ébréchée en faisant la justice de messire Louis a « de Luxembourg, comme plus à plein peut apparoir... »

Le roi interrompit : — Il suffit. J'ordonnance la somme de grand cœur. Voilà des dépenses où je ne regarde pas. Je n'ai jamais regretté cet argent-là. — Suivez.

— « Pour avoir fait de neuf une grande cage... »

— Ah ! dit le roi en prenant de ses deux mains les bras de sa chaise, je savais bien que j'étais venu en cette Bastille pour quelque chose. — Attendez, maître Olivier. Je veux voir moi-même la cage. Vous m'en lirez le coût pendant que je l'examinerai. — Messieurs les flamands, venez voir cela. C'est curieux.

Alors il se leva, s'appuya sur le bras de son interlocuteur, fit signe à l'espèce de muet qui se tenait debout devant la porte de le précéder, aux deux flamands de le suivre, et sortit de la chambre.

La royale compagnie se recruta, à la porte du retrait, d'hommes d'armes tout alourdis de fer, et de minces pages qui portaient des flambeaux. Elle chemina quelque temps dans l'intérieur du sombre donjon, percé d'escaliers et de corridors jusque dans l'épaisseur des murailles. Le capitaine de la Bastille marchait en tête, et faisait ouvrir les guichets devant le vieux roi malade et voûté, qui toussait en marchant.

A chaque guichet, toutes les têtes étaient obligées de se baisser, excepté celle du vieillard plié par l'âge. — Hum ! disait-il entre ses gencives, car il n'avait plus de dents, nous sommes déjà tout prêt pour la porte du sépulcre. A porte basse, passant courbé.

Enfin, après avoir franchi un dernier guichet si embarrassé de serrures qu'on a mit un quart d'heure à l'ouvrir, ils entrèrent dans une haute et vaste salle en ogive, au centre de laquelle on distinguait, à la lueur des torches, un gros cube massif de maçonnerie, de fer et de bois. L'intérieur était creux. C'était une de ces fameuses cages à prisonniers d'état qu'on appelait *les fillettes du roi*. Il y avait aux parois deux ou trois petites fenêtres, si drument treillissées d'épais barreaux de fer qu'on n'en voyait pas la vitre. La porte était une grande dalle de pierre plate, comme aux tombeaux. De ces portes qui ne servent jamais que pour entrer. Seulement, ici, le mort était un vivant.

Le roi se mit à marcher lentement autour du petit édifice en l'examinant avec soin, tandis que maître Olivier qui le suivait lisait tout haut le mémoire :

— « Pour avoir fait de neuf une grande cage de bois de « grosses solives, membrures et sablières, contenant neuf pieds de long sur huit de lé, et de hauteur sept pieds entre deux planchers, lissée et boujonnée à gros boujons de fer, « laquelle a été assise en une chambre étant à l'une des tours « de la bastide Saint-Antoine, en laquelle cage est mis et « détenu, par commandement du roi notre seigneur, un pri- « sonnier qui habitait précédemment une vieille cage « caduque et décrépite. — Ont été employés à cette dite cage « neuve quatre-vingt-seize solives de couche et cinquante- « deux solives debout, dix sablières de trois toises de long ; « et ont été occupés dix-neuf charpentiers pour équarrir, « ouvrer et tailler tout ledit bois en la cour de la Bastille pen- « dant vingt jours... »

— D'assez beaux cœurs de chêne, dit le roi en cognant du poing la charpente.

— « ...Il est entré dans cette cage, poursuivit l'autre, deux « cent vingt gros boujons de fer, de neuf pieds et de huit, le « surplus de moyenne longueur, avec les rouelles, pommelles « et contre-bandes servant auxdits boujons, pesant tout ledit « fer trois mille sept cent trente-cinq livres ; outre huit « grosses équières de fer servant à attacher ladite cage, avec « les crampons et clous pesant ensemble deux cent dix-huit « livres de fer, sans compter le fer des treillis des fenêtres de « la chambre où la cage a été posée, les barres de fer de la « porte de la chambre, et autres choses... »

— Voilà bien du fer, dit le roi, pour contenir la légèreté d'un esprit !

— « ... Le tout revient à trois cent dix-sept livres cinq « sols sept deniers. »

— Pasque-Dieu ! s'écria le roi.

A ce juron, qui était le favori de Louis XI, il parut que quelqu'un se réveillait dans l'intérieur de la cage, on enten- dit des chaînes qui en écorchaient le plancher avec bruit, et il s'éleva une voix faible qui semblait sortir de la tombe : — Sire ! Sire ! grâce ! — On ne pouvait voir celui qui parlait ainsi.

— Trois cent dix-sept livres cinq sols sept deniers ! reprit Louis XI.

La voix lamentable qui était sortie de la cage avait glacé tous les assistants, maître Olivier lui-même. Le roi seul avait l'air de ne pas l'avoir entendue. Sur son ordre, maître Oli- vier reprit sa lecture, et sa majesté continua froidement l'ins- pection de la cage.

— « ... Outre cela, il a été payé à un maçon qui a fait les « trous pour poser les grilles des fenêtres, et le plancher de « la chambre où est la cage, parce que le plancher n'eût pu « porter cette cage à cause de sa pesanteur, vingt-sept livres « quatorze sols parisis... »

La voix recommença à gémir :

— Grâce ! sire ! Je vous jure que c'est monsieur le cardinal d'Angers qui a fait la trahison, et non pas moi.

— Le maçon est rude ! dit le roi. Continue, Olivier.

Olivier continua :

— « ... A un menuisier, pour fenêtres, couches, selle per-« cée et autres choses, vingt livres deux sols parisis... »

La voix continuait aussi :

— Hélas ! sire ! ne m'écouterez-vous pas ? Je vous proteste que ce n'est pas moi qui ai écrit la chose à monseigneur de Guyenne, mais monsieur le cardinal La Balue !

— Le menuisier est cher, observa le roi. — Est-ce tout ?

— Non, sire. — « ... A un vitrier, pour les vitres de ladite « chambre, quarante-six sols huit deniers parisis. »

— Faites grâce, sire ! N'est-ce donc pas assez qu'on ait donné tous mes biens à mes juges, ma vaisselle à monsieur de Torcy, ma librairie à maître Pierre Doriolle, ma tapisserie au gouverneur du Roussillon ? Je suis innocent. Voilà quatorze ans que je grelotte dans une cage de fer. Faites grâce, sire ! vous retrouverez cela dans le ciel.

— Maître Olivier, dit le roi, le total ?

— Trois cent soixante-sept livres huit sols trois deniers parisis.

— Notre-Dame ! cria le roi. Voilà une cage outrageuse !

Il arracha le cahier des mains de maître Olivier, et se mit à compter lui-même sur ses doigts, en examinant tour à tour le papier et la cage. Cependant on entendait sangloter le prisonnier. C'était lugubre dans l'ombre, et les visages se regardaient en pâlissant.

— Quatorze ans, sire ! voilà quatorze ans ! depuis le mois d'avril 1469. Au nom de la sainte mère de Dieu, sire, écoutez-moi ! Vous avez joui tout ce temps de la chaleur du soleil. Moi, chétif, ne verrai-je plus jamais le jour ? Grâce, sire ! Soyez miséricordieux. La clémence est une belle vertu royale, qui rompt les courantes de la colère. Croit-elle, votre majesté ; que ce soit à l'heure de la mort un grand contente-

ment pour un roi, de n'avoir laissé aucune offense impunie ?
D'ailleurs, sire, je n'ai point trahi votre majesté c'est monsieur d'Angers. Et j'ai au pied une bien lourde chaîne, et une
grosse boule de fer au bout, beaucoup plus pesante qu'il
n'est de raison. Hé ! sire ! ayez pitié de moi !

— Olivier, dit le roi en hochant la tête, je remarque qu'on
me compte le muid de plâtre à vingt sols, qui n'en vaut que
douze. Vous referez ce mémoire.

Il tourna le dos à la cage, et se mit en devoir de sortir de la
chambre. Le misérable prisonnier, à l'éloignement des flambeaux et du bruit, jugea que le roi s'en allait. — Sire ! sire !
cria-t-il avec désespoir. La porte se referma. Il ne vit plus
rien, et n'entendit plus que la voix rauque du guichetier, qui
lui chantait aux oreilles la chanson :

> Maître Jean Balue
> A perdu la vue
> De ses évêchés ;
> Monsieur de Verdun
> N'en a plus pas un ;
> Tous sont dépêchés.

Le roi remontait en silence à son retrait, et son cortège le
suivait, terrifié des derniers gémissements du condamné.
Tout à coup, sa majesté se tourna vers le gouverneur de la
Bastille. — A propos, dit-elle, n'y avait-il pas quelqu'un
dans cette cage ?

— Pardieu, sire ! répondit le gouverneur stupéfait de la
question.

— Et qui donc ?

— Monsieur l'évêque de Verdun.

Le roi savait cela mieux que personne. Mais c'était une
manie.

— Ah ! dit-il avec l'air naïf d'y songer pour la première
fois, Guillaume de Harancourt, l'ami de monsieur le cardinal
La Balue. Un bon diable d'évêque !

Au bout de quelques instants, la porte du retrait s'était
rouverte, puis reclose sur les cinq personnages que le lecteur
y a vus au commencement de ce chapitre, et qui y avaient
repris leurs places, leurs causeries à demi-voix, et leurs attitudes.

Pendant l'absence du roi, on avait déposé sur sa table

quelques dépêches, dont il rompit lui-même le cachet. Puis il se mit à les lire promptement l'une après l'autre, fit signe à *maître Olivier*, qui paraissait avoir près de lui office de ministre, de prendre une plume, et, sans lui faire part du contenu des dépêches, commença à lui en dicter à voix basse les réponses, que celui-ci écrivait, assez incommodément agenouillé devant la table.

Guillaume Rym observait.

Le roi parlait si bas, que les flamands n'entendaient rien de sa dictée, si ce n'est çà et là quelques lambeaux isolés et peu intelligibles comme : — ... Maintenir les lieux fertiles par le commerce, les stériles par les manufactures... — Faire voir aux seigneurs anglais nos quatre bombardes, la Londres, la Brabant, la Bourg-en-Bresse, la Saint-Omer... — L'artillerie est cause que la guerre se fait maintenant plus judicieusement... — A M. de Bressuire, notre ami... — Les armées ne s'entretiennent sans les tributs... — Etc.

Une fois il haussa la voix : — Pasque-Dieu ! monsieur le roi de Sicile scelle ses lettres sur cire jaune, comme un roi de France. Nous avons peut-être tort de le lui permettre. Mon beau cousin de Bourgogne ne donnait pas d'armoiries à champ de gueules. La grandeur des maisons s'assure en l'intégrité des prérogatives. Note ceci, compère Olivier.

Une autre fois : — Oh ! oh ! dit-il, le gros message ! Que nous réclame notre frère l'empereur ? — Et parcourant des yeux la missive en coupant sa lecture d'interjections : — Certes ! les Allemagnes sont si grandes et puissantes qu'il est à peine croyable. — Mais nous n'oublions pas le vieux proverbe : La plus belle comté est Flandre ; la plus belle duché, Milan ; le plus beau royaume, France. — N'est-ce pas, messieurs les flamands ?

Cette fois, Coppenole s'inclina avec Guillaume Rym. Le patriotisme du chaussetier était chatouillé.

Une dernière dépêche fit froncer le sourcil à Louis XI. — Qu'est cela ? s'écria-t-il. Des plaintes et quérimonies contre nos garnisons de Picardie ! Olivier, écrivez en diligence à M. le maréchal de Rouault. — Que les disciplines se relâchent. — Que les gendarmes des ordonnances, les nobles de ban, les francs-archers, les suisses, font des maux infinis aux manants. — Que l'homme de guerre, ne se contentant pas des biens qu'il trouve en la maison des laboureurs, les contraint, à grands coups de bâton ou de voulge, à aller quérir du vin à la ville, du poisson, des épiceries, et autres choses excessives. — Que monsieur le roi sait cela. — Que nous entendons garder notre peuple des inconvénients, larcins et pilleries. — Que c'est notre volonté, par Notre-Dame ! — Qu'en outre, il ne nous agrée pas qu'aucun ménétrier, barbier, ou valet de guerre, soit vêtu comme prince, de velours, de drap de soie et d'anneaux d'or. — Que ces vanités sont haineuses à Dieu. — Que nous nous contentons, nous qui sommes gentilhomme, d'un pourpoint de drap à seize sols l'aune de Paris. — Que messieurs les goujats peuvent bien se rabaisser jusque-là,eux aussi. — Mandez et ordonnez. — A monsieur de Rouault, notre ami. — Bien.

Il dicta cette lettre à haute voix, d'un ton ferme et par saccades. Au moment où il achevait, la porte s'ouvrit et donna passage à un nouveau personnage, qui se précipita tout effaré dans la chambre en criant : — Sire ! sire ! il y a une sédition de populaire dans Paris !

La grave figure de Louis XI se contracta ; mais ce qu'il y eut de visible dans son émotion passa comme un éclair. Il se contint, et dit avec une sévérité tranquille : — Compère Jacques, vous entrez bien brusquement !

— Sire ! sire ! il y a une révolte ! reprit le compère Jacques essoufflé.

Le roi, qui s'était levé, lui prit rudement le bras et lui dit à l'oreille, de façon à être entendu de lui seul, avec une colère concentrée et un regard oblique sur les flamands : — Taistoi, ou parle bas !

Le nouveau venu comprit, et se mit à lui faire tout bas une narration très effarouchée que le roi écoutait avec calme, tandis que Guillaume Rym faisait remarquer à Coppenole le visage et l'habit du nouveau venu, sa capuce fourrée, *caputia fourrata,* son épitoge courte, *epitogia curta*, sa robe de velours noir, qui annonçait un président de la Cour des comptes.

A peine ce personnage eut-il donné au roi quelques explications, que Louis XI s'écria en éclatant de rire : — En vérité ! parlez tout haut, compère Coictier ! Qu'avez-vous à parler bas ainsi ? Notre-Dame sait que nous n'avons rien de caché pour nos bons amis flamands.

— Mais, sire...

— Parlez tout haut !

Le « compère Coictier » demeurait muet de surprise.

— Donc, reprit le roi, — parlez, monsieur, — il y a une émotion de manants dans notre bonne ville de Paris ?

— Oui, sire.

— Et qui se dirige, dites-vous, contre monsieur le bailli du Palais de Justice ?

— Il y a apparence, répondit *le compère*, qui balbutiait, encore tout étourdi du brusque et inexplicable changement qui venait de s'opérer dans les pensées du roi.

Louis XI reprit : — Où le guet a-t-il rencontré la cohue ?

— Cheminant de la Grande-Truanderie vers le Pont-aux-Changeurs. Je l'ai rencontrée moi-même comme je venais ici pour obéir aux ordres de votre majesté. J'en ai entendu quelques-uns qui criaient : A bas le bailli du Palais !

— Et quels griefs ont-ils contre le bailli ?

— Ah ! dit le compère Jacques, qu'il est leur seigneur.

— Vraiment !

— Oui, sire. Ce sont des marauds de la Cour des Miracles. Voilà longtemps déjà qu'ils se plaignent du bailli, dont ils sont vassaux. Ils ne veulent le reconnaître ni comme justicier ni comme voyer.

— Oui-da ! repartit le roi avec un sourire de satisfaction qu'il s'efforçait en vain de déguiser.

— Dans toutes leurs requêtes au parlement, reprit le compère Jacques, ils prétendent n'avoir que deux maîtres, votre majesté et leur Dieu, qui est, je crois, le diable.

— Hé ! hé ! dit le roi.

Il se frottait les mains, il riait de ce rire intérieur qui fait rayonner le visage. Il ne pouvait dissimuler sa joie, quoiqu'il essayât par instants de se composer. Personne n'y comprenait rien, pas même « maître Olivier ». Il resta un moment silencieux, avec un air pensif, mais content.

— Sont-ils en force ? demanda-t-il tout à coup.

— Oui certes, sire, répondit le compère Jacques.

— Combien ?

— Au moins six mille.

Le roi ne put s'empêcher de dire : Bon ! Il reprit : — Sont-ils armés ?

— Des faulx, des piques, des hacquebutes, des pioches. Toutes sortes d'armes fort violentes.

Le roi ne parut nullement inquiet de cet étalage. Le compère Jacques crut devoir ajouter : — Si votre majesté n'envoie pas promptement au secours du bailli, il est perdu.

— Nous enverrons, dit le roi avec un faux air sérieux. C'est bon. Certainement nous enverrons. Monsieur le bailli est notre ami. Six mille ! Ce sont de déterminés drôles. La hardiesse est merveilleuse, et nous en sommes fort courroucé.

Mais nous avons peu de monde cette nuit autour de nous. — Il sera temps demain matin.

Le compère Jacques se récria. — Tout de suite, sire ! Le bailliage aura vingt fois le temps d'être saccagé, la seigneurie violée et le bailli pendu. Pour Dieu, sire ! envoyez avant demain matin.

Le roi le regarda en face. — Je vous ai dit demain matin.

C'était un de ces regards auxquels on ne réplique pas.

Après un silence, Louis XI éleva de nouveau la voix. — Mon compère Jacques, vous devez savoir cela ? Quelle était... Il se reprit : Quelle est la juridiction féodale du bailli ?

— Sire, le bailli du Palais a la rue de la Calandre jusqu'à la rue de l'Herberie, la place Saint-Michel et les lieux vulgairement nommés les Mureaux assis près de l'église Notre-Dame-des-Champs (ici Louis XI souleva le bord de son chapeau), lesquels hôtels sont au nombre de treize, plus la Cour des Miracles, plus la Maladerie appelée la Banlieue, plus toute la chaussée qui commence à cette Maladerie et finit à la Porte Saint-Jacques. De ces divers endroits il est voyer, haut, moyen et bas justicier, plein seigneur.

— Ouais ! dit le roi en se grattant l'oreille gauche avec la main droite, cela fait un bon bout de ma ville ! Ah ! monsieur le bailli *était* roi de tout cela !

Cette fois il ne se reprit point. Il continua, rêveur et comme se parlant à lui-même : — Tout beau, monsieur le bailli ! vous aviez là entre les dents un gentil morceau de notre Paris.

Tout à coup il fit explosion : — Pasque-Dieu ! qu'est-ce que c'est que ces gens qui se prétendent voyers, justiciers, seigneurs et maîtres chez nous ? qui ont leur péage à tout bout de champ, leur justice et leur bourreau à tout carrefour parmi notre peuple ? de façon que, comme le grec se croyait autant de dieux qu'il avait de fontaines, et le persan autant qu'il voyait d'étoiles, le français se compte autant de rois qu'il voit de gibets! Pardieu! cette chose est mauvaise, et la confusion m'en déplaît. Je voudrais bien savoir si c'est la grâce de Dieu qu'il y ait à Paris un autre voyer que le roi, une autre justice que notre parlement, un autre empereur que nous dans cet empire! Par la foi de mon âme! il faudra bien que le jour vienne où il n'y aura en France qu'un roi, qu'un seigneur, qu'un juge, qu'un coupe-tête, comme il n'y a au paradis qu'un Dieu!

Il souleva encore son bonnet, et continua, rêvant toujours, avec l'air et l'accent d'un chasseur qui agace et lance sa meute : — Bon! mon peuple! bravement! brise ces faux seigneurs! fais ta besogne. Sus! sus! pille-les, pends-les, saccage-les!... Ah! vous voulez être rois, messeigneurs? Va! peuple! va!

Ici il s'interrompit brusquement, se mordit la lèvre, comme pour rattraper sa pensée à demi échappée, appuya tour à tour son œil perçant sur chacun des cinq personnages qui l'entouraient, et tout à coup saisissant son chapeau à deux mains et le regardant en face, il lui dit : — Oh! je te brûlerais si tu savais ce qu'il y a dans ma tête!

Puis, promenant de nouveau autour de lui le regard attentif et inquiet du renard qui rentre sournoisement à son terrier : — Il n'importe! nous secourrons monsieur le bailli. Par malheur nous n'avons que peu de troupe ici en ce moment contre tant de populaire. Il faut attendre jusqu'à demain. On remettra l'ordre en la Cité, et l'on pendra vertement tout ce qui sera pris.

— A propos, sire! dit le compère Coictier, j'ai oublié cela dans le premier trouble, le guet a saisi deux traînards de la bande. Si votre majesté veut voir ces hommes, ils sont là.

— Si je veux les voir! cria le roi. Comment! Pasque-Dieu! tu oublies chose pareille! — Cours vite, toi, Olivier! va les chercher.

Maître Olivier sortit et rentra un moment après avec les deux prisonniers, environnés d'archers de l'ordonnance. Le premier avait une grosse face idiote, ivre et étonnée. Il était vêtu de guenilles et marchait en pliant le genou et en traînant le pied. Le second était une figure blême et souriante que le lecteur connaît déjà.

Le roi les examina un instant sans mot dire, puis s'adressant brusquement au premier :

— Comment t'appelles-tu ?

— Gieffroy Pincebourde.

— Ton métier ?

— Truand.

— Qu'allais-tu faire dans cette damnable sédition ?

Le truand regarda le roi, en balançant ses bras d'un air hébété. C'était une de ces têtes mal conformées où l'intelligence est à peu près aussi à l'aise que la lumière sous l'éteignoir.

— Je ne sais pas, dit-il. On allait, j'allais.

— N'alliez-vous pas attaquer outrageusement et piller votre seigneur le bailli du Palais ?

— Je sais qu'on allait prendre quelque chose chez quelqu'un. Voilà tout.

Un soldat montra au roi une serpe qu'on avait saisie sur le truand.

— Reconnais-tu cette arme ? demanda le roi.

— Oui, c'est ma serpe. Je suis vigneron.

— Et reconnais-tu cet homme pour ton compagnon ? ajouta Louis XI, en désignant l'autre prisonnier.

— Non. Je ne le connais point.

— Il suffit, dit le roi. Et faisant un signe du doigt au personnage silencieux, immobile près de la porte, que nous avons déjà fait remarquer au lecteur :

— Compère Tristan, voilà un homme pour vous.

Tristan l'Hermite s'inclina. Il donna un ordre à voix basse à deux archers qui emmenèrent le pauvre truand.

Cependant, le roi s'était approché du second prisonnier, qui suait à grosses gouttes. — Ton nom ?

— Sire, Pierre Gringoire.

— Ton métier ?

— Philosophe, sire.

— Comment te permets-tu, drôle, d'aller investir notre ami monsieur le bailli du Palais, et qu'as-tu à dire de cette émotion populaire ?

— Sire, je n'en étais pas.

— Or çà ! paillard, n'as-tu pas été appréhendé par le guet dans cette mauvaise compagnie ?

— Non, sire, il y a méprise. C'est une fatalité. Je fais des tragédies. Sire, je supplie votre majesté de m'entendre. Je suis poète. C'est la mélancolie des gens de ma profession d'aller la nuit par les rues. Je passais par là ce soir. C'est grand hasard. On m'a arrêté à tort. Je suis innocent de cette tempête civile. Votre majesté voit que le truand ne m'a pas reconnu. Je conjure votre majesté...

— Tais-toi ! dit le roi entre deux gorgées de tisane. Tu nous romps la tête.

Tristan l'Hermite s'avança et désignant Gringoire du doigt : — Sire, peut-on pendre aussi celui-là ?

C'était la première parole qu'il proférait.

— Peuh ! répondit négligemment le roi. Je n'y vois pas d'inconvénients.

— J'en vois beaucoup, moi ! dit Gringoire.

Notre philosophe était en ce moment plus vert qu'une olive. Il vit à la mine froide et indifférente du roi qu'il n'y avait plus de ressource que dans quelque chose de très pathétique, et se précipita aux pieds de Louis XI en s'écriant avec une gesticulation désespérée :

— Sire ! votre majesté daignera m'entendre. Sire ! n'éclatez pas en tonnerre sur si peu de chose que moi. La grande foudre de Dieu ne bombarde pas une laitue. Sire, vous êtes un auguste monarque très puissant, ayez pitié d'un pauvre homme honnête, et qui serait plus empêché d'attiser une révolte qu'un glaçon de donner une étincelle ! Très gracieux sire, la débonnaireté est vertu de lion et de roi. Hélas ! la rigueur ne fait qu'effaroucher les esprits, les bouffées impétueuses de la bise ne sauraient faire quitter le manteau au passant, le soleil donnant de ses rayons peu à peu l'échauffe de telle sorte qu'il le fera mettre en chemise. Sire, vous êtes le soleil. Je vous le proteste, mon souverain maître et seigneur, je ne suis pas un compagnon truand, voleur et désordonné. La révolte et les briganderies ne sont pas de l'équipage d'Apollo. Ce n'est pas moi qui m'irai précipiter dans ces nuées qui éclatent en des bruits de séditions. Je suis un fidèle vassal de votre majesté. La même jalousie qu'a le mari pour l'honneur de sa femme, le ressentiment qu'a le fils pour l'amour de son père, un bon vassal les doit avoir pour la gloire de son roi, il doit sécher pour le zèle de sa maison, pour l'accroissement de son service. Toute autre passion qui le transporterait ne serait que fureur. Voilà, sire, mes maximes d'état. Donc, ne me jugez pas séditieux et pillard à mon habit usé aux coudes. Si vous me faites grâce, sire, je l'userai aux genoux à prier Dieu soir et matin pour vous ! Hélas ! je ne suis pas extrêmement riche, c'est vrai. Je suis même un peu pauvre. Mais non vicieux pour cela. Ce n'est pas ma chute. Chacun sait que les grandes richesses ne se tirent pas des belles-lettres, et que les plus consommés aux bons livres n'ont pas toujours gros feu l'hiver. La seule avo-casserie prend tout le grain et ne laisse que la paille aux autres professions scientifiques. Il y a quarante très excel-lents proverbes sur le manteau troué des philosophes. Oh ! sire ! la clémence est la seule lumière qui puisse éclairer l'intérieur d'une grande âme. La clémence porte le flambeau devant toutes les autres vertus. Sans elle, ce sont des aveugles qui cherchent Dieu à tâtons. La miséricorde, qui est la même chose que la clémence, fait l'amour des sujets qui est le plus puissant corps de garde à la personne du prince. Qu'est-ce que cela vous fait, à vous majesté dont les faces sont éblouies, qu'il y ait un pauvre homme de plus sur la terre ? un pauvre innocent philosophe, barbotant dans les ténèbres de la calamité, avec son gousset vide qui résonne sur son ventre creux ? D'ailleurs, sire, je suis un lettré. Les grands rois se font une perle à leur couronne de protéger les lettres. Herculès ne dédaignait pas le titre de Musagetes. Mathias Corvin favorisait Jean de Monroyal, l'ornement des mathématiques. Or, c'est une mauvaise manière de protéger les lettres que de pendre les lettrés. Quelle tache à Alexandre s'il avait lait pendre Aristoteles ! Ce trait ne serait pas un petit moucheron sur le visage de sa réputation pour l'embellir, mais bien un malin ulcère pour le défigurer. Sire ! j'ai fait un très expédient épithalame pour madamoiselle de Flandre et monseigneur le très auguste dauphin. Cela n'est pas d'un boute-feu de rébellion. Votre majesté voit que je ne suis pas un grimaud, que j'ai étudié excellemment, et que j'ai beau-coup d'éloquence naturelle. Faites-moi grâce, sire. Cela fai-sant, vous ferez une action galante à Notre-Dame, et je vous jure que je suis très effrayé de l'idée d'être pendu !

En parlant ainsi, le désolé Gringoire baisait les pantoufles du roi, et Guillaume Rym disait tout bas à Coppenole : — Il fait bien de se traîner à terre. Les rois sont comme le Jupiter de Crète, ils n'ont des oreilles qu'aux pieds. — Et, sans s'occuper du Jupiter de Crète, le chaussetier répondait avec un lourd sourire, l'œil fixé sur Gringoire : — Oh ! que c'est bien cela ! je crois entendre le chancelier Hugonet me demander grâce.

Quand Gringoire s'arrêta enfin tout essoufflé, il leva la tête en tremblant vers le roi qui grattait avec son ongle une tache que ses chausses avaient au genou. Puis sa majesté se mit à boire au hanap de tisane. Du reste, elle ne soufflait mot, et ce silence torturait Gringoire. Le roi le regarda enfin.

— Voilà un terrible braillard ! dit-il. Puis se tournant vers Tristan l'Hermite : — Bah ! lâchez-le !

Gringoire tomba sur le derrière, tout épouvanté de joie.

— En liberté ! grogna Tristan. Votre majesté ne veut-elle pas qu'on le retienne un peu en cage ?

— Compère, repartit Louis XI, crois-tu que ce soit pour de pareils oiseaux que nous faisons faire des cages de trois cent soixante-sept livres huit sols trois deniers ? — Lâchez-moi incontinent le paillard (Louis XI affectionnait ce mot, qui faisait avec *Pasque-Dieu* le fond de sa jovialité) et mettez-le hors avec une bourrade !

— Ouf ! s'écria Gringoire, que voilà un grand roi !

Et de peur d'un contre-ordre, il se précipita vers la porte que Tristan lui rouvrit d'assez mauvaise grâce. Les soldats sortirent avec lui en le poussant devant eux à grands coups de poing, ce que Gringoire supporta en vrai philosophe stoïcien.

La bonne humeur du roi, depuis que la révolte contre le bailli lui avait été annoncée, perçait dans tout. Cette clémence inusitée n'en était pas un médiocre signe. Tristan l'Hermite dans son coin avait la mine renfrognée d'un dogue qui a vu et qui n'a pas eu.

Le roi cependant battait gaiement avec les doigts sur le bras de sa chaise la marche de Pont-Audemer. C'était un prince dissimulé, mais qui savait beaucoup mieux cacher ses peines que ses joies. Ces manifestations extérieures de joie à toute bonne nouvelle allaient quelquefois très loin ; ainsi, à la mort de Charles le Téméraire, jusqu'à vouer des balustrades d'argent à Saint-Martin de Tours, à son avènement au trône, jusqu'à oublier d'ordonner les obsèques de son père.

— Hé ! sire ! s'écria tout à coup Jacques Coictier, qu'est devenue la pointe aiguë de maladie pour laquelle votre majesté m'avait fait mander ?

— Oh ! dit le roi, vraiment je souffre beaucoup, mon

compère. J'ai l'oreille sibilante, et des râteaux de feu qui me raclent le poitrine.

Coictier prit la main du roi, et se mit à lui tâter le pouls avec une mine capable.

— Regardez, Coppenole, disait Rym à voix basse. Le voilà entre Coictier et Tristan. C'est là toute sa cour. Un médecin pour lui, un bourreau pour les autres.

En tâtant le pouls du roi, Coictier prenait un air de plus en plus alarmé. Louis XI le regardait avec quelque anxiété. Coictier se rembrunissait à vue d'œil. Le brave homme n'avait d'autre métairie que la mauvaise santé du roi. Il l'exploitait de son mieux.

— Oh! oh! murmura-t-il enfin, ceci est grave, en effet.

— N'est-ce pas? dit le roi inquiet.

— *Pulsus creber, anhelans, crepitans, irregularis,* continua le médecin.

— Pasque-Dieu!

— Avant trois jours, ceci peut emporter son homme.

— Notre-Dame! s'écria le roi. Et le remède, compère?

— J'y songe sire.

Il fit tirer la langue à Louis XI, hocha la tête, fit la grimace, et tout au milieu de ces simagrées : — Pardieu, sire dit-il tout à coup, il faut que je vous conte qu'il y a une recette des régales vacante, et que j'ai un neveu.

— Je donne ma recette à ton neveu, compère Jacques, répondit le roi ; mais tire-moi ce feu de la poitrine.

— Puisque votre majesté est si clémente, reprit le médecin, elle ne refusera pas de m'aider un peu en la bâtisse de ma maison rue Saint-André-des-Arcs.

— Heuh! dit le roi.

— Je suis au bout de ma finance, poursuivit le docteur, et il serait vraiment dommage que la maison n'eût pas de toit. Non pour la maison, qui est simple et toute bourgeoise, mais pour les peintures de Jehan Fourbault, qui en égaient le lambris. Il y a une Diane en l'air qui vole, mais si excellente, si tendre, si délicate, d'une action si ingénue, la tête si bien coiffée et couronnée d'un croissant, la chair si blanche qu'elle donne de la tentation à ceux qui la regardent trop curieusement. Il y a aussi une Cérès. C'est encore une très belle divinité. Elles est assise sur des gerbes de blé, et coiffée d'une guirlande galante d'épis entrelacés de salsifis et autres fleurs. Il ne se peut rien voir de plus amoureux que ses yeux, de plus rond que ses jambes, de plus noble que son air, de mieux drapé que sa jupe. C'est une des beautés les plus innocentes et les plus parfaites qu'ait produites le pinceau.

— Bourreau! grommela Louis XI, où en veux-tu venir?

— Il me faut un toit sur ces peintures, sire, et, quoique ce soit peu de chose, je n'ai plus d'argent.

— Combien est-ce, ton toit?

— Mais... un toit de cuivre historié et doré, deux mille livres au plus.

— Ah! l'assassin! cria le roi. Il ne m'arrache pas une dent qui ne soit un diamant.

— Ai-je mon toit? dit Coictier.

— Oui! et va au diable, mais guéris-moi.

Jacques Coictier s'inclina profondément et dit : — Sire, c'est un répercussif qui vous sauvera. Nous vous appliquerons sur les reins le grand défensif, composé avec le cérat, le bol d'Arménie, le blanc d'œuf, l'huile et le vinaigre. Vous continuerez votre tisane, et nous répondons de votre majesté.

Une chandelle qui brille n'attire pas qu'un moucheron. Maître Olivier, voyant le roi en libéralité et croyant le moment bon, s'approcha à son tour : — Sire...

— Qu'est-ce encore? dit Louis XI.

— Sire, votre majesté sait que maître Simon Radin est mort?

— Eh bien?

— C'est qu'il était conseiller du roi sur le fait de la justice du trésor.

— Eh bien?

— Sire, sa place est vacante.

En parlant ainsi, la figure hautaine de maître Olivier avait quitté l'expression arrogante pour l'expression basse. C'est le seul rechange qu'ait une figure de courtisan. Le roi le regarda très en face, et dit d'un ton sec : — Je comprends.

Il reprit :

— Maître Olivier, le maréchal de Boucicaut disait : Il n'est don que de roi, il n'est peschier que en la mer. Je vois que vous êtes de l'avis de monsieur de Boucicaut. Maintenant oyez ceci. Nous avons bonne mémoire. En 68, nous vous avons fait varlet de notre chambre; en 69, garde du châtel du Pont de Saint-Cloud à cent livres tournois de gages (vous les vouliez parisis). En novembre 73, par lettres données à Gergeole, nous vous avons institué concierge du bois de Vincennes, au lieu de Gilbert Acle, écuyer ; en 75, gruyer de la forêt de Rouvray-lez-Saint-Cloud, en place de Jacques Le Maire ; en 78, nous vous avons gracieusement assis, par lettres patentes scellées sur double queue de cire verte, une rente de dix livres parisis, pour vous et votre femme, sur la place aux marchands, sise à l'école Saint-Germain ; en 79, nous vous avons fait gruyer de la forêt de Senart, au lieu de ce pauvre Jehan Daiz ; puis capitaine du château de Loches ; puis gouverneur de Saint-Quentin ; puis capitaine du Pont de Meulan, dont vous vous faites appeler comte. Sur les cinq sols d'amende que paie tout barbier qui rase un jour de fête, il y a trois sols pour vous, et nous avons votre reste. Nous avons bien voulu changer votre nom de *Le Mauvais*, qui ressemblait trop à votre mine. En 74, nous vous avons octroyé, au grand déplaisir de notre noblesse, des armoiries de mille couleurs qui vous font une poitrine de paon. Pasque-Dieu ! n'êtes-vous pas saoul ? La pescherie n'est-elle point assez belle et miraculeuse ? Et ne craignez-vous pas qu'un saumon de plus ne fasse chavirer votre bateau ? L'orgueil vous perdra, mon compère. L'orgueil est toujours talonné de la ruine et de la honte. Considérez ceci, et taisez-vous.

Ces paroles, prononcées avec sévérité, firent revenir à l'insolence la physionomie dépitée de maître Olivier. — Bon, murmura-t-il presque tout haut, on voit bien que le roi est malade aujourd'hui. Il donne tout au médecin.

Louis XI, loin de s'irriter de cette incartade, reprit avec quelque douceur : — Tenez, j'oubliais encore que je vous ai fait mon ambassadeur à Gand près de madame Marie. — Oui, messieurs, ajouta le roi en se tournant vers les flamands, celui-ci a été ambassadeur. — Là, mon compère, poursuivit-il en s'adressant à maître Olivier, ne nous fâchons pas, nous sommes vieux amis. Voilà qu'il est très tard. Nous avons terminé notre travail. Rasez-moi.

Nos lecteurs n'ont sans doute pas attendu jusqu'à présent pour reconnaître dans *maître Olivier* ce Figaro terrible que la providence, cette grande faiseuse de drames, a mêlé si artistement à la longue et sanglante comédie de Louis XI. Ce n'est pas ici que nous entreprendrons de développer cette figure singulière. Ce barbier du roi avait trois noms. A la cour, on l'appelait poliment Olivier le Daim; parmi le peuple, Olivier le Diable. Il s'appelait de son vrai nom Olivier le Mauvais.

Olivier le Mauvais donc resta immobile, boudant le roi, et regardant Jacques Coictier de travers. — Oui, oui! le médecin! disait-il entre ses dents.

— Eh! oui, le médecin, reprit Louis XI avec une bonhomie singulière, le médecin a plus de crédit encore que toi. C'est tout simple. Il a prise sur nous par tout le corps, et tu ne nous tiens que par le menton. Va, mon pauvre barbier, cela se retrouvera. Que dirais-tu donc, et que deviendrait ta charge si j'étais un roi comme le roi Chilpéric qui avait pour geste de tenir sa barbe d'une main? — Allons, mon compère, vaque à ton office, rase-moi. Va chercher ce qu'il te faut.

Olivier, voyant que le roi avait pris le parti de rire et qu'il n'y avait pas même moyen de le fâcher, sortit en grondant pour exécuter ses ordres.

Le roi se leva, s'approcha de la fenêtre, et tout à coup l'ouvrant avec une agitation extraordinaire : — Oh! oui! s'écria-t-il en battant des mains, voilà une rougeur dans le ciel sur la Cité. C'est le bailli qui brûle. Ce ne peut être que cela. Ah! mon bon peuple! voilà donc que tu m'aides enfin à l'écroulement des seigneuries!

Alors, se tournant vers les flamands : — Messieurs, venez voir ceci. N'est-ce pas un feu qui rougeoie?

Les deux gantois s'approchèrent.

— Un grand feu, dit Guillaume Rym.

— Oh! ajouta Coppenole, dont les yeux étincelèrent tout à coup, cela me rappelle le brûlement de la maison du seigneur d'Hymbercourt. Il doit y avoir une grosse révolte là-bas.

— Vous croyez, maître Coppenole? — Et le regard de Louis XI était presque aussi joyeux que celui du chaussetier — N'est-ce pas qu'il sera difficile d'y résister?

— Croix-Dieu! sire! votre majesté ébréchera là-dessus bien des compagnies de gens de guerre!

— Ah! moi! c'est différent, repartit le roi. Si je voulais!...

Le chaussetier répondit hardiment :

— Si cette révolte est ce que je suppose, vous auriez beau vouloir, sire !

— Compère, dit Louis XI, avec deux compagnies de mon ordonnance et une volée de serpentine, on a bon marché d'une populace de manants.

Le chaussetier, malgré les signes que lui faisait Guillaume Rym, paraissait déterminé à tenir tête au roi.

— Sire, les suisses aussi étaient des manants. Monsieur le duc de Bourgogne était un grand gentilhomme, et il faisait fi de cette canaille. A la bataille de Grandson sire, il criait : Gens de canons ! feu sur ces vilains ! et il jurait par Saint-Georges. Mais l'avoyer Scharnachtal se rua sur le beau duc avec sa massue et son peuple, et de la rencontre des paysans à peaux de buffle la luisante armée bourguignonne s'éclata comme une vitre au choc d'un caillou. Il y eut là bien des chevaliers de tués par des marauds ; et l'on trouva monsieur de Château-Guyon, le plus grand seigneur de la Bourgogne, mort avec son grand cheval grison dans un petit pré de marais.

— L'ami, repartit le roi, vous parlez d'une bataille. Il s'agit d'une mutinerie. Et j'en viendrai à bout quand il me plaira de froncer le sourcil.

L'autre répliqua avec indifférence :

— Cela se peut, sire. En ce cas, c'est que l'heure du peuple n'est pas venue.

Guillaume Rym crut devoir intervenir. — Maître Coppenole, vous parlez à un puissant roi.

— Je le sais, répondit gravement le chaussetier.

— Laissez-le dire, monsieur Rym mon ami, dit le roi. J'aime ce franc-parler. Mon père Charles septième disait que la vérité était malade. Je croyais, moi, qu'elle était morte, et qu'elle n'avait point trouvé de confesseur. Maître Coppenole me détrompe.

Alors, posant familièrement sa main sur l'épaule de Coppenole :

— Vous disiez donc, maître Jacques ?...

— Je dis, sire, que vous avez peut-être raison, que l'heure du peuple n'est pas venue chez vous.

Louis XI le regarda avec son œil pénétrant.

— Et quand viendra cette heure, maître ?

— Vous l'entendrez sonner.

— A quelle horloge, s'il vous plaît?

Coppenole avec sa contenance tranquille et rustique fit approcher le roi de la fenêtre. — Écoutez, sire! Il y a ici un donjon, un beffroi, des canons, des bourgeois, des soldats. Quand le beffroi bourdonnera, quand les canons gronderont, quand le donjon croulera à grand bruit, quand bourgeois et soldats hurleront et s'entre-tueront, c'est l'heure qui sonnera.

Le visage de Louis devint sombre et rêveur. Il resta un moment silencieux, puis il frappa doucement de la main, comme on flatte une croupe de destrier, l'épaisse muraille du donjon. — Oh! que non! dit-il. N'est-ce pas que tu ne crouleras pas si aisément, ma bonne Bastille?

Et se tournant d'un geste brusque vers le hardi flamand:

— Avez-vous jamais vu une révolte, maître Jacques?

— J'en ai fait, dit le chaussetier.

— Comment faites-vous, dit le roi, pour faire une révolte?

— Ah! répondit Coppenole, ce n'est pas bien difficile. Il y a cent façons. D'abord il faut qu'on soit mécontent dans la ville. La chose n'est pas rare. Et puis le caractère des habitants. Ceux de Gand sont commodes à la révolte. Ils aiment toujours le fils du prince, le prince jamais. Eh bien! un matin, je suppose, on entre dans ma boutique, on me dit: Père Coppenole, il y a ceci, il y a cela, la demoiselle de Flandre veut sauver ses ministres, le grand bailli double le tru de l'esgrin, ou autre chose. Ce qu'on veut. Moi, je laisse là l'ouvrage, je sors de ma chausseterie, et je vais dans la rue, et je crie: A sac! Il y a bien toujours là quelque futaille défoncée. Je monte dessus, et je dis tout haut les premières paroles venues, ce que j'ai sur le cœur; et quand on est du peuple, sire, on a toujours quelque chose sur le cœur. Alors on s'attroupe, on crie, on sonne le tocsin, on arme les manants du désarmement des soldats, les gens du marché s'y joignent, et l'on va! Et ce sera toujours ainsi, tant qu'il y aura des seigneurs dans les seigneuries, des bourgeois dans les bourgs, et des paysans dans les pays.

— Et contre qui vous rebellez-vous ainsi? demanda le roi. Contre vos baillis? contre vos seigneurs?

— Quelquefois. C'est selon. Contre le duc aussi, quelque fois.

Louis XI alla se rasseoir, et dit avec un sourire: — Ah! ici, ils n'en sont encore qu'aux baillis!

En cet instant Olivier le Daim rentra. Il était suivi de deux pages qui portaient les toilettes du roi ; mais ce qui frappa Louis XI, c'est qu'il était en outre accompagné du prévôt de Paris et du chevalier du guet, lesquels paraissaient consternés. Le rancuneux barbier avait aussi l'air consterné, mais content en dessous. C'est lui qui prit la parole : — Sire, je demande pardon à votre majesté de la calamiteuse nouvelle que je lui apporte.

Le roi en se tournant vivement écorcha la natte du plancher avec les pieds de sa chaise : — Qu'est-ce à dire ?

— Sire, reprit Olivier le Daim avec la mine méchante d'un homme qui se réjouit d'avoir à porter un coup violent, ce n'est pas sur le bailli du palais que se rue cette édition populaire.

— Et sur qui donc ?

— Sur vous, sire.

Le vieux roi se dressa debout et droit comme un jeune homme : — Explique-toi, Olivier ! explique-toi ! Et tiens bien ta tête, mon compère, car je te jure par la croix de Saint-Lô que si tu nous mens à cette heure, l'épée qui a coupé le cou de monsieur de Luxembourg n'est pas si ébréchée qu'elle ne scie encore le tien !

Le serment était formidable. Louis XI n'avait juré que deux fois dans sa vie par la croix de Saint-Lô.

Olivier ouvrit la bouche pour répondre : — Sire...

— Mets-toi à genoux ! interrompit violemment le roi. Tristan, veillez sur cet homme !

Olivier se mit à genoux, et dit froidement : — Sire, une sorcière a été condamnée à mort par votre cour de parlement. Elle s'est réfugiée dans Notre-Dame. Le peuple l'y veut reprendre de vive force. Monsieur le prévôt et monsieur le chevalier du guet, qui viennent de l'émeute, sont là pour me démentir si ce n'est pas la vérité. C'est Notre-Dame que le peuple assiège.

— Oui-da ! dit le roi à voix basse, tout pâle et tout tremblant de colère. Notre-Dame ! ils assiègent dans sa cathédrale Notre-Dame, ma bonne maîtresse ! — Relève-toi, Olivier. Tu as raison. Je te donne la charge de Simon Radin. Tu as raison. — C'est à moi qu'on s'attaque. La sorcière est sous la sauvegarde de l'église, l'église est sous ma sauvegarde. Et moi qui croyais qu'il s'agissait du bailli ! C'est contre moi !

Alors, rajeuni par la fureur, il se mit à marcher à grands pas. Il ne riait plus, il était terrible, il allait et venait, le renard s'était changé en hyène, il semblait suffoqué à ne pouvoir parler, ses lèvres remuaient, et ses poings décharnés se crispaient. Tout à coup il releva la tête, son œil cave parut plein de lumière, et sa voix éclata comme un clairon. — Main basse, Tristan ! main basse sur ces coquins ! Va, Tristan mon ami ! tue ! tue !

Cette éruption passée, il vint se rasseoir, et dit avec une rage froide et concentrée :

— Ici, Tristan ! — Il y a près de nous dans cette Bastille les cinquante lances du vicomte de Gif, ce qui fait trois cents chevaux, vous les prendrez. Il y a aussi la compagnie des archers de notre ordonnance de M. de Châteaupers, vous la prendrez. Vous êtes prévôt des maréchaux, vous avez les gens de votre prévôté, vous les prendrez. A l'Hôtel Saint-Pol, vous trouverez quarante archers de la nouvelle garde de monsieur le Dauphin, vous les prendrez ; et avec tout cela, vous allez courir à Notre-Dame. — Ah ! messieurs les manants de Paris, vous vous jetez ainsi tout au travers de la couronne de France, de la sainteté de Notre-Dame et de la paix de cette république ! — Extermine, Tristan ! extermine ! et que pas un n'en réchappe que pour Montfaucon.

Tristan s'inclina. — C'est bon sire !

Il ajouta après un silence : — Et que ferai-je de la sorcière ?

Cette question fit songer le roi.

— Ah ! dit-il, la sorcière ! — Monsieur d'Estouteville, qu'est-ce que le peuple en voulait faire ?

— Sire, répondit le prévôt de Paris, j'imagine que, puisque le peuple la vient arracher de son asile de Notre-Dame, c'est que cette impunité le blesse et qu'il la veut pendre.

Le roi parut réfléchir profondément, puis s'adressant à Tristan l'Hermite : — Eh bien ! mon compère, extermine le peuple et pends la sorcière.

— C'est cela, dit tout bas Rym à Coppenole, punir le peuple de vouloir, et faire ce qu'il veut.

— Il suffit, sire, répondit Tristan. Si la sorcière est encore dans Notre-Dame, faudra-t-il l'y prendre malgré l'asile ?

— Pasque-Dieu, l'asile ! dit le roi en se grattant l'oreille. Il faut pourtant que cette femme soit pendue.

Ici, comme pris d'une idée subite, il se rua à genoux devant sa chaise, ôta son chapeau, le posa sur le siège, et regardant dévotement l'une des amulettes de plomb qui le chargeaient : — Oh ! dit-il les mains jointes, Notre-Dame de Paris, ma gracieuse patronne, pardonnez-moi. Je ne le ferai que cette fois. Il faut punir cette criminelle. Je vous assure, madame la Vierge, ma bonne maîtresse, que c'est une sorcière qui n'est pas digne de votre aimable protection. Vous savez, madame, que bien des princes très pieux ont outre-passé le privilège des églises pour la gloire de Dieu et la nécessité de l'état. Saint Hugues, évêque d'Angleterre, a permis au roi Édouard de prendre un magicien dans son église. Saint Louis de France, mon maître, a transgressé pour le même objet l'église de monsieur saint Paul ; et monsieur Alphonse, fils du roi de Jérusalem, l'église même du Saint-Sépulcre. Pardonnez-moi donc pour cette fois, Notre-Dame de Paris. Je ne le ferai plus, et je vous donnerai une belle statue d'argent, pareille à celle que j'ai donnée l'an passé à Notre-Dame d'Ecouys. Ainsi soit-il.

Il fit un signe de croix, se releva, se recoiffa, et dit à Tristan : — Faites diligence, mon compère. Prenez M. de Châteaupers avec vous. Vous ferez sonner le tocsin. Vous écraserez le populaire. Vous pendrez la sorcière. C'est dit. Et j'entends que le pourchas de l'exécution soit fait par vous. Vous m'en rendrez compte. — Allons, Olivier, je ne me coucherai pas cette nuit. Rase-moi.

Tristan l'Hermite s'inclina et sortit. Alors le roi, congédiant du geste Rym et Coppenole : — Dieu vous garde, messieurs mes bons amis les flamands. Allez prendre un peu de repos. La nuit s'avance, et nous sommes plus près du matin que du soir.

Tous deux se retirèrent, et en gagnant leurs appartements sous la conduite du capitaine de la Bastille, Coppenole disait à Guillaume Rym : — Hum ! j'en ai assez de ce roi qui tousse ! J'ai vu Charles de Bourgogne ivre, il était moins méchant que Louis XI malade.

— Maître Jacques, répondit Rym, c'est que les rois ont le vin moins cruel que la tisane.

PETITE FLAMBE EN BAGUENAUD

En sortant de la Bastille, Gringoire descendit la rue Saint-Antoine de la vitesse d'un cheval échappé. Arrivé à la porte Baudoyer, il marcha droit à la croix de pierre qui se dressait au milieu de cette place, comme s'il eût pu distinguer dans l'obscurité la figure d'un homme vêtu et encapuchonné de noir qui était assis sur les marches de la croix. — Est-ce vous, maître ? dit Gringoire.

Le personnage noir se leva. — Mort et passion ! vous me faites bouillir, Gringoire. L'homme qui est sur la tour de Saint-Gervais vient de crier une heure et demie du matin.

— Oh ! repartit Gringoire, ce n'est pas ma faute, mais celle du guet et du roi. Je viens de l'échapper belle ! Je manque toujours d'être pendu. C'est ma prédestination.

— Tu manques tout, dit l'autre. Mais allons vite. As-tu le mot de passe ?

— Figurez-vous, maître, que j'ai vu le roi. J'en viens. Il a une culotte de futaine. C'est une aventure.

— Oh ! quenouille de paroles ! que me fait ton aventure ? As-tu le mot de passe des truands ?

— Je l'ai. Soyez tranquille. *Petite flambe en baguenaud.*

— Bien. Autrement nous ne pourrions pénétrer jusqu'à l'église. Les truands barrent les rues. Heureusement il paraît qu'ils ont trouvé de la résistance. Nous arriverons peut-être encore à temps.

— Oui, maître. Mais comment entrerons-nous dans Notre-Dame ?

— J'ai la clef des tours.

— Et comment en sortirons-nous ?

— Il y a derrière le cloître une petite porte qui donne sur le Terrain, et de là sur l'eau. J'en ai pris la clef, et j'y ai amarré un bateau ce matin.

— J'ai joliment manqué d'être pendu ! reprit Gringoire.

— Eh vite ! allons ! dit l'autre.

Tous deux descendirent à grands pas vers la Cité.

CHÂTEAUPERS À LA RESCOUSSE !

Le lecteur se souvient peut-être de la situation critique où nous avons laissé Quasimodo. Le brave sourd, assailli de toutes parts, avait perdu, sinon tout courage, du moins tout espoir de sauver, non pas lui, il ne songeait pas à lui, mais l'égyptienne. Il courait éperdu sur la galerie. Notre-Dame allait être enlevée par les truands. Tout à coup un grand galop de chevaux emplit les rues voisines, et avec une longue file de torches et une épaisse colonne de cavaliers abattant lances et brides, ces bruits furieux débouchèrent sur la place comme un ouragan : France ! France ! Taillez les manants ! Châteaupers à la rescousse ! Prévôté ! prévôté !

Les truands effarés firent volte-face.

Quasimodo, qui n'entendait pas, vit les épées nues, les flambeaux, les fers de piques, toute cette cavalerie, en tête de laquelle il reconnut le capitaine Phœbus, il vit la confusion des truands, l'épouvante chez les uns, le trouble chez les meilleurs, et il reprit de ce secours inespéré tant de force qu'il rejeta hors de l'église les premiers assaillants qui enjambaient déjà la galerie.

C'étaient en effet les troupes du roi qui survenaient.

Les truands firent bravement. Ils se défendirent en désespérés. Pris en flanc par la rue Saint-Pierre-aux-Bœufs et en queue par la rue du Parvis, acculés à Notre-Dame qu'ils assaillaient encore et que défendait Quasimodo, tout à la fois assiégeants et assiégés, ils étaient dans la situation singulière où se trouvera depuis, au fameux siège de Turin, en 1640, entre le prince Thomas de Savoie qu'il assiégeait et le marquis de Leganez qui le bloquait, le comte Henri d'Harcourt, *Taurinum obsessor idem et obsessus,* comme dit son épitaphe.

La mêlée fut affreuse. A chair de loup dent de chien, comme dit P. Mathieu. Les cavaliers du roi, au milieu desquels Phœbus de Châteaupers se comportait vaillamment, ne faisaient aucun quartier, et la taille reprenait ce qui échappait à l'estoc. Les truands, mal armés, écumaient et mordaient. Hommes, femmes, enfants se jetaient aux croupes et aux poitrails des chevaux, et s'y accrochaient comme des chats avec les dents et les ongles des quatre membres. D'autres tamponnaient à coups de torches le visage des archers. D'autres piquaient des crocs de fer au cou des cavaliers et tiraient à eux. Ils déchiquetaient ceux qui tombaient.

On en remarqua un qui avait une large faulx luisante, et qui faucha longtemps les iambes des chevaux. Il était effrayant. Il chantait une chanson nasillarde, il lançait sans relâche et ramenait sa faulx. A chaque coup, il traçait autour de lui un grand cercle de membres coupés. Il avançait ainsi au plus fourré de la cavalerie, avec la lenteur tranquille, le balancement de tête et l'essoufflement régulier d'un moissonneur qui entame un champ de blé. C'était Clopin Trouiffefou. Une arquebusade l'abattit.

Cependant les croisées s'étaient rouvertes. Les voisins, entendant les cris de guerre des gens du roi, s'étaient mêlés à l'affaire, et de tous les étages les balles pleuvaient sur les truands. Le Parvis était plein d'une fumée épaisse que la mousqueterie rayait de feu. On y distinguait confusément la façade de Notre-Dame, et l'Hôtel-Dieu décrépit, avec quelques hâves malades qui regardaient du haut de son toit écaillé de lucarnes.

Enfin les truands cédèrent. La lassitude, le défaut de bonnes armes, l'effroi de cette surprise, la mousqueterie des fenêtres, le brave choc des gens du roi, tout les abattit. Ils forcèrent la ligne des assaillants, et se mirent à fuir dans toutes les directions, laissant dans le Parvis un encombrement de morts.

Quand Quasimodo, qui n'avait pas cessé un moment de combattre, vit cette déroute, il tomba à deux genoux, et leva les mains au ciel ; puis, ivre de joie, il courut, il monta avec la vitesse d'un oiseau à cette cellule dont il avait si intrépidement défendu les approches. Il n'avait plus qu'une pensée maintenant, c'était de s'agenouiller devant celle qu'il venait de sauver une seconde fois.

Lorsqu'il entra dans la cellule, il la trouva vide.

LIVRE ONZIÈME

I

LE PETIT SOULIER

Au moment où les truands avaient assailli l'église, la Esmeralda dormait.

Bientôt la rumeur toujours croissante autour de l'édifice et le bêlement inquiet de sa chèvre éveillée avant elle l'avaient tirée de ce sommeil. Elle s'était levée sur son séant, elle avait écouté, elle avait regardé, puis, effrayée de la lueur et du bruit, elle s'était jetée hors de la cellule et avait été voir. L'aspect de la place, la vision qui s'y agitait, le désordre de cet assaut nocturne, cette foule hideuse, sautelante comme une nuée de grenouilles, à demi entrevue dans les ténèbres, le coassement de cette rauque multitude, ces quelques torches rouges courant et se croisant sur cette ombre comme les feux de nuit qui rayent la surface brumeuse des marais, toute cette scène lui fit l'effet d'une mystérieuse bataille engagée entre les fantômes du sabbat et les monstres de pierre de l'église. Imbue dès l'enfance des superstitions de la tribu bohémienne, sa première pensée fut qu'elle avait surpris en maléfice les étranges êtres propres à la nuit. Alors elle courut épouvantée se tapir dans sa cellule, demandant à son grabat un moins horrible cauchemar.

Peu à peu les premières fumées de la peur s'étaient pourtant dissipées ; au bruit sans cesse grandissant, et à plusieurs autres signes de réalité, elle s'était sentie investie, non de spectres, mais d'êtres humains. Alors sa frayeur, sans s'accroître, s'était transformée. Elle avait songé à la possibilité d'une mutinerie populaire pour l'arracher de son asile. L'idée de reperdre encore une fois la vie, l'espérance, Phœbus, qu'elle entrevoyait toujours dans son avenir, le profond néant de sa faiblesse, toute fuite fermée, aucun appui, son abandon, son isolement, ces pensées et mille autres l'avaient accablée. Elle était tombée à genoux, la tête sur son lit, les mains jointes sur sa tête, pleine d'anxiété et de frémissement, et quoique égyptienne, idolâtre et païenne, elle s'était mise à demander avec sanglots grâce au bon Dieu chrétien et à prier Notre-Dame son hôtesse. Car, ne crût-on à rien, il y a des moments dans la vie où l'on est toujours de la religion du temple qu'on a sous la main.

Elle resta ainsi prosternée fort longtemps, tremblant, à la vérité, plus qu'elle ne priait, glacée au souffle de plus en plus rapproché de cette multitude furieuse, ne comprenant rien à ce déchaînement, ignorant ce qui se tramait, ce qu'on faisait, ce qu'on voulait, mais pressentant une issue terrible.

Voilà qu'au milieu de cette angoisse elle entend marcher près d'elle. Elle se détourne. Deux hommes, dont l'un portait une lanterne, venait d'entrer dans sa cellule. Elle poussa un faible cri.

— Ne craignez rien, dit une voix qui ne lui était pas inconnue, c'est moi.

— Qui ? vous ? demanda-t-elle.

— Pierre Gringoire.

Ce nom la rassura. Elle releva les yeux, et reconnut en effet le poète. Mais il y avait auprès de lui une figure noire et voilée de la tête aux pieds qui la frappa de silence.

— Ah ! reprit Gringoire d'un ton de reproche, Djali m'avait reconnu avant vous !

La petite chèvre en effet n'avait pas attendu que Gringoire se nommât. A peine était-il entré qu'elle s'était tendrement frottée à ses genoux, couvrant le poète de caresses et de poils blancs, car elle était en mue. Gringoire lui rendait les caresses.

— Qui est là avec vous ? dit l'égyptienne à voix basse.

— Soyez tranquille, répondit Gringoire. C'est un de mes amis.

Alors le philosophe, posant sa lanterne à terre, s'accroupit sur la dalle et s'écria avec enthousiasme en serrant Djali dans ses bras : — Oh ! c'est une gracieuse bête, sans doute plus considérable pour sa propreté que pour sa grandeur, mais ingénieuse, subtile et lettrée comme un grammairien ! Voyons, ma Djali, n'as-tu rien oublié de tes jolis tours ? Comment fait maître Jacques Charmolue ?...

L'homme noir ne le laissa pas achever. Il s'approcha de Gringoire et le poussa rudement par l'épaule.

Gringoire se leva. — C'est vrai, dit-il, j'oubliais que nous sommes pressés. — Ce n'est pourtant point une raison, mon maître, pour forcener les gens de la sorte. — Ma chère belle enfant, votre vie est en danger, et celle de Djali. On veut vous reprendre. Nous sommes vos amis, et nous venons vous sauver. Suivez-nous.

— Est-il vrai ? s'écria-t-elle bouleversée.

— Oui, très vrai. Venez vite !

— Je le veux bien, balbutia-t-elle. Mais pourquoi votre ami ne parle-t-il pas ?

— Ah ! dit Gringoire, c'est que son père et sa mère étaient des gens fantasques qui l'ont fait de tempérament taciturne.

Il fallut qu'elle se contentât de cette explication. Gringoire la prit par la main, son compagnon ramassa la lanterne et marcha devant. La peur étourdissait la jeune fille. Elle se laissa emmener. La chèvre les suivait en sautant, si joyeuse de revoir Gringoire qu'elle le faisait trébucher à tout moment pour lui fourrer ses cornes dans les jambes. — Voilà la vie, disait le philosophe chaque fois qu'il manquait de tomber, ce sont souvent nos meilleurs amis qui nous font choir !

Ils descendirent rapidement l'escalier des tours, traversèrent l'église, pleine de ténèbres et de solitude et toute résonnante de vacarme, ce qui faisait un affreux contraste, et sortirent dans la cour du cloître par la Porte-Rouge. Le cloître était abandonné, les chanoines s'étaient enfuis dans l'évêché pour y prier en commun ; la cour était vide, quelques laquais effarouchés s'y blottissaient dans les coins obscurs. Ils se dirigèrent vers la petite porte qui donnait de cette cour sur le Terrain. L'homme noir l'ouvrit avec une clef qu'il avait. Nos lecteurs savent que le Terrain était une langue de terre enclose de murs du côté de la Cité, et appartenant au chapitre de Notre-Dame, qui terminait l'île à l'orient derrière l'église. Ils trouvèrent cet enclos parfaitement désert. Là, il y avait déjà moins de tumulte dans l'air. La rumeur de l'assaut des truands leur arrivait plus brouillée et moins criarde. Le vent frais qui suit le fil de l'eau remuait les feuilles de l'arbre unique planté à la pointe du Terrain avec un bruit déjà appréciable. Cependant ils étaient encore fort près du péril. Les édifices les plus rapprochés d'eux étaient l'évêché et l'église. Il y avait visiblement un grand désordre intérieur dans l'évêché. Sa masse ténébreuse était toute sillonnée de lumières qui y couraient d'une fenêtre à l'autre ; comme, lorsqu'on vient de brûler du papier, il reste un sombre édifice de cendre où de vives étincelles font mille courses bizarres. A côté, les énormes tours de Notre-Dame, ainsi vues de derrière avec la longue nef sur laquelle elles se dressent, découpées en noir sur la rouge et vaste lueur qui emplissait le Parvis, ressemblaient aux deux chenets gigantesques d'un feu de cyclopes.

Ce qu'on voyait de Paris de tous côtés oscillait à l'œil dans une ombre mêlée de lumière. Rembrandt a de ces fonds de tableau.

L'homme à la lanterne marcha droit à la pointe du Terrain. Il y avait là, au bord extrême de l'eau, le débris vermoulu d'une haie de pieux maillée de lattes où une basse vigne accrochait quelques maigres branches étendues comme les doigts d'une main ouverte. Derrière, dans l'ombre que faisait ce treillis, une petite barque était cachée. L'homme fit signe à Gringoire et à sa compagne d'y entrer. La chèvre les y suivit. L'homme y descendit le dernier. Puis il coupa l'amarre du bateau, l'éloigna de terre avec un long croc, et, saisissant deux rames, s'assit à l'avant, en ramant de toutes ses forces vers le large. La Seine est fort rapide en cet endroit, et il eut assez de peine à quitter la pointe de l'île.

Le premier soin de Gringoire en entrant dans le bateau fut de mettre la chèvre sur ses genoux. Il prit place à l'arrière, et la jeune fille, à qui l'inconnu inspirait une inquiétude indéfinissable, vint s'asseoir et se serrer contre le poète.

Quand notre philosophe sentit le bateau s'ébranler, il battit des mains, et baisa Djali entre les cornes.

— Oh ! dit-il, nous voilà sauvés tous quatre. Il ajouta, avec une mine de profond penseur : — On est obligé, quelquefois à la fortune, quelquefois à la ruse, de l'heureuse issue des grandes entreprises.

Le bateau voguait lentement vers la rive droite. La jeune fille observait avec une terreur secrète l'inconnu. Il avait rebouché soigneusement la lumière de sa lanterne sourde. On l'entrevoyait dans l'obscurité, à l'avant du bateau, comme un spectre. Sa carapoue, toujours baissée, lui faisait une sorte de masque, et à chaque fois qu'il entrouvrait en ramant ses bras où pendaient de larges manches noires, on eût dit deux grandes ailes de chauve-souris. Du reste, il n'avait pas encore dit une parole, jeté un souffle. Il ne se faisait dans le bateau d'autre bruit que le va-et-vient de la rame, mêlé au froissement des mille plis de l'eau le long de la barque.

— Sur mon âme ! s'écria tout à coup Gringoire, nous sommes allègres et joyeux comme des ascalaphes ! Nous observons un silence de pythagoriciens ou de poissons ! Pasque-Dieu ! mes amis, je voudrais bien que quelqu'un me parlât. — La voix humaine est une musique à l'oreille humaine. Ce c'est pas moi qui dis cela, mais Didyme d'Alexandrie, et ce sont d'illustres paroles. — Certes, Didyme d'Alexandrie n'est pas un médiocre philosophe. — Une parole, ma belle enfant ! dites-moi, je vous supplie, une parole. — A propos, vous aviez une drôle de petite singulière moue ; la faites-vous toujours ? Savez-vous, ma mie, que le parlement a toute juridiction sur les lieux d'asile, et que vous couriez grand péril dans votre logette de Notre-Dame ? Hélas ! le petit oiseau trochilus fait son nid dans la gueule du crocodile. — Maître, voici la lune qui reparaît. — Pourvu qu'on ne nous aperçoive pas ! — Nous faisons une chose louable en sauvant madamoiselle, et cependant on nous pendrait de par le roi si l'on nous attrapait. Hélas ! les actions humaines se prennent par deux anses. On flétrit en moi ce qu'on couronne en toi. Tel admire César qui blâme Catilina. N'est-ce pas, mon maître ? Que dites-vous de cette philosophie ? Moi, je possède la philosophie d'instinct, de nature, *ut apes geometriam* — Allons ! personne ne me répond. Les fâcheuses humeurs que vous avez là tous deux ! Il faut que je parle tout seul. C'est ce que nous appelons en tragédie un monologue. — Pasque-Dieu ! — Je vous préviens que je viens de voir le roi Louis onzième et que j'en ai retenu ce jurement. — Pasque-Dieu donc ! ils font toujours un fier hurlement dans la Cité. — C'est un vilain méchant vieux roi. Il est tout embrunché dans les fourrures. Il me doit toujours l'argent de mon épithalame, et c'est tout au plus s'il ne m'a pas fait pendre ce soir, ce qui m'aurait fort empêché. — Il est avaricieux pour les hommes de mérite. Il devrait bien lire les quatre livres de Salvien de Cologne *Adversus avaritiam.* En vérité ! c'est un roi étroit dans ses façons avec les gens de lettres, et qui fait des cruautés fort barbares. C'est une éponge à prendre l'argent posée sur le peuple. Son épargne est la ratelle qui s'enfle de la maigreur de tous les autres membres. Aussi les plaintes contre la rigueur du temps deviennent murmures contre le prince. Sous ce doux sire dévot, les fourches craquent de pendus, les billots pourrissent de sang, les prisons crèvent comme des ventres trop pleins. Ce roi a une main qui prend et une main qui pend. C'est le procureur de dame Gabelle et de monseigneur Gibet. Les grands sont dépouillés de leurs dignités, et les petits sans cesse accablés de nouvelles foules. C'est un prince exorbitant. Je n'aime pas ce monarque. Et vous, mon maître ?

L'homme noir laissait gloser le bavard poète. Il continuait de lutter contre le courant violent et serré qui sépare la poupe de la Cité de la proue de l'île Notre-Dame, que nous nommons aujourd'hui l'île Saint-Louis.

— A propos, maître ! reprit Gringoire subitement. Au moment où nous arrivions sur le Parvis à travers ces enragés truands, votre révérence a-t-elle remarqué ce pauvre petit diable auquel votre sourd était en train d'écraser la cervelle sur la rampe de la galerie des rois ? J'ai la vue basse et ne l'ai pu reconnaître. Savez-vous qui ce peut être ?

L'inconnu ne répondit pas une parole. Mais il cessa brusquement de ramer, ses bras défaillirent comme brisés, sa tête tomba sur sa poitrine, et la Esmeralda l'entendit soupirer convulsivement. Elle tressaillit de son côté. Elle avait déjà entendu de ces soupirs-là.

La barque abandonnée à elle-même dériva quelques instants au gré de l'eau. Mais l'homme noir se redressa enfin, ressaisit les rames, et se remit à remonter le courant. Il doubla la pointe de l'île Notre-Dame, et se dirigea vers le débarcadère du Port-au-Foin.

— Ah ! dit Gringoire, voici là-bas le logis Barbeau. —
Tenez, maître, regardez, ce groupe de toits noirs qui font des
angles singuliers, là, au-dessous de ce tas de nuages bas,
filandreux, barbouillés et sales, où la lune est tout écrasée et
répandue comme un jaune d'œuf dont la coquille est cassée.
— C'est un beau logis. Il y a une chapelle couronnée d'une
petite voûte pleine d'enrichissements bien coupés. Au-dessus vous pouvez voir le clocher très délicatement percé. Il y
a aussi un jardin plaisant, qui consiste en un étang, une
volière, un écho, un mail, un labyrinthe, une maison pour les
bêtes farouches, et quantité d'allées touffues fort agréables à
Vénus. Il y a encore un coquin d'arbre qu'on appelle *le luxu-
rieux,* pour avoir servi aux plaisirs d'une princesse fameuse
et d'un connétable de France galant et bel esprit. — Hélas !
nous autres pauvres philosophes nous sommes à un connétable ce qu'un carré de choux et de radis est au jardin du
Louvre. Qu'importe après tout ? La vie humaine pour les
grands comme pour nous est mêlée de bien et de mal. La
douleur est toujours à côté de la joie, le spondée auprès du
dactyle. — Mon maître, il faut que je vous conte cette histoire du logis Barbeau. Cela finit d'une façon tragique.
C'était en 1319, sous le règne de Philippe V, le plus long des
rois de France. La moralité de l'histoire est que les tentations
de la chair sont pernicieuses et malignes. N'appuyons pas
trop le regard sur la femme du voisin, si chatouilleux que
nos sens soient à sa beauté. La fornication est une pensée
fort libertine. L'adultère est une curiosité de la volupté
d'autrui... — Ohé ! voilà que le bruit redouble là-bas !

Le tumulte en effet croissait autour de Notre-Dame. Ils
écoutèrent. On entendait assez clairement des cris de victoire. Tout à coup, cent flambeaux qui faisaient étinceler des
casques d'hommes d'armes se répandirent sur l'église à
toutes les hauteurs, sur les tours, sur les galeries, sous les
arcs-boutants. Ces flambeaux semblaient chercher quelque
chose ; et bientôt ces clameurs éloignées arrivèrent distinctement jusqu'aux fugitifs : — L'égyptienne ! la sorcière ! à
mort l'égyptienne !

La malheureuse laissa tomber sa tête sur ses mains, et
l'inconnu se mit à ramer avec furie vers le bord. Cependant
notre philosophe réfléchissait. Il pressait la chèvre dans ses
bras, et s'éloignait tout doucement de la bohémienne, qui se

serrait de plus en plus contre lui, comme au seul asile qui lui restât.

Il est certain que Gringoire était dans une cruelle perplexité. Il songeait que la chèvre aussi, *d'après la législation existante*, serait pendue si elle était reprise, que ce serait grand dommage, la pauvre Djali ! qu'il avait trop de deux condamnées ainsi accrochées après lui, qu'enfin son compagnon ne demandait pas mieux que de se charger de l'égyptienne. Il se livrait entre ses pensées un violent combat, dans lequel, comme le Jupiter de l'Iliade, il pesait tour à tour l'égyptienne et la chèvre ; et il les regardait l'une après l'autre, avec des yeux humides de larmes, en disant entre ses dents : — Je ne puis pas pourtant vous sauver toutes deux.

Une secousse les avertit enfin que le bateau abordait. Le brouhaha sinistre remplissait toujours la Cité. L'inconnu se leva, vint à l'égyptienne, et voulut lui prendre le bras pour l'aider à descendre. Elle le repoussa, et se pendit à la manche de Gringoire, qui, de son côté, occupé de la chèvre, la repoussa presque. Alors elle sauta seule à bas du bateau. Elle était si troublée qu'elle ne savait ce qu'elle faisait, où elle allait. Elle demeura ainsi un moment stupéfaite, regardant couler l'eau. Quand elle revint un peu à elle, elle était seule sur le port avec l'inconnu. Il paraît que Gringoire avait profité de l'instant du débarquement pour s'esquiver avec la chèvre dans le pâté de maisons de la rue Grenier-sur-l'eau.

La pauvre égyptienne frissonna de se voir seule avec cet homme. Elle voulut parler, crier, appeler Gringoire, sa langue était inerte dans sa bouche, et aucun son ne sortit de ses lèvres. Tout à coup elle sentit la main de l'inconnu sur la sienne. C'était une main froide et forte. Ses dents claquèrent, elle devint plus pâle que le rayon de lune qui l'éclairait. L'homme ne dit pas une parole. Il se mit à remonter à grands pas vers la place de Grève, en la tenant par la main. En cet instant, elle sentit vaguement que la destinée est une force irrésistible. Elle n'avait plus de ressort, elle se laissa entraîner, courant tandis qu'il marchait. Le quai en cet endroit allait en montant. Il lui semblait cependant qu'elle descendait une pente.

Elle regarda de tous côtés. Pas un passant. Le quai était absolument désert. Elle n'entendait de bruit, elle ne sentait remuer des hommes que dans la Cité tumultueuse et rougeoyante, dont elle n'était séparée que par un bras de Seine, et d'où son nom lui arrivait mêlé à des cris de mort. Le reste de Paris était répandu autour d'elle par grands blocs d'ombre.

Cependant l'inconnu l'entraînait toujours avec le même silence et la même rapidité. Elle ne retrouvait dans sa mémoire aucun des lieux où elle marchait. En passant devant une fenêtre éclairée, elle fit un effort, se raidit brusquement, et cria : — Au secours !

Le bourgeois à qui était la fenêtre l'ouvrit, y parut en chemise avec sa lampe, regarda sur le quai avec un air hébété, prononça quelques paroles qu'elle n'entendit pas, et referma son volet. C'était la dernière lueur d'espoir qui s'éteignait.

L'homme noir ne proféra pas une syllabe, il la tenait bien, et se remit à marcher plus vite. Elle ne résista plus, et le suivit, brisée.

De temps en temps elle recueillait un peu de force, et disait d'une voix entrecoupée par les cahots du pavé et l'essoufflement de la course : — Qui êtes-vous ? qui êtes-vous ? — Il ne répondait point.

Ils arrivèrent ainsi, toujours le long du quai, à une place assez grande. Il y avait un peu de lune. C'était la Grève. On distinguait au milieu une espèce de croix noire debout. C'était le gibet. Elle reconnut tout cela, et vit où elle était.

L'homme s'arrêta, se tourna vers elle, et leva sa carapoue. — Oh ! bégaya-t-elle pétrifiée, je savais bien que c'était encore lui !

C'était le prêtre. Il avait l'air de son fantôme. C'est un effet du clair de lune. Il semble qu'à cette lumière on ne voie que les spectres des choses.

— Écoute, lui dit-il, et elle frémit au son de cette voix funeste qu'elle n'avait pas entendue depuis longtemps. Il continua. Il articulait avec ces saccades brèves et haletantes qui révèlent par leurs secousses de profonds tremblements intérieurs. — Écoute. Nous sommes ici. Je vais te parler. Ceci est la Grève. C'est ici un point extrême. La destinée nous livre l'un à l'autre. Je vais décider de ta vie ; toi, de mon âme. Voici une place et une nuit au-delà desquelles on ne voit rien. Écoute-moi donc. Je vais te dire... D'abord ne me parle pas de ton Phœbus. (En disant cela, il allait et venait, comme un homme qui ne peut rester en place, et la tirait après lui.) Ne m'en parle pas. Vois-tu ? si tu prononces ce nom, je ne sais pas ce que je ferai, mais ce sera terrible.

Cela dit, comme un corps qui retrouve son centre de gravité, il redevint immobile. Mais ses paroles ne décelaient pas moins d'agitation. Sa voix était de plus en plus basse.

— Ne détourne point la tête ainsi. Écoute-moi. C'est une affaire sérieuse. D'abord, voici ce qui s'est passé. — On ne rira pas de tout ceci, je te jure. — Qu'est-ce donc que je disais ? rappelle-le-moi ! ah ! — Il y a un arrêt du parlement qui te rend à l'échafaud. Je viens de te tirer de leurs mains. Mais les voilà qui te poursuivent. Regarde.

Il étendit le bras vers la Cité. Les perquisitions en effet paraissaient y continuer. Les rumeurs se rapprochaient. La tour de la maison du Lieutenant, située vis-à-vis la Grève, était pleine de bruit et de clartés, et l'on voyait des soldats courir sur le quai opposé, avec des torches et ces cris : — L'égyptienne ! où est l'égyptienne ? Mort ! mort !

— Tu vois bien qu'ils te poursuivent, et que je ne te mens pas. Moi, je t'aime. — N'ouvre pas la bouche, ne me parle plutôt pas, si c'est pour me dire que tu me hais. Je suis décidé à ne plus entendre cela. — Je viens de te sauver. — Laisse-moi d'abord achever. — Je puis te sauver tout à fait. J'ai tout préparé. C'est à toi de vouloir. Comme tu voudras, je pourrai.

Il s'interrompit violemment. — Non, ce n'est pas cela qu'il faut dire.

Et courant, et la faisant courir, car il ne la lâchait pas, il marcha droit au gibet, et le lui montrant du doigt :
— Choisis entre nous deux, dit-il froidement.

Elle s'arracha de ses mains et tomba au pied du gibet en embrassant cet appui funèbre. Puis elle tourna sa belle tête à demi, et regarda le prêtre par-dessus son épaule. On eût dit une sainte Vierge au pied de la croix. Le prêtre était demeuré sans mouvement, le doigt toujours levé vers le gibet, conservant son geste, comme une statue.

Enfin l'égyptienne lui dit : — Il me fait encore moins horreur que vous.

Alors il laissa retomber lentement son bras, et regarda le pavé avec un profond accablement. — Si ces pierres pouvaient parler, murmura-t-il, oui, elles diraient que voilà un homme bien malheureux.

Il reprit. La jeune fille agenouillée devant le gibet et noyée dans sa longue chevelure le laissait parler sans l'interrompre. Il avait maintenant un accent plaintif et doux qui contrastait douloureusement avec l'âpreté hautaine de ses traits.

— Moi, je vous aime. Oh! cela est pourtant bien vrai. Il ne sort donc rien au dehors de ce feu qui me brûle le cœur! Hélas! jeune fille, nuit et jour, oui, nuit et jour, cela ne mérite-t-il aucune pitié? C'est un amour de la nuit et du jour, vous dis-je, c'est une torture. — Oh! je souffre trop, ma pauvre enfant! — C'est une chose digne de compassion, je vous assure. Vous voyez que je vous parle doucement. Je voudrais bien que vous n'eussiez plus cette horreur de moi. — Enfin, un homme qui aime une femme, ce n'est pas sa faute! — Oh! mon Dieu! — Comment! vous ne me pardonnerez donc jamais? Vous me haïrez toujours! C'est donc fini! C'est là ce qui me rend mauvais, voyez-vous, et horrible à moi-même! — Vous ne me regardez seulement pas! Vous pensez à autre chose peut-être tandis que je vous parle debout et frémissant sur la limite de notre éternité à tous deux! — Surtout ne me parlez pas de l'officier! — Quoi! je me jetterais à vos genoux, quoi! je baiserais, non vos pieds, vous ne voudriez pas, mais la terre qui est sous vos pieds, quoi! je sangloterais comme un enfant, j'arracherais de ma poitrine, non des paroles, mais mon cœur et mes entrailles, pour vous dire que je vous aime, tout serait inutile, tout! — Et cependant vous n'avez rien dans l'âme que de tendre et de clément, vous êtes rayonnante de la plus belle douceur, vous êtes tout entière suave, bonne, miséricordieuse et charmante. Hélas! vous n'avez de méchanceté que pour moi seul! Oh! quelle fatalité!

Il cacha son visage dans ses mains. La jeune fille l'entendit pleurer. C'était la première fois. Ainsi debout et secoué par les sanglots, il était plus misérable et plus suppliant qu'à genoux. Il pleura ainsi un certain temps.

— Allons! poursuivit-il ces premières larmes passées, je ne trouve pas de paroles. J'avais pourtant bien songé à ce que je vous dirais. Maintenant je tremble et je frissonne, je défaille à l'instant décisif, je sens quelque chose de suprême qui nous enveloppe, et je balbutie. Oh! je vais tomber sur le pavé si vous ne prenez pas pitié de moi, pitié de vous. Ne nous condamnez pas tous deux. Si vous saviez combien je vous aime ! quel cœur c'est que mon cœur ! Oh ! quelle désertion de toute vertu ! quel abandon désespéré de moi-même ! Docteur, je bafoue la science ; gentilhomme, je déchire mon nom ; prêtre, je fais du missel un oreiller de luxure, je crache au visage de mon Dieu ! tout cela pour toi, enchanteresse ! pour être plus digne de ton enfer ! et tu ne veux pas du damné ! Oh ! que je te dise tout ! plus encore, quelque chose de plus horrible, oh ! plus horrible !...

En prononçant ces dernières paroles, son air devint tout à fait égaré. Il se tut un instant, et reprit comme se parlant à lui-même, et d'une voix forte : - Caïn, qu'as-tu fait de ton frère ?

Il y eut encore un silence, et il poursuivit : — Ce que j'en ai fait, Seigneur ? Je l'ai recueilli, je l'ai élevé, je l'ai nourri, je l'ai aimé, je l'ai idolâtré, et je l'ai tué ! Oui, Seigneur, voici qu'on vient de lui écraser la tête devant moi sur la pierre de votre maison, et c'est à cause de moi, à cause de cette femme, à cause d'elle...

Son œil était hagard. Sa voix allait s'éteignant, il répéta encore plusieurs fois, machinalement, avec d'assez longs intervalles, comme une cloche qui prolonge sa dernière vibration : — A cause d'elle... — A cause d'elle... Puis sa langue n'articula plus aucun son perceptible, ses lèvres remuaient toujours cependant. Tout à coup il s'affaissa sur lui-même comme quelque chose qui s'écroule, et demeura à terre sans mouvement, la tête dans les genoux.

Un frôlement de la jeune fille qui retirait son pied de dessous lui le fit revenir. Il passa lentement sa main sur ses joues creuses, et regarda quelques instants avec stupeur ses doigts qui étaient mouillés ! — Quoi ! murmura-t-il, j'ai pleuré !

Et se tournant subitement vers l'égyptienne avec une angoisse inexprimable :

— Hélas ! vous m'avez regardé froidement pleurer ! Enfant ! sais-tu que ces larmes sont des laves ? Est-il donc bien vrai ? de l'homme qu'on hait rien ne touche. Tu me verrais mourir, tu rirais. Oh ! moi je ne veux pas te voir mourir ! Un mot ! un seul mot de pardon ! Ne me dis pas que tu m'aimes, dis-moi seulement que tu veux bien, cela suffira, je te sauverai. Sinon... Oh ! l'heure passe, je t'en supplie par tout ce qui est sacré, n'attends pas que je sois redevenu de pierre comme ce gibet qui te réclame aussi ! Songe que je tiens nos deux destinées dans ma main, que je suis insensé, cela est terrible, que je puis laisser tout choir, et qu'il y a au-dessous de nous un abîme sans fond, malheureuse, où ma chute poursuivra la tienne durant l'éternité ! Un mot de bonté ! dis un mot ! rien qu'un mot !

Elle ouvrit la bouche pour lui répondre. Il se précipita à genoux devant elle pour recueillir avec adoration la parole, peut-être attendrie, qui allait sortir de ses lèvres. Elle lui dit : — Vous êtes un assassin !

Le prêtre la prit dans ses bras avec fureur et se mit à rire d'un rire abominable. — Eh bien, oui ! assassin ! dit-il, et je t'aurai. Tu ne veux pas de moi pour esclave, tu m'auras pour maître. Je t'aurai. J'ai un repaire où je te traînerai. Tu me suivras, il faudra bien que tu me suives, ou je te livre ! Il faut mourir, la belle, ou être à moi ! être au prêtre ! être à l'apostat ! être à l'assassin ! dès cette nuit, entends-tu cela ? Allons ! de la joie ! allons ! baise-moi, folle ! La tombe ou mon lit !

Son œil pétillait d'impureté et de rage. Sa bouche lascive rougissait le cou de la jeune fille. Elle se débattait dans ses bras. Il la couvrait de baisers écumants.

— Ne me mords pas, monstre ! cria-t-elle. Oh ! l'odieux moine infect ! laisse-moi ! je vais t'arracher tes vilains cheveux gris et te les jeter à poignées par la face !

Il rougit, il pâlit, puis il la lâcha et la regarda d'un air sombre. Elle se crut victorieuse, et poursuivit : — Je te dis que je suis à mon Phœbus, que c'est Phœbus que j'aime, que c'est Phœbus qui est beau ! Toi, prêtre, tu es vieux ! tu es laid ! Va-t'en !

Il poussa un cri violent, comme le misérable auquel on applique un fer rouge. — Meurs donc ! dit-il à travers un grincement de dents. Elle vit son affreux regard, et voulut fuir. Il la reprit, il la secoua, il la jeta à terre, et marcha à pas rapides vers l'angle de la Tour-Roland en la traînant après lui sur le pavé par ses belles mains.

Arrivé là, il se tourna vers elle : — Une dernière fois, veux-tu être à moi ?

Elle répondit avec force : — Non.

Alors il s'écria d'une voix haute : — Gudule ! Gudule ! voici l'égyptienne ! venge-toi !

La jeune fille se sentit saisir brusquement au coude. Elle regarda. C'était un bras décharné qui sortait d'une lucarne dans le mur et qui la tenait comme une main de fer.

— Tiens bien ! dit le prêtre. C'est l'égyptienne échappée. Ne la lâche pas. Je vais chercher les sergents. Tu la verras pendre.

Un rire guttural répondit de l'intérieur du mur à ces sanglantes paroles. — Hah ! hah ! hah ! — L'égyptienne vit le prêtre s'éloigner en courant dans la direction du Pont Notre-Dame. On entendait une cavalcade de ce côté.

La jeune fille avait reconnu la méchante recluse. Haletante de terreur, elle essaya de se dégager. Elle se tordit, elle fit plusieurs soubresauts d'agonie et de désespoir, mais l'autre la tenait avec une force inouïe. Les doigts osseux et maigres qui la meurtrissaient se crispaient sur sa chair et se rejoignaient à l'entour. On eût dit que cette main était rivée à son bras. C'était plus qu'une chaîne, plus qu'un carcan, plus qu'un anneau de fer, c'était une tenaille intelligente et vivante qui sortait d'un mur.

Épuisée, elle retomba contre la muraille, et alors la crainte de la mort s'empara d'elle. Elle songea à la beauté de la vie, à la jeunesse, à la vue du ciel, aux aspects de la nature, à l'amour, à Phœbus, à tout ce qui s'enfuyait et à tout ce qui s'approchait, au prêtre qui la dénonçait, au bourreau qui allait venir, au gibet qui était là. Alors elle sentit l'épouvante lui monter jusque dans les racines des cheveux, et elle entendit le rire lugubre de la recluse qui lui disait tout bas : — Hah ! hah ! hah ! tu vas être pendue !

Elle se tourna mourante vers la lucarne, et elle vit la figure fauve de la sachette à travers les barreaux.

— Que vous ai-je fait ? dit-elle presque inanimée.

La recluse ne répondit pas, elle se mit à marmotter avec une intonation chantante, irritée et railleuse : — Fille d'Égypte ! fille d'Égypte ! fille d'Égypte !

La malheureuse Esmeralda laissa retomber sa tête sous ses cheveux, comprenant qu'elle n'avait pas affaire à un être humain.

Tout à coup la recluse s'écria, comme si la question de l'égyptienne avait mis tout ce temps pour arriver jusqu'à sa pensée : — Ce que tu m'as fait ? dis-tu ! — Ah ! ce que tu m'as fait, égyptienne ! Eh bien ! écoute.

— J'avais un enfant, moi ! vois-tu ? j'avais un enfant ! un enfant, te dis-je ! — Une jolie petite fille ! — Mon Agnès, reprit-elle égarée et baisant quelque chose dans les ténèbres. — Eh bien ! vois-tu, fille d'Égypte ? on m'a pris mon enfant, on m'a volé mon enfant, on m'a mangé mon enfant. Voilà ce que tu m'as fait.

La jeune fille répondit comme l'agneau ! — Hélas ! je n'étais peut-être pas née alors !

— Oh ! si ! repartit la recluse, tu devais être née. Tu en étais. Elle serait de ton âge ! Ainsi ! — Voilà quinze ans que je suis ici, quinze ans que je souffre, quinze ans que je prie, quinze ans que je me cogne la tête aux quatre murs. — Je te dis que ce sont des égyptiennes qui me l'ont volée, entends-tu cela ? et qui l'ont mangée avec leurs dents. — As-tu un cœur ? figure-toi ce que c'est qu'un enfant qui joue, un enfant qui tette, un enfant qui dort. C'est si innocent ! — Eh bien ! cela, c'est cela qu'on m'a pris, qu'on m'a tué ! Le bon Dieu le sait bien ! — Aujourd'hui, c'est mon tour, je vais manger de l'égyptienne.

— Oh ! que je te mordrais bien si les barreaux ne m'empêchaient. J'ai la tête trop grosse ! — La pauvre petite ! pendant qu'elle dormait ! Et si elles l'ont réveillée en la prenant, elle aura eu beau crier, je n'étais pas là ! — Ah ! les mères égyptiennes, vous avez mangé mon enfant ! Venez voir la vôtre.

— Alors elle se mit à rire ou à grincer des dents, les deux choses se ressemblaient sur cette figure furieuse. Le jour commençait à poindre. Un reflet de cendre éclairait vaguement cette scène, et le gibet devenait de plus en plus distinct dans la place. De l'autre côté, vers le Pont Notre-Dame, la pauvre condamnée croyait entendre se rapprocher le bruit de cavalerie.

— Madame ! cria-t-elle, joignant les mains et tombée sur ses deux genoux, échevelée, éperdue, folle d'effroi, madame ! ayez pitié. Ils viennent. Je ne vous ai rien fait. Voulez-vous me voir mourir de cette horrible façon sous vos yeux ? Vous avez de la pitié, j'en suis sûre. C'est trop affreux. Laissez-moi me sauver. Lâchez-moi ! Grâce ! Je ne veux pas mourir comme cela !

— Rends-moi mon enfant ! dit la recluse.

— Grâce ! grâce !

Rends-moi mon enfant !

— Lâchez-moi, au nom du ciel !

— Rends-moi mon enfant !

Cette fois encore, la jeune fille retomba, épuisée, rompue, ayant déjà le regard vitré de quelqu'un qui est dans la fosse.

— Hélas ! bégaya-t-elle, vous cherchez votre enfant. Moi, je cherche mes parents.

— Rends-moi ma petite Agnès ! poursuivit Gudule. — Tu ne sais pas où elle est ? Alors meurs ! — Je vais te dire. J'étais une fille de joie, j'avais un enfant, on m'a pris mon enfant. — Ce sont les égyptiennes. Tu vois bien qu'il faut que tu meures. Quand ta mère l'égyptienne viendra te réclamer, je lui dirai : La mère, regarde à ce gibet ! — Ou bien rends-moi mon enfant. — Sais-tu où elle est ma petite fille ? Tiens, que je te montre. Voilà son soulier, tout ce qui m'en reste. Sais-tu où est le pareil ? Si tu le sais, dis-le-moi et si ce n'est qu'à l'autre bout de la terre, je l'irai chercher en marchant sur les genoux.

En parlant ainsi, de son autre bras tendu hors de la lucarne elle montrait à l'égyptienne le petit soulier brodé. Il faisait déjà assez jour pour en distinguer la forme et les couleurs.

— Montrez-moi ce soulier, dit l'égyptienne en tressaillant. Dieu ! Dieu ! Et en même temps, de la main qu'elle avait libre, elle ouvrait vivement le petit sachet orné de verroterie verte qu'elle portait au cou.

— Va ! va ! grommelait Gudule, fouille ton amulette du démon ! Tout à coup elle s'interrompit, trembla de tout son corps et cria avec une voix qui venait du plus profond des entrailles : — Ma fille !

L'égyptienne venait de tirer du sachet un petit soulier absolument pareil à l'autre. A ce petit soulier était attaché un parchemin sur lequel ce *carme* était écrit :

> Quand le pareil retrouveras,
> Ta mère te tendra les bras.

En moins de temps qu'il n'en faut à l'éclair, la recluse avait confronté les deux souliers, lu l'inscription du parchemin, et collé aux barreaux de la lucarne son visage rayonnant d'une joie céleste en criant : — Ma fille ! ma fille !

— Ma mère ! répondit l'égyptienne.

Ici nous renonçons à peindre.

Le mur et les barreaux de fer étaient entre elles deux. — Oh ! le mur ! cria la recluse ! Oh ! la voir et ne pas l'embrasser ! Ta main ! ta main !

La jeune fille lui passa son bras à travers la lucarne, la recluse se jeta sur cette main, y attacha ses lèvres, et y demeura, abîmée dans ce baiser, ne donnant plus d'autre signe de vie qu'un sanglot qui soulevait ses hanches de temps en temps. Cependant elle pleurait à torrents, en silence, dans l'ombre, comme une pluie de nuit. La pauvre mère vidait par flots sur cette main adorée le noir et profond puits de larmes qui était au dedans d'elle, et où toute sa douleur avait filtré goutte à goutte depuis quinze années.

Tout à coup, elle se releva, écarta ses longs cheveux gris de dessus son front, et, sans dire une parole, se mit à ébranler de ses deux mains les barreaux de sa loge plus furieusement qu'une lionne. Les barreaux tinrent bon. Alors elle alla chercher dans un coin de sa cellule un gros pavé qui lui servait d'oreiller, et le lança contre eux avec tant de violence qu'un des barreaux se brisa en jetant mille étincelles. Un second coup effondra tout à fait la vieille croix de fer qui barricadait la lucarne. Alors avec ses deux mains elle acheva de rompre et d'écarter les tronçons rouillés des barreaux. Il y a des moments où les mains d'une femme ont une force surhumaine.

Le passage frayé, et il fallut moins d'une minute pour cela, elle saisit sa fille par le milieu du corps et la tira dans sa cellule. — Viens ! que je te repêche de l'abîme ! murmurait-elle.

Quand sa fille fut dans la cellule, elle la posa doucement à terre, puis la reprit, et la portant dans ses bras comme si ce n'était toujours que sa petite Agnès, elle allait et venait dans l'étroite loge, ivre, forcenée, joyeuse, criant, chantant, baisant sa fille, lui parlant, éclatant de rire, fondant en larmes, le tout à la fois et avec emportement.

— Ma fille ! ma fille ! disait-elle. J'ai ma fille ! la voilà. Le bon Dieu me l'a rendue. Eh vous ! venez tous ! Y a-t-il quelqu'un là pour voir que j'ai ma fille ? Seigneur Jésus, qu'elle est belle ! Vous me l'avez fait attendre quinze ans, mon bon Dieu, mais c'était pour me la rendre belle. — Les égyptiennes ne l'avaient donc pas mangée ! Qui avait dit cela ? Ma petite fille ! ma petite fille ! baise-moi. Ces bonnes égyptiennes! J'aime les égyptiennes. — C'est bien toi. C'est donc cela que le cœur me sautait chaque fois que tu passais. Moi qui prenais cela pour de la haine! Pardonne-moi, mon Agnès, pardonne-moi. Tu m'as trouvée bien méchante, n'est-ce pas? Je t'aime. — Ton petit signe au cou, l'as-tu toujours? voyons. Elle l'a toujours. Oh! tu es belle! C'est moi qui vous ai fait ces grands yeux-là, mademoiselle. Baise-moi. Je t'aime. Cela m'est bien égal que les autres mères aient des enfants, je me moque bien d'elles à présent. Elles n'ont qu'à venir. Voici la mienne. Voilà son cou, ses yeux, ses cheveux, sa main. Trouvez-moi quelque chose de beau comme cela! Oh! je vous en réponds qu'elle aura des amoureux, celle-là! J'ai pleuré quinze ans. Toute ma beauté s'en est allée, et lui est venue. Baise-moi!

Elle lui tenait mille autres discours extravagants dont l'accent faisait toute la beauté, dérangeait les vêtements de la pauvre fille jusqu'à la faire rougir, lui lissait sa chevelure de soie avec la main, lui baisait le pied, le genou, le front, les yeux, s'extasiait de tout. La jeune fille se laissait faire, en répétant par intervalles très bas et avec une douceur infinie :
— Ma mère!

— Vois-tu, ma petite fille, reprenait la recluse en entre-coupant tous ses mots de baisers, vois-tu, je t'aimerai bien. Nous nous en irons d'ici. Nous allons être bien heureuses. J'ai hérité quelque chose à Reims, dans notre pays. Tu sais, Reims? Ah! non, tu ne sais pas cela, toi, tu étais trop petite! Si tu savais comme tu étais jolie, à quatre mois! Des petits pieds qu'on venait voir par curiosité d'Épernay qui est à sept lieues! Nous aurons un champ, une maison. Je te coucherai dans mon lit. Mon Dieu! mon Dieu! qui est-ce qui croirait cela? j'ai ma fille!

— O ma mère! dit la jeune fille trouvant enfin la force de parler dans son émotion, l'égyptienne me l'avait bien dit. Il y a une bonne égyptienne des nôtres qui est morte l'an passé, et qui avait toujours eu soin de moi comme une nour-rice. C'est elle qui m'avait mis ce sachet au cou. Elle me disait toujours : — Petite, garde bien ce bijou. C'est un tré-sor. Il te fera retrouver ta mère. Tu portes ta mère à ton cou. — Elle l'avait prédit, l'égyptienne!

La sachette serra de nouveau sa fille dans ses bras. — Viens, que je te baise! tu dis cela gentiment. Quand nous serons au pays, nous chausserons un Enfant-Jésus d'église avec les petits souliers. Nous devons bien cela à la bonne sainte Vierge. Mon Dieu ! que tu as une jolie voix ! Quand tu me parlais tout à l'heure, c'était une musique ! Ah ! mon Dieu Seigneur ! J'ai retrouvé mon enfant ! Mais est-ce croyable, cette histoire-là ? On ne meurt de rien, car je ne suis pas morte de joie.

Et puis, elle se remit à battre des mains et à rire et à crier :

— Nous allons être heureuses !

En ce moment la logette retentit d'un cliquetis d'armes et d'un galop de chevaux qui semblait déboucher du Pont Notre-Dame et s'avancer de plus en plus sur le quai. L'égyptienne se jeta avec angoisse dans les bras de la sachette.

— Sauvez-moi ! sauvez-moi ! ma mère ! les voilà qui viennent.

La recluse devint pâle.

— O ciel ! que dis-tu là ? J'avais oublié ! on te poursuit ! Qu'as-tu donc fait ?

— Je ne sais pas, répondit la malheureuse enfant, mais je suis condamnée à mourir.

— Mourir ! dit Gudule chancelant comme sous un coup de foudre. Mourir ! reprit-elle lentement et regardant sa fille avec son œil fixe.

— Oui, ma mère, reprit la jeune fille éperdue, ils veulent me tuer. Voilà qu'on vient me prendre. Cette potence est pour moi ! Sauvez-moi ! sauvez-moi ! Ils arrivent ! sauvez-moi !

La recluse resta quelques instants immobile comme une pétrification, puis elle remua la tête en signe de doute, et tout à coup partant d'un éclat de rire, mais de son rire effrayant qui lui était revenu : — Ho ! ho ! non ! c'est un rêve que tu me dis là. Ah ! oui ! je l'aurais perdue, cela aurait duré quinze ans, et puis je la retrouverais, et cela durerait une minute ! Et on me la reprendrait ! et c'est maintenant qu'elle est belle, qu'elle est grande, qu'elle me parle, qu'elle m'aime, c'est maintenant qu'ils viendraient me la manger, sous mes yeux à moi qui suis la mère ! oh non ! ces choses-là ne sont pas possibles. Le bon Dieu n'en permet pas comme cela.

Ici la cavalcade parut s'arrêter, et l'on entendit une voix éloignée qui disait : — Par ici, messire Tristan ! Le prêtre dit que nous la trouverons au Trou aux Rats. — Le bruit de chevaux recommença.

La recluse se dressa debout avec un cri désespéré. — Sauve-toi ! sauve-toi ! mon enfant ! Tout me revient. Tu as raison. C'est ta mort ! Horreur ! malédiction ! Sauve-toi !

Elle mit la tête à la lucarne, et la retira vite.

Reste, dit-elle d'une voix basse, brève et lugubre, en serrant convulsivement la main de l'égyptienne plus morte que vive. Reste ! ne souffle pas ! il y a des soldats partout. Tu ne peux sortir. Il fait trop de jour.

Ses yeux étaient secs et brûlants. Elle resta un moment sans parler. Seulement elle marchait à grands pas dans la cellule, et s'arrêtait par intervalles pour s'arracher des poignées de cheveux gris qu'elle déchirait ensuite avec ses dents.

Tout à coup elle dit : — Ils approchent. Je vais leur parler. Cache-toi dans ce coin. Ils ne te verront pas. Je leur dirai que tu t'es échappée, que je t'ai lâchée, ma foi !

Elle posa sa fille, car elle la portait toujours, dans un angle de la cellule qu'on ne voyait pas du dehors. Elle l'accroupit, l'arrangea soigneusement de manière que ni son pied ni sa main ne dépassassent l'ombre, lui dénoua ses cheveux noirs qu'elle répandit sur sa robe blanche pour la masquer, mit devant elle sa cruche et son pavé, les seuls meubles qu'elle eût, s'imaginant que cette cruche et ce pavé la cacheraient. Et quand ce fut fini, plus tranquille, elle se mit à genoux, et pria. Le jour, qui ne faisait que de poindre, laissait encore beaucoup de ténèbres dans le Trou aux Rats.

En cet instant, la voix du prêtre, cette voix infernale, passa très près de la cellule en criant : — Par ici, capitaine Phœbus de Châteaupers !

A ce nom, à cette voix, la Esmeralda, tapie dans son coin, fit un mouvement. — Ne bouge pas ! dit Gudule.

Elle achevait à peine qu'un tumulte d'hommes, d'épées et de chevaux s'arrêta autour de la cellule. La mère se leva bien vite et s'alla poster devant sa lucarne pour la boucher. Elle vit une grande troupe d'hommes armés, de pied et de cheval, rangée sur la Grève. Celui qui les commandait mit pied à terre et vint vers elle.

— La vieille, dit cet homme, qui avait une figure atroce, nous cherchons une sorcière pour la pendre : on nous a dit que tu l'avais.

La pauvre mère prit l'air le plus indifférent qu'elle put, et répondit : — Je ne sais pas trop ce que vous voulez dire.

L'autre reprit : — Tête-Dieu ! que chantait donc cet effaré d'archidiacre ? Où est-il ?

— Monseigneur dit un soldat, il a disparu.

— Or çà, la vieille folle, repartit le commandant, ne me mens pas. On t'a donné une sorcière à garder. Qu'en as-tu fait ?

La recluse ne voulut pas tout nier, de peur d'éveiller des soupçons, et répondit d'un accent sincère et bourru : — Si vous parlez d'une grande jeune fille qu'on m'a accrochée aux mains tout à l'heure, je vous dirai qu'elle m'a mordue et que je l'ai lâchée. Voilà. Laissez-moi en repos.

Le commandant fit une grimace désappointée.

— Ne va pas me mentir, vieux spectre, reprit-il. Je m'appelle Tristan l'Hermite, et je suis le compère du roi. Tristan l'Hermite, entends-tu ? Il ajouta, en regardant la place de Grève autour de lui : — C'est un nom qui a de l'écho ici.

— Vous seriez Satan l'Hermite, répliqua Gudule qui reprenait espoir, que je n'aurais pas autre chose à vous dire et que je n'aurais pas peur de vous.

— Tête-Dieu ! dit Tristan, voilà une commère ! Ah ! la fille sorcière s'est sauvée ! et par où a-t-elle pris ?

Gudule répondit d'un ton insouciant :

— Par la rue du Mouton, je crois.

Tristan tourna la tête, et fit signe à sa troupe de se préparer à se remettre en marche. La recluse respira.

— Monseigneur, dit tout à coup un archer, demandez donc à la vieille fée pourquoi les barreaux de sa lucarne sont défaits de la sorte.

Cette question fit rentrer l'angoisse au cœur de la misérable mère. Elle ne perdit pourtant pas toute présence d'esprit. — Ils ont toujours été ainsi, bégaya-t-elle.

— Bah ! repartit l'archer, hier encore ils faisaient une belle croix noire qui donnait de la dévotion.

Tristan jeta un regard oblique à la recluse.

— Je crois que la commère se trouble !

L'infortunée sentit que tout dépendait de sa bonne contenance, et la mort dans l'âme elle se mit à ricaner. Les mères ont de ces forces-là. — Bah ! dit-elle, cet homme est ivre. Il y a plus d'un an que le cul d'une charrette de pierres a donné dans ma lucarne et en a défoncé la grille. Que même j'ai injurié le charretier !

— C'est vrai, dit un autre archer, j'y étais. Il se trouve toujours partout des gens qui ont tout vu. Ce témoignage inespéré de l'archer ranima la recluse, à qui cet interrogatoire faisait traverser un abîme sur le tranchant d'un couteau.

Mais elle était condamnée à une alternative continuelle d'espérance et d'alarme.

Si c'est une charrette qui a fait cela,repartit le premier soldat, les tronçons des barres devraient être repoussés en dedans, tandis qu'ils sont ramenés en dehors.

— Hé ! hé ! dit Tristan au soldat, tu as un nez d'enquêteur au Châtelet. Répondez à ce qu'il dit, la vieille !

Mon Dieu ! s'écria-t-elle aux abois et d'une voix malgré elle pleine de larmes, je vous jure, monseigneur, que c'est une charrette qui a brisé ces barreaux. Vous entendez que cet homme l'a vu. Et puis, qu'est-ce que cela fait pour votre égyptienne ?

— Hum ! grommela Tristan.

— Diable ! reprit le soldat flatté de l'éloge du prévôt, les cassures du fer sont toutes fraîches !

Tristan hocha la tête. Elle pâlit. — Combien y a-t-il de temps, dites-vous, de cette charrette ?

— Un mois, quinze jours peut-être, monseigneur. Je ne sais plus, moi.

— Elle a d'abord dit plus d'un an, observa le soldat.

— Voilà qui est louche ! dit le prévôt.

— Monseigneur, cria-t-elle toujours collée devant la lucarne, et tremblant que le soupçon ne les poussât à y passer la tête et à regarder dans la cellule, monseigneur, je vous jure que c'est une charrette qui a brisé cette grille. Je vous le jure par les saints anges du paradis. Si ce n'est pas une charrette, je veux être éternellement damnée et je renie Dieu !

— Tu mets bien de la chaleur à ce jurement ! dit Tristan avec son coup d'œil d'inquisiteur.

La pauvre femme sentait s'évanouir de plus en plus son assurance. Elle en était à faire des maladresses, et elle comprenait avec terreur qu'elle ne disait pas ce qu'il aurait fallu dire.

Ici, un autre soldat arriva en criant : — Monseigneur, la vieille fée ment. La sorcière ne s'est pas sauvée par la rue du Mouton. La chaîne de la rue est restée tendue toute la nuit, et le garde-chaîne n'a vu passer personne.

Tristan, dont la physionomie devenait à chaque instant plus sinistre, interpella la recluse : — Qu'as-tu à dire à cela ?

Elle essaya encore de faire tête à ce nouvel incident : — Que je ne sais, monseigneur, que j'ai pu me tromper. Je crois qu'elle a passé l'eau en effet.

— C'est le côté opposé, dit le prévôt. Il n'y a pourtant pas grande apparence qu'elle ait voulu rentrer dans la Cité où on la poursuivait. Tu mens, la vieille !

— Et puis, ajouta le premier soldat, il n'y a de bateau ni de ce côté de l'eau ni de l'autre.

— Elle aura passé à la nage, répliqua la recluse défendant le terrain pied à pied.

— Est-ce que les femmes nagent ? dit le soldat.

— Tête-Dieu ! la vieille ! tu mens ! tu mens ! reprit Tristan avec colère. J'ai bonne envie de laisser là cette sorcière, et de te pendre, toi. Un quart d'heure de question te tirera peut-être la vérité du gosier. Allons ! tu vas nous suivre.

Elle saisit ces paroles avec avidité. — Comme vous voudrez, monseigneur. Faites. Faites. La question, je veux bien. Emmenez-moi. Vite, vite ! partons tout de suite. — Pendant ce temps-là, pensait-elle, ma fille se sauvera.

— Mort-Dieu ! dit le prévôt, quel appétit du chevalet ! Je ne comprends rien à cette folle.

Un vieux sergent du guet à tête grise sortit des rangs, et s'adressant au prévôt : — Folle en effet, monseigneur ! Si elle a lâché l'égyptienne, ce n'est pas sa faute, car elle n'aime pas les égyptiennes. Voilà quinze ans que je fais le guet, et que je l'entends tous les soirs maugréer les femmes bohèmes avec des exécrations sans fin. Si celle que nous poursuivons est, comme je le crois, la petite danseuse à la chèvre, elle déteste celle-là surtout.

Gudule fit un effort et dit : — Celle-là surtout.

Le témoignage unanime des hommes du guet confirma au prévôt les paroles du vieux sergent. Tristan l'Hermite, désespérant de rien tirer de la recluse, lui tourna le dos, et elle le vit avec une anxiété inexprimable se diriger lentement vers son cheval. — Allons, disait-il entre ses dents, en route !

remettons-nous à l'enquête. Je ne dormirai pas que l'égyptienne ne soit pendue.

Cependant il hésita encore quelque temps avant de monter à cheval. Gudule palpitait entre la vie et la mort en le voyant promener autour de la place cette mine inquiète d'un chien de chasse qui sent près de lui le gîte de la bête et résiste à s'éloigner. Enfin il secoua la tête et sauta en selle. Le cœur si horriblement comprimé de Gudule se dilata, et elle dit à voix basse en jetant un coup d'œil sur sa fille, qu'elle n'avait pas encore osé regarder depuis qu'ils étaient là : — Sauvée !

La pauvre enfant était restée tout ce temps dans son coin, sans souffler, sans remuer, avec l'idée de la mort debout devant elle. Elle n'avait rien perdu de la scène entre Gudule et Tristan, et chacune des angoisses de sa mère avait retenti en elle. Elle avait entendu tous les craquements successifs du fil qui la tenait suspendue sur le gouffre, elle avait cru vingt fois le voir se briser, et commençait enfin à respirer et à se sentir le pied en terre ferme. En ce moment, elle entendit une voix qui disait au prévôt :

— Corbœuf ! monsieur le prévôt, ce n'est pas mon affaire, à moi homme d'armes, de pendre les sorcières. La quenaille de peuple est à bas. Je vous laisse besogner tout seul. Vous trouverez bon que j'aille rejoindre ma compagnie, pour ce qu'elle est sans capitaine. — Cette voix, c'était celle de Phœbus de Châteaupers. Ce qui se passa en elle est ineffable. Il était donc là, son ami, son protecteur, son appui, son asile, son Phœbus ! Elle se leva, et avant que sa mère eût pu l'en empêcher, elle s'était jetée à la lucarne en criant : — Phœbus ! à moi, mon Phœbus !

Phœbus n'y était plus. Il venait de tourner au galop l'angle de la rue de la Coutellerie. Mais Tristan n'était pas encore parti.

La recluse se précipita sur sa fille avec un rugissement. Elle la retira violemment en arrière en lui enfonçant ses ongles dans le cou. Une mère tigresse n'y regarde pas de si près. Mais il était trop tard. Tristan avait vu.

— Hé ! hé ! s'écria-t-il avec un rire qui déchaussait toutes ses dents et faisait ressembler sa figure au museau d'un loup, deux souris dans la souricière !

— Je m'en doutais, dit le soldat.

Tristan lui frappa sur l'épaule : — Tu es un bon chat ! — Allons, ajouta-t-il, où est Henriet Cousin ?

Un homme qui n'avait ni le vêtement ni la mine des soldats sortit de leurs rangs. Il portait un costume mi-parti gris et brun, les cheveux plats, des manches de cuir, et un paquet de cordes à sa grosse main. Cet homme accompagnait toujours Tristan, qui accompagnait toujours Louis XI.

— L'ami, dit Tristan l'Hermite, je présume que voilà la sorcière que nous cherchions. Tu vas me pendre cela. As-tu ton échelle ?

— Il y en a une là sous le hangar de la Maison-aux-Piliers, répondit l'homme. Est-ce à cette justice-là que nous ferons la chose ? poursuivit-il en montrant le gibet de pierre.

— Oui.

— Ho hé ! reprit l'homme avec un gros rire plus bestial encore que celui du prévôt, nous n'aurons pas beaucoup de chemin à faire.

— Dépêche ! dit Tristan. Tu riras après.

Cependant, depuis que Tristan avait vu sa fille et que tout espoir était perdu, la recluse n'avait pas encore dit une parole. Elle avait jeté la pauvre égyptienne à demi morte dans le coin du caveau, et s'était replacée à la lucarne, ses deux mains appuyées à l'angle de l'entablement comme deux griffes. Dans cette attitude, on la voyait promener intrépidement sur tous ces soldats son regard, qui était redevenu fauve et insensé. Au moment où Henriet Cousin s'approcha de la loge, elle lui fit une figure tellement sauvage qu'il recula.

— Monseigneur, dit-il en revenant au prévôt, laquelle faut-il prendre ?

— La jeune.

— Tant mieux. Car la vieille paraît malaisée.

— Pauvre petite danseuse à la chèvre ! dit le vieux sergent du guet.

Henriet Cousin se rapprocha de la lucarne. L'œil de la mère fit baisser le sien. Il dit assez timidement : — Madame...

Elle l'interrompit d'une voix très basse et furieuse : — Que demandes-tu ?

— Ce n'est pas vous, dit-il, c'est l'autre.

— Quelle autre ?

— La jeune.

Elle se mit à secouer la tête en criant : — Il n'y a personne ! Il n'y a personne ! Il n'y personne !

— Si ! reprit le bourreau, vous le savez bien. La moi prendre la jeune. Je ne veux pas vous faire de mal, à vous.

Elle dit avec un ricanement étrange : — Ah ! tu ne veux pas me faire de mal, à moi !

— Laissez-moi l'autre, madame ; c'est monsieur le prévôt qui le veut.

Elle répéta d'un air de folie : — Il n'y a personne.

— Je vous dis que si ! répliqua le bourreau. Nous avons tous vu que vous étiez deux.

— Regarde plutôt ! dit la recluse en ricanant. Fourre ta tête par la lucarne.

Le bourreau examina les ongles de la mère, et n'osa pas.

— Dépêche ! cria Tristan qui venait de ranger sa troupe en cercle autour du Trou aux Rats et qui se tenait à cheval près du gibet.

Henriet revint au prévôt encore une fois, tout embarassé. Il avait posé sa corde à terre, et roulait d'un air gauche son chapeau dans ses mains. — Monseigneur, demanda-t-il, par où entrer ?

— Par la porte.

— Il n'y en a pas.

— Par la fenêtre.

— Elle est trop étroite.

— Élargis-la, dit Tristan avec colère. N'as-tu pas des pioches ?

Du fond de son antre, la mère, toujours en arrêt, regardait. Elle n'espérait plus rien, elle ne savait plus ce qu'elle voulait, mais elle ne voulait pas qu'on lui prît sa fille.

Henriet Cousin alla chercher la caisse d'outils des basses œuvres sous le hangar de la Maison-aux-Pillers. Il en retira aussi la double échelle, qu'il appliqua sur- le-champ au gibet. Cinq ou six hommes de la prévôté s'armèrent de pics et de leviers, et Tristan se dirigea avec eux vers la lucarne.

— La vieille, dit le prévôt d'un ton sévère, livre-nous cette fille de bonne grâce.

Elle le regarda comme quand on ne comprend pas.

— Tête-Dieu ! reprit Tristan, qu'as-tu donc à empêcher cette sorcière d'être pendue comme il plaît au roi ?

La misérable se mit à rire de son rire farouche.

— Ce que j'y ai ? C'est ma fille.

L'accent dont elle prononça ce mot fit frissonner jusqu'à Henriet Cousin lui-même.

— J'en suis fâché, repartit le prévôt. Mais c'est le bon plaisir du roi.

Elle cria en redoublant son rire terrible : — Qu'est-ce que cela me fait, ton roi ? Je te dis que c'est ma fille !

— Percez le mur, dit Tristan.

Il suffisait, pour pratiquer une ouverture assez large, de desceller une assise de pierre au-dessous de la lucarne. Quand la mère entendit les pics et les leviers saper sa forteresse, elle poussa un cri épouvantable, puis elle se mit à tourner avec une vitesse effrayante autour de sa loge, habitude de bête fauve que la cage lui avait donnée. Elle ne disait plus rien, mais ses yeux flamboyaient. Les soldats étaient glacés au fond du cœur.

Tout à coup elle prit son pavé, rit, et le jeta à deux poings sur les travailleurs. Le pavé, mal lancé, car ses mains tremblaient, ne toucha personne, et vint s'arrêter sous les pieds du cheval de Tristan. Elle grinça des dents.

Cependant, quoique le soleil ne fût pas encore levé, il faisait grand jour, une belle teinte rose égayait les vieilles cheminées vermoulues de la Maison-aux-Piliers. C'était l'heure où les fenêtres les plus matinales de la grande ville s'ouvrent joyeusement sur les toits. Quelques manants, quelques fruitiers allant aux halles sur leur âne, commençaient à traverser la Grève, ils s'arrêtaient un moment devant ce groupe de soldats amoncelés autour du Trou aux Rats, le considéraient d'un air étonné, et passaient outre.

La recluse était allée s'asseoir près de sa fille, la couvrant de son corps, devant elle, l'œil fixe, écoutant la pauvre enfant qui ne bougeait pas, et qui murmurait à voix basse pour toute parole : Phœbus ! Phœbus ! A mesure que le travail des démolisseurs semblait s'avancer, la mère se reculait machinalement, et serrait de plus en plus la jeune fille contre le mur. Tout à coup la recluse vit la pierre (car elle faisait sentinelle et ne la quittait pas du regard) s'ébranler, et elle entendit la voix de Tristan qui encourageait les travailleurs. Alors elle sortit de l'affaissement où elle était tombée depuis quelques instants, et s'écria, et tandis qu'elle parlait sa voix tantôt déchirait l'oreille comme une scie, tantôt balbutiait comme si toutes les malédictions se fussent pressées sur ses lèvres pour éclater à la fois. — Ho ! ho ! ho ! Mais c'est horrible ! Vous êtes des brigands ! Est-ce que vous allez vraiment me pendre ma fille ? Je vous dis que c'est ma fille ! Oh ! les lâches ! Oh ! les laquais bourreaux ! les misérables goujats assassins ! Au secours ! au secours ! au eu ! Mais est-ce qu'ils me prendront mon enfant comme cela ? Qui est-ce donc qu'on appelle le bon Dieu ?

Alors s'adressant à Tristan, écumante, l'œil hagard, à quatre pattes comme une panthère, et toute hérissée :

— Approche un peu me prendre ma fille ! Est-ce que tu ne comprends pas que cette femme te dit que c'est sa fille ? Sais-tu ce que c'est qu'un enfant qu'on a ? Hé ! loup-cervier, n'as-tu jamais gîté avec ta louve ? n'en as-tu jamais eu un louveteau ? et si tu as des petits, quand ils hurlent, est-ce que tu n'as rien dans le ventre que cela remue ?

— Mettez bas la pierre, dit Tristan, elle ne tient plus.

Les leviers soulevèrent la lourde assise. C'était, nous l'avons dit, le dernier rempart de la mère. Elle se jeta dessus, elle voulut la retenir, elle égratigna la pierre avec ses ongles, mais le bloc massif, mis en mouvement par six hommes, lui échappa et glissa doucement jusqu'à terre le long des leviers de fer.

La mère, voyant l'entrée faite, tomba devant l'ouverture en travers, barricadant la brèche avec son corps, tordant ses bras, heurtant la dalle de sa tête, et criant d'une voix enrouée de fatigue qu'on entendait à peine : — Au secours ! au feu ! au feu !

— Maintenant, prenez la fille, dit Tristan toujours impassible.

La mère regarda les soldats d'une manière si formidable qu'ils avaient plus envie de reculer que d'avancer.

— Allons donc, reprit le prévôt. Henriet Cousin, toi !

Personne ne fit un pas.

Le prévôt jura : — Tête-Christ ! mes gens de guerre ! peur d'une femme !

— Monseigneur, dit Henriet, vous appelez cela une femme ?

— Elle a une crinière de lion ! dit un autre.

— Allons ! repartit le prévôt, la baie est assez large. Entrez-y trois de front, comme à la brèche de Pontoise. Finissons, mort-Mahom ! Le premier qui recule, j'en fais deux morceaux !

Placés entre le prévôt et la mère, tous deux menaçants, les

soldats hésitèrent un moment, puis, prenant leur parti, s'avancèrent vers le Trou aux Rats.

Quand la recluse vit cela, elle se dressa brusquement sur les genoux, écarta ses cheveux de son visage, puis laissa retomber ses mains maigres et écorchées sur ses cuisses. Alors de grosses larmes sortirent une à une de ses yeux, elles descendaient par une ride le long de ses joues comme un torrent par le lit qu'il s'est creusé. En même temps elle se mit à parler, mais d'une voix si suppliante, si douce, si soumise et si poignante, qu'à l'entour de Tristan plus d'un vieil argousin qui aurait mangé de la chair humaine s'essuyait les yeux.

— Messeigneurs ! messieurs les sergents, un mot ! C'est une chose qu'il faut que je vous dise. C'est ma fille, voyez-vous ? ma chère petite fille que j'avais perdue ! Écoutez. C'est une histoire. Figurez-vous que je connais très bien messieurs les sergents. Ils ont toujours été bons pour moi dans le temps que les petits garçons me jetaient des pierres parce que je faisais la vie d'amour. Voyez-vous ? vous me laisserez mon enfant, quand vous saurez ! Je suis une pauvre fille de joie. Ce sont les bohémiennes qui me l'ont volée. Même que j'ai gardé son soulier quinze ans. Tenez, le voilà. Elle avait ce pied-là. A Reims ! La Chantefleurie ! rue Folle-Peine ! Vous avez connu cela peut-être. C'était moi. Dans votre jeunesse, alors, c'était un beau temps. On passait de bons quarts d'heure. Vous aurez pitié de moi, n'est-ce pas, messeigneurs ? Les égyptiennes me l'ont volée, elles me l'ont cachée quinze ans. Je la croyais morte. Figurez-vous, mes bons amis, que je la croyais morte. J'ai passé quinze ans ici, dans cette cave, sans feu l'hiver. C'est dur, cela. Le pauvre cher petit soulier ! J'ai tant crié que le bon Dieu m'a entendue. Cette nuit, il m'a rendu ma fille. C'est un miracle du bon Dieu. Elle n'était pas morte. Vous ne me la prendrez pas, j'en suis sûre. Encore si c'était moi, je ne dirais pas, mais elle, une enfant de seize ans ! laissez-lui le temps de voir le soleil ! — Qu'est-ce qu'elle vous a fait ? rien du tout. Moi non plus. Si vous saviez que je n'ai qu'elle, que je suis vieille, que c'est une bénédiction que la Sainte Vierge m'envoie. Et puis, vous êtes si bons tous ! Vous ne saviez pas que c'était ma fille, à présent vous le savez. Oh ! je l'aime ! Monsieur le grand prévôt, j'aimerais mieux un trou à mes entrailles qu'une égratignure à son doigt ! C'est vous qui avez l'air d'un bon seigneur ! Ce que je vous dis là vous explique la chose, n'est-il pas vrai ? Oh ! si vous avez eu une mère, monseigneur ! vous êtes le capitaine, laissez-moi mon enfant ! Considérez que je vous prie à genoux, comme on prie un Jésus-Christ ! Je ne demande rien à personne, je suis de Reims, messeigneurs, j'ai un petit champ de mon oncle Mahiet Pradon. Je ne suis pas une mendiante. Je ne veux rien, mais je veux mon enfant ! Oh ! je veux garder mon enfant ! Le bon Dieu, qui est le maître, ne me l'a pas rendue pour rien ! Le roi ! vous dites le roi ! Cela ne lui fera déjà pas beaucoup de plaisir qu'on tue ma petite fille ! Et puis le roi est bon ! C'est ma fille ! c'est ma fille, à moi ! elle n'est pas au roi ! elle n'est pas à vous ! Je veux m'en aller ! nous voulons nous en aller ! Enfin, deux femmes qui passent, dont l'une est la mère et l'autre la fille, on les laisse passer ! Laissez-nous passer ! nous sommes de Reims. Oh ! vous êtes bien bons, messieurs les sergents, je vous aime tous. Vous ne me prendrez pas ma chère petite, c'est impossible ! N'est-ce pas que c'est tout à fait impossible ? Mon enfant ! mon enfant !

Nous n'essaierons pas de donner une idée de son geste, de son accent, des larmes qu'elle buvait en parlant, des mains qu'elle joignait et puis tordait, des sourires navrants, des regards noyés, des gémissements, des soupirs, des cris misérables et saisissants qu'elle mêlait à ses paroles désordonnées, folles et décousues. Quand elle se tut, Tristan l'Hermite fronça le sourcil, mais c'était pour cacher une larme qui roulait dans son œil de tigre. Il surmonta pourtant cette faiblesse, et dit d'un ton bref : — Le roi le veut.

Puis, il se pencha à l'oreille d'Henriet Cousin, et lui dit tout bas : — Finis vite ! Le redoutable prévôt sentait peut-être le cœur lui manquer, à lui aussi.

Le bourreau et les sergents entrèrent dans la logette. La mère ne fit aucune résistance, seulement elle se traîna vers sa fille et se jeta à corps perdu sur elle. L'égyptienne vit les soldats s'approcher. L'horreur de la mort la ranima. — Ma mère ! cria-t-elle avec un inexprimable accent de détresse, ma mère ! ils viennent ! défendez-moi ! — Oui, mon amour, je te défends ! répondit la mère d'une voix éteinte, et, la serrant étroitement dans ses bras, elle la couvrit de baisers.

Toutes deux ainsi à terre, la mère sur la fille, faisaient un spectacle digne de pitié.

Henriet Cousin prit la jeune fille par le milieu du corps sous ses belles épaules. Quand elle sentit cette main, elle fit : Heuh ! et s'évanouit. Le bourreau, qui laissait tomber goutte à goutte de grosses larmes sur elle, voulut l'enlever dans ses bras. Il essaya de détacher la mère, qui avait pour ainsi dire noué ses deux mains autour de la ceinture de sa fille, mais elle était si puissamment cramponnée à son enfant qu'il fut impossible de l'en séparer. Henriet Cousin alors traîna la jeune fille hors de la loge, et la mère après elle. La mère aussi tenait ses yeux fermés.

Le soleil se levait en ce moment, et il y avait déjà sur la place un assez bon amas de peuple qui regardait à distance ce qu'on traînait ainsi sur le pavé vers le gibet. Car c'était la mode du prévôt Tristan aux exécutions. Il avait la manie d'empêcher les curieux d'approcher.

Il n'y avait personne aux fenêtres. On voyait seulement de loin, au sommet de celle des tours de Notre-Dame qui domine la Grève, deux hommes détachés en noir sur le ciel clair du matin, qui semblaient regarder.

Henriet Cousin s'arrêta avec ce qu'il traînait au pied de la fatale échelle, et, respirant à peine, tant la chose l'apitoyait, il passa la corde autour du cou adorable de la jeune fille. La malheureuse enfant sentit l'horrible attouchement du chanvre. Elle souleva ses paupières, et vit le bras décharné du gibet de pierre, étendu au-dessus de sa tête. Alors elle se secoua, et cria d'une voix haute et déchirante : — Non ! non ! je ne veux pas ! La mère, dont la tête était enfouie et perdue sous les vêtements de sa fille, ne dit pas une parole ; seulement on vit frémir tout son corps et on l'entendit redoubler ses baisers sur son enfant. Le bourreau profita de ce moment pour dénouer vivement les bras dont elle étreignait la condamnée. Soit épuisement, soit désespoir, elle le laissa faire. Alors il prit la jeune fille sur son épaule, d'où la charmante créature retombait gracieusement pliée en deux sur sa large tête. Puis il mit le pied sur l'échelle pour monter.

En ce moment la mère, accroupie sur le pavé, ouvrit tout à fait les yeux. Sans jeter un cri, elle se redressa avec une expression terrible, puis, comme une bête sur sa proie, elle se jeta sur la main du bourreau et le mordit. Ce fut un éclair.

Le bourreau hurla de douleur. On accourut. On retira avec peine sa main sanglante d'entre les dents de la mère. Elle gardait un profond silence. On la repoussa assez brutalement, et l'on remarqua que sa tête retombait lourdement sur le pavé. On la releva. Elle se laissa de nouveau retomber. C'est qu'elle était morte.

Le bourreau, qui n'avait pas lâché la jeune fille, se remit à monter l'échelle.

II

LA CREATURA BELLA
BIANCO VESTITA (DANTE)

Quand Quasimodo vit que la cellule était vide, que l'égyptienne n'y était plus, que pendant qu'il la défendait on l'avait enlevée, il prit ses cheveux à deux mains et trépigna de surprise et de douleur. Puis il se mit à courir par toute l'église, cherchant sa bohémienne, hurlant des cris étranges à tous les coins de mur, semant ses cheveux rouges sur le pavé. C'était précisément le moment où les archers du roi entraient victorieux dans Notre-Dame, cherchant aussi l'égyptienne. Quasimodo les y aida, sans se douter, le pauvre sourd, de leurs fatales intentions ; il croyait que les ennemis de l'égyptienne, c'étaient les truands. Il mena lui-même Tristan l'Hermite à toutes les cachettes possibles, lui ouvrit les portes secrètes, les doubles fonds d'autel, les arrière-sacristies. Si la malheureuse y eût été encore, c'est lui qui l'eût livrée. Quand la lassitude de ne rien trouver eut rebuté Tristan qui ne se rebutait pas aisément, Quasimodo continua de chercher tout seul. Il fit vingt fois, cent fois le tour de l'église, de long en large, du haut en bas, montant, descendant, courant, appelant, criant, flairant, furetant, fouillant, fourrant sa tête dans tous les trous, poussant une torche sous toutes les voûtes, désespéré, fou. Un mâle qui a perdu sa femelle n'est pas plus rugissant ni plus hagard. Enfin quand il fut sûr, bien sûr qu'elle n'y était plus, que c'en était fait, qu'on la lui avait dérobée, il remonta lentement l'escalier des tours, cet escalier qu'il avait escaladé avec tant d'emportement et de triomphe le jour où il l'avait sauvée. Il repassa par les mêmes lieux, la tête basse, sans voix, sans larmes, presque sans souffle. L'église était déserte de nouveau et retombée dans son silence. Les archers l'avaient quittée pour traquer la sorcière dans la Cité. Quasimodo, resté seul dans cette vaste Notre-Dame, si assiégée et si tumultueuse le moment d'auparavant, reprit le chemin de la cellule où l'égyptienne avait dormi tant de semaines sous sa garde. En s'en approchant, il se figurait qu'il allait peut-être l'y retrouver. Quand, au détour de la galerie qui donne sur le toit des bas côtés, il aperçut l'étroite logette avec sa petite fenêtre et sa petite porte, tapie sous un grand arc-boutant comme un nid d'oiseau sous une branche, le cœur lui manqua, au pauvre homme, et il s'appuya contre un pilier pour ne pas tomber. Il s'imagina qu'elle y était peut-être rentrée, qu'un bon génie l'y avait sans doute ramenée, que cette logette était trop tranquille, trop sûre et trop charmante pour qu'elle n'y fût point, et il n'osait faire un pas de plus, de peur de briser son illusion. — Oui, se disait-il en lui-même, elle dort peut-être, ou elle prie. Ne la troublons pas.

Enfin il rassembla son courage, il avança sur la pointe des pieds, il regarda, il entra. Vide ! la cellule était toujours vide. Le malheureux sourd en fit le tour à pas lents, souleva le lit et regarda dessous, comme si elle pouvait être cachée entre la dalle et le matelas, puis il secoua la tête et demeura stupide. Tout à coup il écrasa furieusement sa torche du pied, et, sans dire une parole, sans pousser un soupir, il se précipita de toute sa course la tête contre le mur et tomba évanoui sur le pavé.

Quand il revint à lui, il se jeta sur le lit, il s'y roula, il baisa avec frénésie la place tiède encore où la jeune fille avait dormi, il y resta quelques minutes immobile comme s'il allait y expirer, puis il se releva, ruisselant de sueur, haletant, insensé, et se mit à cogner les murailles de sa tête avec l'effrayante régularité du battant de ses cloches, et la résolution d'un homme qui veut l'y briser. Enfin il tomba une seconde fois, épuisé ; il se traîna sur les genoux hors de la cellule et s'accroupit en face de la porte, dans une attitude d'étonnement. Il resta ainsi plus d'une heure sans faire un mouvement, l'œil fixé sur la cellule déserte, plus sombre et plus pensif qu'une mère assise entre un berceau vide et un cercueil plein. Il ne prononçait pas un mot ; seulement, à de longs intervalles, un sanglot remuait violemment tout son corps, mais un sanglot sans larmes, comme ces éclairs d'été qui ne font pas de bruit.

Il paraît que ce fut alors que, cherchant au fond de sa rêverie désolée quel pouvait être le ravisseur inattendu de l'égyptienne, il songea à l'archidiacre. Il se souvint que dom Claude avait seul une clef de l'escalier qui menait à la cellule, il se rappela ses tentatives nocturnes sur la jeune fille, la première à laquelle lui Quasimodo avait aidé, la seconde qu'il avait empêchée. Il se rappela mille détails, et ne douta bientôt plus que l'archidiacre ne lui eût pris l'égyptienne. Cependant tel était son respect du prêtre, la reconnaissance, le dévouement, l'amour pour cet homme avaient de si profondes racines dans son cœur qu'elles résistaient, même en ce moment, aux ongles de la jalousie et du désespoir.

Il songeait que l'archidiacre avait fait cela, et la colère de sang et de mort qu'il en eût ressentie contre tout autre, du moment où il s'agissait de Claude Frollo, se tournait chez le pauvre sourd en accroissement de douleur.

Au moment où sa pensée se fixait ainsi sur le prêtre, comme l'aube blanchissait les arcs-boutants, il vit à l'étage supérieur de Notre-Dame, au coude que fait la balustrade extérieure qui tourne autour de l'abside, une figure qui marchait. Cette figure venait de son côté. Il la reconnut. C'était l'archidiacre. Claude allait d'un pas grave et lent. Il ne regardait pas devant lui en marchant, il se dirigeait vers la tour septentrionale, mais son visage était tourné de côté, vers la rive droite de la Seine, et il tenait la tête haute, comme s'il eût tâché de voir quelque chose par-dessus les toits. Le hibou a souvent cette attitude oblique. Il vole vers un point et en regarde un autre. — Le prêtre passa ainsi au-dessus de Quasimodo sans le voir.

Le sourd, que cette brusque apparition avait pétrifié, le vit s'enfoncer sous la porte de l'escalier de la tour septentrionale. Le lecteur sait que cette tour est celle d'où l'on voit l'Hôtel de Ville. Quasimodo se leva et suivit l'archidiacre.

Quasimodo monta l'escalier de la tour pour le monter, pour savoir pourquoi le prêtre le montait. Du reste, le pauvre sonneur ne savait ce qu'il ferait, lui Quasimodo, ce qu'il dirait, ce qu'il voulait. Il était plein de fureur et plein de crainte. L'archidiacre et l'égyptienne se heurtaient dans son cœur.

Quand il fut parvenu au sommet de la tour, avant de sortir de l'ombre de l'escalier et d'entrer sur la plate-forme, il examina avec précaution où était le prêtre. Le prêtre lui tournait le dos. Il y a une balustrade percée à jour qui entoure la plate-forme du clocher. Le prêtre, dont les yeux plongeaient sur la ville, avait la poitrine appuyée à celui des quatre côtés de la balustrade qui regarde le Pont Notre-Dame.

Quasimodo, s'avançant à pas de loup derrière lui, alla voir ce qu'il regardait ainsi. L'attention du prêtre était tellement absorbée ailleurs qu'il n'entendit point le sourd marcher près de lui.

C'est un magnifique et charmant spectacle que Paris, et le Paris d'alors surtout, vu du haut des tours Notre-Dame aux fraîches lueurs d'une aube d'été. On pouvait être, ce jour-là, en juillet. Le ciel était parfaitement serein. Quelques étoiles attardées s'y éteignaient sur divers points, et il y en avait une très brillante au levant dans le plus clair du ciel. Le soleil était au moment de paraître. Paris commençait à remuer. Une lumière très blanche et très pure faisait saillir vivement à l'œil tous les plans que ses mille maisons présentent à l'orient. L'ombre géante des clochers allait de toit en toit d'un bout de la grande ville à l'autre. Il y avait déjà des quartiers qui parlaient et qui faisaient du bruit. Ici un coup de cloche, là un coup de marteau, là-bas le cliquetis compliqué d'une charrette en marche. Déjà quelques fumées se dégorgeaient çà et là sur toute cette surface de toits comme par les fissures d'une immense solfatare. La rivière, qui fronce son eau aux arches de tant de ponts, à la pointe de tant d'îles, était toute moirée de plis d'argent. Autour de la ville, au-dehors des remparts, la vue se perdait dans un grand cercle de vapeurs floconneuses à travers lesquelles on distinguait confusément la ligne indéfinie des plaines et le gracieux renflement des coteaux. Toutes sortes de rumeurs flottantes se dispersaient sur cette cité à demi réveillée. Vers l'orient le vent du matin chassait à travers le ciel quelques blanches ouates arrachées à la toison de brume des collines.

Dans le Parvis, quelques bonnes femmes qui avaient en

main leur pot au lait se montraient avec étonnement le délabrement singulier de la grande porte de Notre-Dame et deux ruisseaux de plomb figés entre les fentes des grès. C'était tout ce qui restait du tumulte de la nuit. Le bûcher allumé par Quasimodo entre les tours s'était éteint. Tristan avait déjà déblayé la place et fait jeter les morts à la Seine. Les rois comme Louis XI ont soin de laver vite le pavé après un massacre.

En dehors de la balustrade de la tour, précisément audessous du point où s'était arrêté le prêtre, il y avait une de ces gouttières de pierre fantastiquement taillées qui hérissent les édifices gothiques, et dans une crevasse de cette gouttière deux jolies giroflées en fleur, secouées et rendues comme vivantes par le souffle de l'air, se faisaient des salutations folâtres. Au-dessus des tours, en haut, bien loin au fond du ciel on entendait de petits cris d'oiseaux.

Mais le prêtre n'écoutait, ne regardait rien de tout cela. Il était de ces hommes pour lesquels il n'y a pas de matins, pas d'oiseaux, pas de fleurs. Dans cet immense horizon qui prenait tant d'aspects autour de lui, sa contemplation était concentrée sur un point unique.

Quasimodo brûlait de lui demander ce qu'il avait fait de l'égyptienne. Mais l'archidiacre semblait en ce moment être hors du monde. Il était visiblement dans une de ces minutes violentes de la vie où l'on ne sentirait pas la terre crouler. Les yeux invariablement fixés sur un certain lieu, il demeurait immobile et silencieux ; et ce silence et cette immobilité avaient quelque chose de si redoutable que le sauvage sonneur frémissait devant et n'osait s'y heurter. Seulement, et c'était encore une manière d'interroger l'archidiacre, il suivit la direction de son rayon visuel, et de cette façon le regard du malheureux sourd tomba sur la place de Grève.

Il vit ainsi ce que le prêtre regardait. L'échelle était dressée près du gibet permanent. Il y avait quelque peuple dans la place et beaucoup de soldats. Un homme traînait sur le pavé une chose blanche à laquelle une chose noire était accrochée. Cet homme s'arrêta au pied du gibet.

Ici il se passa quelque chose que Quasimodo ne vit pas bien. Ce n'est pas que son œil unique n'eût conservé sa longue portée, mais il y avait un gros de soldats qui empêchait de distinguer tout. D'ailleurs en cet instant le soleil parut, et un tel flot de lumière déborda par-dessus l'horizon qu'on eût dit que toutes les pointes de Paris, flèches, cheminées, pignons, prenaient feu à la fois.

Cependant l'homme se mit à monter l'échelle. Alors Quasimodo le revit distinctement. Il portait une femme sur son épaule, une jeune fille vêtue de blanc, cette jeune fille avait un nœud au cou. Quasimodo la reconnut. C'était elle.

L'homme parvint ainsi au haut de l'échelle. Là il arrangea le nœud. Ici le prêtre, pour mieux voir, se mit à genoux sur la balustrade.

Tout à coup l'homme repoussa brusquement l'échelle du talon, et Quasimodo qui ne respirait plus depuis quelques instants vit se balancer au bout de la corde, à deux toises au-dessus du pavé, la malheureuse enfant avec l'homme accroupi les pieds sur ses épaules. La corde fit plusieurs tours sur elle-même, et Quasimodo vit courir d'horribles convulsions le long du corps de l'égyptienne. Le prêtre de son côté, le cou tendu, l'œil hors de la tête, contemplait ce groupe épouvantable de l'homme et de la jeune fille, de l'araignée et de la mouche.

Au moment où c'était le plus effroyable, un rire de démon, un rire qu'on ne peut avoir que lorsqu'on n'est plus homme, éclata sur le visage livide du prêtre. Quasimodo n'entendit pas ce rire, mais il le vit. Le sonneur recula de quelques pas derrière l'archidiacre, et tout à coup, se ruant sur lui avec fureur, de ses deux grosses mains il le poussa par le dos dans l'abîme sur lequel dom Claude était penché.

Le prêtre cria : — Damnation ! et tomba.

La gouttière au-dessus de laquelle il se trouvait l'arrêta dans sa chute. Il s'y accrocha avec des mains désespérées, et, au moment où il ouvrit la bouche pour jeter un second cri, il vit passer au rebord de la balustrade, au-dessus de sa tête, la figure formidable et vengeresse de Quasimodo. Alors il se tut.

L'abîme était au-dessous de lui. Une chute de plus de deux cents pieds, et le pavé. Dans cette situation terrible, l'archidiacre ne dit pas une parole, ne poussa pas un gémissement. Seulement il se tordit sur la gouttière avec des efforts inouïs pour remonter. Mais ses mains n'avaient pas de prise sur le granit, ses pieds rayaient la muraille noircie, sans y mordre. Les personnes qui ont monté sur les tours de

Notre-Dame savent qu'il y a un renflement de la pierre immédiatement au-dessous de la balustrade. C'est sur cet angle rentrant que s'épuisait le misérable archidiacre. Il n'avait pas affaire à un mur à pic, mais à un mur qui fuyait sous lui.

Quasimodo n'eût eu pour le tirer du gouffre qu'à lui tendre la main, mais il ne le regardait seulement pas. Il regardait la Grève. Il regardait le gibet. Il regardait l'égyptienne. Le sourd s'était accoudé sur la balustrade à la place où était l'archidiacre le moment d'auparavant, et là, ne détachant pas son regard du seul objet qu'il y eût pour lui au monde en ce moment, il était immobile et muet comme un homme foudroyé, et un long ruisseau de pleurs coulait en silence de cet œil qui jusqu'alors n'avait encore versé qu'une seule larme.

Cependant l'archidiacre haletait. Son front chauve ruisselait de sueur, ses ongles saignaient sur la pierre, ses genoux s'écorchaient au mur. Il entendait sa soutane accrochée à la gouttière craquer et se découdre à chaque secousse qu'il lui donnait. Pour comble de malheur, cette gouttière était terminée par un tuyau de plomb qui fléchissait sous le poids de son corps. L'archidiacre sentait ce tuyau ployer lentement. Il se disait, le misérable, que quand ses mains seraient brisées de fatigue, quand sa soutane serait déchirée, quand ce plomb serait ployé, il faudrait tomber, et l'épouvante le prenait aux entrailles. Quelquefois, il regardait avec égarement une espèce d'étroit plateau formé à quelque dix pieds plus bas par des accidents de sculpture, et il demandait au ciel dans le fond de son âme en détresse de pouvoir finir sa vie sur cet espace de deux pieds carrés, dût-elle durer cent années. Une fois, il regarda au-dessous de lui dans la place, dans l'abîme ; la tête qu'il releva fermait les yeux et avait les cheveux tout droits.

C'était quelque chose d'effrayant que le silence de ces deux hommes. Tandis que l'archidiacre à quelques pieds de lui agonisait de cette horrible façon, Quasimodo pleurait et regardait la Grève.

L'archidiacre, voyant que tous ses soubresauts ne servaient qu'à ébranler le fragile point d'appui qui lui restait, avait pris le parti de ne plus remuer. Il était là, embrassant la gouttière, respirant à peine, ne bougeant plus, n'ayant plus d'autres mouvements que cette convulsion machinale du ventre qu'on éprouve dans les rêves quand on croit se sentir tomber. Ses yeux fixes étaient ouverts d'une manière maladive et étonnée. Peu à peu cependant, il perdait du terrain, ses doigts glissaient sur la gouttière, il sentait de plus en plus la faiblesse de ses bras et la pesanteur de son corps, la courbure du plomb qui le soutenait s'inclinait à tout moment d'un cran vers l'abîme. Il voyait au-dessous de lui, chose affreuse, le toit de Saint-Jean-le-Rond petit comme une carte ployée en deux. Il regardait l'une après l'autre les impassibles sculptures de la tour, comme lui suspendues sur le précipice, mais sans terreur pour elles ni pitié pour lui. Tout était de pierre autour de lui : devant ses yeux, les monstres béants ; au-dessous, tout au fond, dans la place, le pavé ; au-dessus de sa tête, Quasimodo qui pleurait.

Il y avait dans le Parvis quelques groupes de braves curieux qui cherchaient tranquillement à deviner quel pouvait être le fou qui s'amusait d'une si étrange manière. Le prêtre leur entendait dire, car leur voix arrivait jusqu'à lui, claire et grêle : — Mais il va se rompre le cou !

Quasimodo pleurait.

Enfin l'archidiacre, écumant de rage et d'épouvante, comprit que tout était inutile. Il rassembla pourtant tout ce qui lui restait de force pour un dernier effort. Il se roidit sur la gouttière, repoussa le mur de ses deux genoux, s'accrocha des mains à une fente des pierres, et parvint à regrimper d'un pied peut-être ; mais cette commotion fit ployer brusquement le bec de plomb sur lequel il s'appuyait. Du même coup la soutane s'éventra. Alors sentant tout manquer sous lui, n'ayant plus que ses mains roidies et défaillantes qui tinssent à quelque chose, l'infortuné ferma les yeux et lâcha la gouttière. Il tomba.

Quasimodo le regarda tomber.

Une chute de si haut est rarement perpendiculaire. L'archidiacre lancé dans l'espace tomba d'abord la tête en bas et les deux mains étendues, puis il fit plusieurs tours sur lui-même. Le vent le poussa sur le toit d'une maison où le malheureux commença à se briser. Cependant il n'était pas mort quand il y arriva. Le sonneur le vit essayer encore de se retenir au pignon avec les ongles. Mais le plan était trop incliné, et il n'avait plus de force. Il glissa rapidement sur le toit comme une tuile qui se détache, et alla rebondir sur le pavé. Là, il ne remua plus.

Quasimodo alors releva son œil sur l'égyptienne dont il voyait le corps, suspendu au gibet, frémir au loin sous sa robe blanche des derniers tressaillements de l'agonie, puis il le rabaissa sur l'archidiacre étendu au bas de la tour et n'ayant plus forme humaine, et il dit avec un sanglot qui souleva sa profonde poitrine : — Oh ! tout ce que j'ai aimé !

III

MARIAGE DE PHŒBUS

Vers le soir de cette journée, quand les officiers judiciaires de l'évêque vinrent relever sur le pavé du Parvis le cadavre disloqué de l'archidiacre, Quasimodo avait disparu de Notre-Dame.

Il courut beaucoup de bruits sur cette aventure. On ne douta pas que le jour ne fût venu où, d'après leur pacte, Quasimodo, c'est-à-dire le diable, devait emporter Claude Frollo, c'est-à-dire le sorcier. On présuma qu'il avait brisé le corps en prenant l'âme, comme les singes qui cassent la coquille pour manger la noix.

C'est pourquoi l'archidiacre ne fut pas inhumé en terre sainte.

Louis XI mourut l'année d'après, au mois d'août 1483.

Quant à Pierre Gringoire, il parvint à sauver la chèvre, et il obtint des succès en tragédie. Il paraît qu'après avoir goûté de l'astrologie, de la philosophie, de l'architecture, de l'hermétique, de toutes les folies, il revint à la tragédie, qui est la plus folle de toutes. C'est ce qu'il appelait *avoir fait une fin tragique*. Voici, au sujet de ses triomphes dramatiques, ce qu'on lit dès 1483 dans les comptes de l'Ordinaire : « A Jehan Marchand et Pierre Gringoire, charpentier et compositeur, qui ont fait et composé le mystère fait au Châtelet de Paris à l'entrée de monsieur le légat, ordonné des personnages, iceux revêtus et habillés ainsi que audit mystère était requis, et pareillement, d'avoir fait les échafauds qui étaient à ce nécessaires ; et pour ce faire, cent livres.

Phœbus de Châteaupers aussi fit une fin tragique. il se maria,

IV

MARIAGE DE QUASIMODO

Nous venons de dire que Quasimodo avait disparu de Notre-Dame le jour de la mort de l'égyptienne et de l'archidiacre. On ne le revit plus en effet, on ne sut ce qu'il était devenu.

Dans la nuit qui suivit le supplice de la Esmeralda, les gens des basses œuvres avaient détaché son corps du gibet et l'avaient porté, selon l'usage, dans la cave de Montfaucon.

Montfaucon était, comme dit Sauval, « le plus ancien et le plus superbe gibet du royaume ». Entre les faubourgs du Temple et de Saint-Martin, à environ cent soixante toises des murailles de Paris, à quelques portées d'arbalète de la Courtille, on voyait au sommet d'une éminence douce, insensible, assez elevée pour être aperçue de quelques lieues à la ronde, un édifice de forme étrange, qui ressemblait assez à un cromlech celtique, et où il se faisait aussi des sacrifices.

Qu'on se figure, au couronnement d'une butte de plâtre, un gros parallélipipède de maçonnerie, haut de quinze pieds, large te trente, long de quarante, avec une porte, une rampe extérieure et une plate-forme ; sur cette plate-forme seize énormes piliers de pierre brute, debout, hauts de trente pieds, disposés en colonnade autour de trois des quatre côtés du massif qui les supporte, liés entre eux à leur sommet par de fortes poutres où pendent des chaînes d'intervalle en intervalle ; à toutes ces chaînes, des squelettes ; aux alentours dans la plaine, une croix de pierre et deux gibets de second ordre qui semblent pousser de bouture autour de la fourche centrale ; au-dessus de tout cela, dans le ciel, un vol perpétuel de corbeaux. Voilà Montfaucon.

A la fin du quinzième siècle, le formidable gibet, qui datait de 1328, était déjà fort décrépit. Les poutres étaient vermoulues, les chaînes rouillées, les piliers verts de moisissure. Les assises de pierre de taille étaient toutes refendues à leur jointure, et l'herbe poussait sur cette plate-forme où les pieds ne touchaient pas. C'était un horrible profil sur le ciel que celui de ce monument ; la nuit surtout, quand il y avait un peu de lune sur ces crânes blancs, ou quand la bise du soir froissait chaînes et squelettes et remuait tout cela dans l'ombre. Il suffisait de ce gibet présent là pour faire de tous les environs des lieux sinistres.

Le massif de pierre qui servait de base à l'odieux édifice était creux. On y avait pratiqué une vaste cave, fermée d'une vieille grille de fer détraquée, où l'on jetait non seulement les débris humains qui se détachaient des chaînes de Montfaucon, mais les corps de tous les malheureux exécutés aux autres gibets permanents de Paris. Dans ce profond charnier où tant de poussières humaines et tant de crimes ont pourri ensemble, bien des grands du monde, bien des innocents sont venus successivement apporter leurs os, depuis Enguerrand de Marigni, qui étrenna Montfaucon et qui était un juste, jusqu'à l'amiral de Coligni, qui en fit la clôture et qui était un juste.

Quant à la mystérieuse disparition de Quasimodo, voici tout ce que nous avons pu découvrir.

Deux ans environ ou dix-huit mois après les événements qui terminent cette histoire, quand on vint rechercher dans la cave de Montfaucon le cadavre d'Olivier le Daim, qui avait été pendu deux jours auparavant, et à qui Charles VIII accordait la grâce d'être enterré à Saint-Laurent en meilleure compagnie, on trouva parmi toutes ces carcasses hideuses deux squelettes dont l'un tenait l'autre singulièrement embrassé. L'un de ces deux squelettes, qui était celui d'une femme, avait encore quelques lambeaux de robe d'une étoffe qui avait été blanche, et on voyait autour de son cou un collier de grains d'adrézarach avec un petit sachet de soie, orné de verroterie verte, qui était ouvert et vide. Ces objets avaient si peu de valeur que le bourreau sans doute n'en avait pas voulu. L'autre, qui tenait celui-ci étroitement embrassé, était un squelette d'homme. On remarqua qu'il avait la colonne vertébrale déviée, la tête dans les omoplates, et une jambe plus courte que l'autre. Il n'avait d'ailleurs aucune rupture de vertèbre à la nuque, et il était évident qu'il n'avait pas été pendu. L'homme auquel il avait appartenu était donc venu là, et il y était mort. Quand on voulut le détacher du squelette qu'il embrassait, il tomba en poussière.

TABLE DES MATIÈRES

LIVRE SEPTIÈME

I. Du danger de confier son secret à une chèvre .. 13
II. Qu'un prêtre et un philosophe sont deux 27
III. Les cloches 36
IV. ANAGKH 38
V. Les deux hommes vêtus de noir 52
VI. Effet que peuvent produire sept jurons en
plein air 57
VII. Le moine-bourru 61
VIII. Utilité des fenêtres qui donnent sur la rivière .. 69

LIVRE HUITIÈME

I. L'écu changé en feuille sèche 79
II. Suite de l'écu changé en feuille sèche 88
III. Fin de l'écu changé en feuille sèche 93
IV. *Lasciate ogni speranza* 95
V. La mère 109
VI. Trois cœurs d'homme faits différemment 113

LIVRE NEUVIÈME

I. Fièvre 133
II. Bossu, borgne, boiteux 143
III. Sourd 147
IV. Grès et cristal 150
V. La clef de la Porte-Rouge 160
VI. Suite de la clef de la Porte-Rouge 162

LIVRE DIXIÈME

   I. Gringoire a plusieurs bonnes idées de suite
     rue des Bernardins 169
  II. Faites-vous truand 179
 III. Vive la joie ! 181
 IV. Un maladroit ami 188
  V. Le retrait où dit ses heures Monsieur Louis
     de France 207
 VI. Petite flambe en baguenaud 236
VII. Châteaupers à la rescousse ! 237

LIVRE ONZIÈME

   I. Le petit soulier 241
  II. *La creatura bella bianco vestita* (Dante) 272
 III. Mariage de Phœbus 280
 IV. Mariage de Quasimodo 281

IMPRIMÉ EN UNION EUROPÉENNE
le 25-07-2001
N° d'impression : 8195
002/01 – Dépôt légal, juillet 2001